CW00409713

La victoire
de la Grande Armée

VALÉRY GISCARD D'ESTAING

De l'Académie française

La victoire de la Grande Armée

J'ai écrit ce récit pour moi, pendant les journées d'hiver,
mais j'aimerais que vous preniez plaisir à le lire.

Vg.'E.

Sommaire

1812

1813

1814

1815

Carte

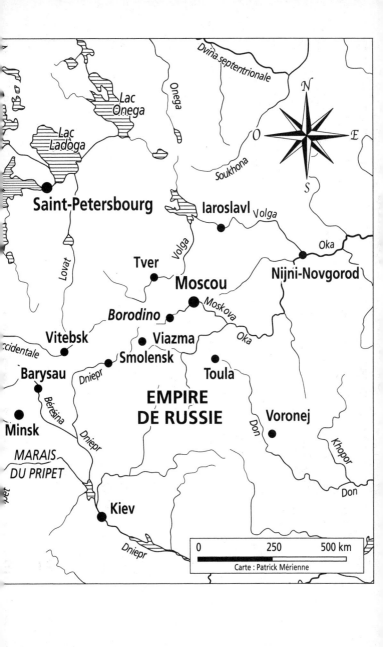

Introduction

La plupart d'entre nous portent dans leur mémoire quelques images de la campagne de Russie conduite par Napoléon en 1812, et surtout de la retraite catastrophique de la Grande Armée, traînant les pieds dans la neige, et harcelée par les cosaques.

Ces images nous viennent des livres d'histoire scolaires, souvent illustrés des photos des terribles tableaux de Gros et de Meissonnier, et aussi, pour beaucoup d'entre nous, de la lecture de l'illustrissime roman de Tolstoï, *Guerre et Paix*.

Malgré ces sources notre connaissance de ces événements reste vague. Un brillant dirigeant de la société médiatique auquel je posais la question, à propos de l'éventualité d'un film à produire sur le sujet : « Savez-vous à quel moment Napoléon a fait son entrée dans Moscou ? » m'a répondu, après s'être longuement gratté le cou, en faisant défiler dans son cerveau toutes les réponses possibles : « Au mois de mai. »

Hélas non ! Il est arrivé beaucoup plus tard ! Son entrée date du 14 septembre, à l'orée de l'automne et non loin des premières chutes de neige sur l'immense Russie.

J'en ai vécu directement l'expérience lorsque je me suis rendu pour une rencontre de travail avec les dirigeants polonais dans le sud-est du pays, tout près de la frontière de l'Union soviétique. Nous sommes repartis de l'aéroport de Varsovie, où s'était posé l'avion militaire qui m'avait amené de Paris, en direction du sud, pour rejoindre la ville de Jeschow, au pied des Carpates. La campagne était verte, les arbres encore couverts de feuillage, et le ciel lumineux. Lorsque nous sommes montés dans l'hélicoptère qui devait nous transporter jusqu'au point d'arrivée – un domaine où les hauts dirigeants polonais avaient l'habitude de se réunir pour quelques jours de détente –, le pilote m'a prévenu : « Le temps est en train de changer, m'a-t-il dit. La neige va commencer à tomber, et nous risquons d'être secoués. » Son pronostic était malheureusement exact. Après une demi-heure de vol, le ciel s'est noirci, et notre appareil a commencé à vibrer. Il a suffi d'une dizaine de minutes pour que la transformation soit totale. L'hélicoptère faisait des soubresauts, comme s'il recevait des coups violents sur sa carlingue. C'étaient les sautes de vent qui le frappaient. L'interprète polonais, que les autorités avaient joint à notre expédition, était livide, car la peur l'avait vidé de son sang. Il s'est allongé sur le plancher en poussant des gémissements. La frayeur a provoqué chez lui une crise cardiaque. À l'arrivée, il a fallu l'évacuer sur un brancard.

Par le hublot, je cherchais à apercevoir le ciel. Mais mon regard ne rencontrait qu'une tempête de nuages, dans toutes les couleurs du gris. J'étais captivé par cette tornade, où les nuées alternaient en vagues serrées, dessinées comme des rochers ronds dont nous traversions la coulée. C'est alors qu'à l'image des taches d'encre, dont Victor Hugo croyait voir jaillir des dessins, j'ai commencé à apercevoir des ombres, des silhouettes coiffées de chapeau d'ours, avec des sacs au dos et des guêtres blanches, qui se débattaient contre le vent, en essayant d'avancer. J'ai entrevu l'affreux spectacle de cette course vers la mort, à l'arrivée de l'hiver.

Napoléon était entré à Moscou le 14 septembre 1812. Il n'en est reparti que le 19 octobre, plus d'un mois plus tard, et n'est arrivé à Smolensk que le 9 novembre, sur le chemin du retour. C'est seulement le 23 octobre que le maréchal Mortier commença l'évacuation complète de Moscou. Les premiers cadavres des 30 000 chevaux qui allaient périr de froid jalonnaient déjà le parcours.

Qu'attendait Napoléon ? Quel était l'enjeu de cette longue hésitation de trente-quatre jours ? Quels plans, quels projets mûrissait-il dans son cerveau génial ? Et comment ne sentait-il pas venir le grondement mortel de l'hiver qui se préparait à frapper ?

*
*   *

La campagne avait commencé en fanfare. Les multiples contingents qui formaient la Grande Armée – français, bavarois, wurtembergeois, prussiens, polonais, italiens, napolitains, autrichiens, bohémiens, et même, étrangement, des régiments espagnols et portugais – avaient été acheminés vers la frontière russe, grâce à la logistique admirable montée par Lacuée de Cessac, ministre de l'Administration de la Guerre. Tout le long des trajets, des étapes avaient été aménagées comportant des cantonnements et des dépôts de provisions pour les hommes, et du fourrage pour les chevaux. En dépit de cet effort, accompagné par les fournisseurs des armées et les spéculateurs, un retard avait été pris, et le dispositif ne fut mis en place, sur la rive gauche du fleuve Niémen, marquant la limite de l'Empire russe, qu'au début du mois de juin 1812, déjà tard en saison.

La guerre n'était pas déclarée, et des négociations bizarres se poursuivaient entre les deux anciens alliés du traité de Tilsit, l'empereur Napoléon, installé en Pologne, et l'empereur Alexandre, qui s'était fixé à Wilno, en Lituanie, que les Français de la Grande Armée baptisaient Vilna. Avant que la frontière de l'Empire russe que constituait le Niémen ne soit franchie, Alexandre avait envoyé un messager à Napoléon pour lui proposer une ultime conversation.

Il s'agissait du général Balachov, ministre de la Police, accompagné de son aide de camp. Ils avaient rejoint dans la campagne lituanienne Murat, venu à leur rencontre, et revêtu d'un uniforme rutilant comme à son habitude, qui avait excité l'ironie des Russes. L'Empereur avait refusé de recevoir l'envoyé d'Alexandre, et l'avait laissé à la garde du maréchal Davout. Il n'avait consenti à lui donner une brève audience que deux ou trois jours après son arrivée.

Chacun savait que, dans la tête de Napoléon, la guerre était décidée. Il n'aurait pas mis en place ce gigantesque appareil militaire s'il n'avait pas eu l'intention de s'en servir pour écraser l'armée russe, et marcher jusqu'à Moscou. Les soldats de tout rang attendaient allègrement l'ordre de franchir le fleuve.

On ne savait pas exactement où se trouvait l'armée russe qu'Alexandre avait rassemblée pour protéger son pays : à quelques kilomètres du Niémen, ou un peu plus loin pour attendre l'attaque ? Les chefs de la Grande Armée, parmi lesquels on comptait l'élite des maréchaux de l'Empire, le maréchal Berthier qu'on appelait le prince de Neuchâtel, Murat, Ney, Davout, Oudinot, Poniatowski, et le vice-roi d'Italie, Eugène de Beauharnais, qui commandait l'armée d'Italie, tous s'attendaient à une bataille imminente avec l'armée russe, qui se solderait par une victoire éclatante, leur ouvrant la route de Moscou.

*
* *

Napoléon était persuadé que l'armée russe se préparait à la bataille juste de l'autre côté du fleuve, où il était sûr de l'écraser. Il n'envisageait pas une marche trop longue, qui affaiblirait son armée, et lui ravirait les éléments de sa victoire. Il cherchait à franchir mystérieusement le Niémen, en trompant l'adversaire dont il prévoyait la résistance.

Une rumeur courait dans l'armée : l'Empereur serait venu dans la nuit repérer les points de passage possibles. Pour éviter d'être reconnu, il avait troqué son uniforme de chasseur de la Garde contre une tenue de chevau-léger polonais. La population de la bourgade voisine de Kovno avait assisté, éberluée, à ce déguisement impérial ! À minuit, le 23 juin, Napoléon visita les bords du fleuve. Le 24 juin au matin l'immense foule des soldats franchissait le Niémen, sur trois ponts aménagés par les pontonniers du génie.

Comme la rive du Niémen est escarpée à l'ouest, où elle forme une pente raide, les fantassins se laissaient glisser sur le dos avec leur paquetage et leur fusil, en s'accrochant pour se ralentir aux poignées de paille de blé, car la moisson n'était pas encore faite. On croyait voir une cataracte, une cascade d'hommes vivants.

Comme on prévoyait que l'armée allait traverser un pays que la retraite des Russes priverait d'aliments, un ordre du jour invitait chacun à se munir de vivres pour quelques étapes. Cette annonce fit surgir un nombre incroyable de véhicules de toutes formes et de toutes tailles, qui gênaient les mouvements de l'armée.

Lorsque celle-ci se regroupa de l'autre côté du Niémen, après un orage tonitruant, et de mauvais augure, elle continua à s'étaler dans la plaine russe. Un courant d'enthousiasme transportait les soldats. C'était à qui toucherait le premier la terre qu'ils allaient conquérir.

Mais il fallut se rendre à l'évidence : le pays était désert, sa population avait fui, et l'armée russe s'était retirée sans combattre, frustrant Napoléon de la gloire de la victoire rapide qu'il espérait.

C'était une décision stratégique. Les deux généraux russes, Barclay de Tolly et Bagration, avaient fait le choix de battre en retraite, en attirant Napoléon plus loin à l'intérieur du pays, et en affaiblissant son armée : tout serait détruit le long du parcours emprunté par la Grande Armée, habitations et récoltes ; tout ce qui pouvait fuir, moujiks et animaux, devrait déserter le pays. Les Français seraient désorientés par la recherche d'un ennemi invisible et insaisissable, et leur avance serait ralentie par l'absence de tout cantonnement, et par l'impossibilité de compléter leur ravitaillement par des ressources locales. La Grande Armée était contrainte d'avancer à marche forcée sur une large bande de terre déserte et dévastée, tout en maintenant en place ses formations de combat pour pouvoir affronter une éventuelle contre-attaque russe.

Après une longue retraite qui l'a conduite à proximité de Smolensk, l'armée du général Barclay de Tolly a tenté une première fois de couper la route de Moscou à la Grande Armée. Après une bataille violente et sanglante où les pertes russes furent très supérieures à celles des Français et de leurs alliés, l'armée russe reprit sa marche vers l'arrière, sans que Napoléon, par son indécision apparente, ait été capable d'exploiter son succès en exterminant ses adversaires.

C'est à 150 kilomètres environ de Moscou que le commandement russe, depuis peu placé sous les ordres du général Koutouzov, décida de livrer la grande bataille, pour interdire l'accès de la Grande Armée à la capitale historique de la Russie. Koutouzov avait choisi son terrain, le long de la rivière Moskova, qui coule en direction de Moscou, et près du village de Borodino[1].

La bataille, admirablement décrite par Léon Tolstoï dans *Guerre et Paix*, a été d'un acharnement inouï. On estime que le nombre de tués dans cette seule journée est le plus élevé de toute l'histoire

---

1. Ce champ de bataille a été conservé, et peut être visité. Sa vue est saisissante.

militaire, jusqu'à la bataille de la Somme pendant la guerre de 1914-1918[1].

Au total, la Grande Armée était victorieuse, et pouvait avancer vers Moscou, mais la résistance des soldats russes avait atteint un tel niveau d'héroïsme qu'elle avait permis à Koutouzov d'envoyer à Saint-Pétersbourg un bulletin fallacieux de victoire.

Pendant la semaine suivante, le commandement russe fut le siège d'un débat agité pour savoir si l'armée devait livrer un ultime combat, aux portes de Moscou, où elle aurait très probablement été écrasée. En dernier ressort, Koutouzov décida d'abandonner Moscou pour sauver ce qui restait de son armée, et une sorte de trêve fut instaurée pendant laquelle l'avant-garde de la Grande Armée, menée par Murat, marchait sur les talons de l'armée russe en retraite, sans la combattre. On assistait même à des scènes de fraternisation entre les derniers cosaques et les premiers hussards.

C'est dans ces conditions que Napoléon fit son entrée dans Moscou, abandonnée par l'armée russe et l'essentiel de sa population. Presque aussitôt, des bandes organisées mirent le feu à la cité sur les ordres du gouverneur Rostopchine, dans la journée du 14 septembre. Certaines unités de la Grande Armée, épargnées à la bataille de la Moskova, défilaient en bon ordre lors de leur arrivée à Moscou, précédées de leurs fanfares. Les

---

1. Les estimations les plus récentes recueillies par l'historien Adam Zamoyski font état de 73 000 victimes, dont 45 000 Russes et 28 000 soldats de la Grande Armée. Parmi eux figurent 29 généraux russes, dont Bagration et Tuchkov, et 48 généraux de la Grande Armée, dont 11 morts, notamment le frère de Caulaincourt.

premiers à pénétrer dans la ville furent les hussards polonais, suivis des escadrons du 2e corps de cavalerie français.

C'est à partir de ce jour-là que l'histoire concrète et l'histoire imaginée, qui fait l'objet de ce récit, se séparent.

L'histoire concrète relate le long séjour de Napoléon à Moscou. Communiquant peu, absorbé par son débat intérieur, examinant sans conclure les différentes options qui s'offraient à lui, il quitta la ville le 19 octobre. Lorsqu'il se décida à partir, la saison commençait à changer. Ce n'est que le 9 novembre qu'il atteignit Smolensk, recouvert d'une couche de neige qui tombait depuis trois jours. La température était descendue à – 15 degrés, et il soufflait un vent du nord glacial. Or la Grande Armée n'avait parcouru que la moitié de son chemin de retour en territoire russe. La deuxième moitié allait conduire au martyre et à l'agonie dont les images nous serrent encore aujourd'hui le cœur.

L'histoire imaginée part de l'idée que Napoléon avait pris conscience assez tôt, notamment sous la pression insistante de son ministre des Affaires étrangères Caulaincourt, des risques que lui faisait courir son imprudente expédition en Russie. Il avait hésité à faire demi-tour avant même de conquérir Moscou, mais c'était encore l'été, et il n'était qu'à quelques centaines de kilomètres de Moscou, soit une distance inférieure à celle qui sépare Paris de Strasbourg. Autant achever la campagne par une conquête qui retentirait dans l'Europe entière, à condition de repartir aussitôt, après avoir cueilli les fruits de la victoire tout en préservant son armée. Il pourrait alors faire un retour triomphal, écraser les défections et les complots qui se préparaient dans l'ombre, et prendre les initiatives qui couronneraient la fin de son règne.

Tel est le récit que nous propose l'histoire imaginée. Elle ne s'écarte de la réalité que par les quelques dizaines de minutes dont doit disposer un esprit aussi brillant et calculateur que celui de Napoléon Bonaparte pour effectuer son choix.

Je n'entrerai pas, du moins dans ce livre, dans le débat passionnant qui cherche à mesurer l'influence respective des décisions prises par les détenteurs du pouvoir, et de la pression exercée par les forces culturelles et sociales qui modèlent nos sociétés. Tolstoï s'y est essayé, mais les 122[1] pages qu'il consacre à ce sujet dans l'épilogue de *Guerre et Paix* retiennent beaucoup moins l'attention du lecteur, alors même qu'il ne s'est pas résigné à fermer le livre, que l'intrigue amoureuse de Natacha et du prince André Volkonsky !

*
* *

L'histoire imaginée, séparée de l'histoire réelle par la minceur d'une feuille de papier, emprunte tous ses matériaux à cette dernière, si elle veut constituer une option plausible. Aussi je suis infiniment redevable aux œuvres de ceux qui m'ont informé et éclairé sur cette période. Je leur exprime une reconnaissance sans limites.

Il s'agit d'abord du géant Léon Tolstoï qui a compilé dans sa petite écritoire de Iasnaïa-Poliana, que je suis allé visiter deux fois, un nombre incroyable d'archives et d'articles sur le déroulement

---

1. Dans la traduction française.

des opérations militaires. Sa vue est évidemment biaisée par la haine qu'il portait à l'empereur Napoléon, et par le mépris dans lequel il tenait ses maréchaux, notamment Murat, le roi de Naples. Je me suis efforcé de redresser un peu la balance.

Le second auteur qui m'a fourni une quantité d'informations précieuses est l'historien polono-britannique Adam Zamoyski. Son remarquable ouvrage *1812, la marche fatale de Napoléon sur Moscou*, publié en 2004, constitue l'étude la plus complète et la plus précise de cette tragique aventure.

J'y ajouterai trois documents.

D'abord le journal d'Anatole de Montesquiou-Fézensac[1]. Celui-ci, qui a été successivement aide de camp du maréchal Davout, puis attaché à l'état-major particulier de l'Empereur, a vécu ces événements en direct. Chargé par Napoléon d'aller rassurer les princes allemands sur le sort de la Grande Armée, il a fait le trajet de retour de Moscou à Paris moitié à cheval et moitié à pied. Deuxième fils du comte de Montesquiou, Grand Chambellan de l'Empire, et de son épouse, gouvernante du jeune fils de Napoléon, le petit roi de Rome, qui la surnommait « Maman Quiou », il disposait de nombreuses relations, qui élargissaient son champ d'observation. Son journal fourmille de renseignements et de détails, et c'est sur son épaule que Napoléon a appuyé sa lunette lorsqu'il est arrivé le 14 septembre 1812 sur la colline d'où il pouvait découvrir pour la première fois les dômes dorés de Moscou.

J'ai acquis le deuxième document dans une excellente librairie historique de la rue Saint-André-

---

1. Publié aux éditions Plon.

des-Arts. Il s'agit de l'Almanach impérial pour l'an 1812. J'y ai trouvé tout ce que je cherchais sur l'organisation de la Maison de l'Empereur, et sur la structure de la Garde impériale, qui est décrite bataillon par bataillon, ct escadron par escadron, en énumérant tous les officiers jusqu'au grade de capitaine et de lieutenant. En parcourant ses 976 pages, j'ai été impressionné par l'image d'organisation et d'efficacité que donne alors la société française, vingt-trois ans après la Révolution. Tout y figure, l'administration préfectorale, la justice avec la liste complète des tribunaux et des juges, l'Université, la diplomatie, mais aussi les maisons souveraines d'Europe, sans doute empruntées au Gotha de Thuringe, la liste des bureaux de poste et des médecins dans tout le pays, ainsi que l'organisation du Muséum d'histoire naturelle et de la Comédie-Française ! Bref la structure d'un grand pays, maître de son sort.

Le dernier document, trouvé dans une vente, est un exemplaire froissé du *Journal de la Grande Armée*, grossièrement imprimé à Smolensk. Il reproduit avec une honnêteté remarquable les communiqués français et russes sur le déroulement des combats. Chacun, bien évidemment, crie victoire, mais le plus émouvant ne tient pas à ces clameurs de triomphe, mais bien davantage aux déchirures de ce papier jauni qui a traversé la grande plaine russe dans une besace enrobée de glace, pour apporter jusqu'à nous l'annonce de « La victoire de la Grande Armée », puisque c'est sur celle-ci que je dois maintenant lever le rideau.

Valéry Giscard d'Estaing

1812

Chapitre I

Moscou, jeudi 17 septembre

Tous les regards étaient attirés vers le même angle de la place centrale du Kremlin, en face de la cathédrale de l'Assomption coiffée de ses oignons bariolés. Un repli du mur du palais des Patriarches faisait apparaître une petite terrasse, bordée d'une balustrade de fer forgé noir. On y accédait à partir de la place en montant trois marches. Là, dans cet espace étroit, assis sur un banc de pierre et adossé au mur, se tenait l'empereur Napoléon. Il était coiffé de son chapeau noir habituel, décoré sur le côté d'une cocarde tricolore, et portait la veste verte et la culotte blanche des chasseurs de la Garde. Il observait la foule des promeneurs d'un regard indifférent, montrant que son esprit était occupé ailleurs.

Cette foule était exclusivement composée de militaires, davantage d'officiers que de soldats. Ils s'offraient le luxe d'une promenade pendant une courte permission de détente, par un après-midi ensoleillé et bleuté, trois jours après que leur avant-garde eut pénétré dans Moscou enfin conquise. Pas un seul vêtement civil, pas une blouse serrée à la taille des travailleurs russes ne s'apercevait dans la foule. Toutes les couleurs de l'arc-en-ciel des uniformes de la Grande Armée étaient représentées, depuis le bleu ardoise des artilleurs jusqu'au bleu marine des fantassins de la Garde. Les cavaliers s'étaient débarrassés de leurs cuirasses métalliques, et arboraient des gilets rouge vif. Les feutres gris des voltigeurs italiens étaient coiffés de longues plumes.

Ces militaires avaient immédiatement repéré la présence de l'Empereur, mais ils feignaient de ne pas le regarder, ou se contentaient de jeter vers lui un regard furtif, pour ne pas perturber ce qui leur apparaissait comme une méditation solitaire.

Napoléon gardait la tête légèrement penchée sur son gilet blanc, et étirait devant lui, de temps à autre, ses jambes serrées dans de hautes bottes à genouillères de cuir noir. Soudain, il releva son visage et interpella d'une voix forte, et un peu éraillée, qui gardait la trace du rhume qu'il avait contracté à la Moskova, un militaire qui passait devant lui :

« Général Beille, approche ! J'ai à te parler. Je vais te dire pourquoi je t'ai fait chercher. »

Un aide de camp de l'Empereur se tenait effectivement à côté de l'officier auquel il venait de s'adresser.

« Approche, approche », reprit l'Empereur, sur un ton d'impatience qui faisait ressortir son accent corse.

L'officier gravit d'une démarche embarrassée les trois marches conduisant au petit perron. Il était grand, mince, avec des touffes de cheveux noirs jaillissant de son calot orné d'un pompon pendant sur le côté. Il se figea dans un garde-à-vous strict, et se présenta d'une voix à la tonalité ferme et plaisante :

« Colonel Beille, Sire, commandant le 2e régiment des chasseurs à cheval de la Garde.

— Non pas colonel, répliqua l'Empereur d'une voix autoritaire, mais volontairement assourdie pour ne pas être entendue de l'extérieur, non pas colonel mais général ! Tu sais peut-être que j'ai le pouvoir de nommer des généraux ! À partir de cet instant, tu es le général Beille. Et peut-être iras-tu plus loin... »

Le jeune officier se tint immobile, les yeux dilatés. Ne sachant comment réagir, il esquissa un salut, et porta la main à son calot.

« Je vous remercie, à vos ordres, Sire ! déclara-t-il.

— Ne me remercie pas, répliqua l'Empereur. Je vais te dire pourquoi je te nomme, et quelle sera la mission que tu auras à exécuter ! »

*
* *

« Et d'abord, assieds-toi. Il y a une place en face de moi sur cette corniche. Je n'aime pas avoir à lever la tête pour parler à mon interlocuteur ! Ce que je vais te dire exige un secret absolu. Je sais que je peux te faire confiance, mais ce n'est pas un secret ordinaire. N'en parle surtout pas à ton chef, le maréchal Davout. C'est moi qui le préviendrai quand il sera temps. Voici donc ma décision : dans deux jours la Grande Armée commencera son départ de Moscou. Elle n'a plus rien à faire dans cette fichue ville ! »

Pendant que l'Empereur parlait, plusieurs colonnes de fumée noire s'élevaient droites dans le ciel encore bleu.

« Regarde ! reprit Napoléon. Ce sont les incendies qu'ont allumés les bandits sortis de prison, sur l'ordre de cette brute de Rostopchine ! Mais ce ne sont pas eux qui vont nous faire partir ! Ils préféreraient nous garder sur place, en pensant nous affaiblir, et en retardant le moment où nous quitterons cette ville maudite pour qu'ils puissent nous anéantir après la chute des premières neiges. C'est pour cela que j'ai décidé de les surprendre en précipitant notre départ. Je vais donner l'ordre ce soir d'organiser une grande parade devant le Kremlin pour après-demain. Ce sera l'occasion de mettre les unités en ordre de marche, et aussitôt les premiers régiments prendront la route du retour. Je n'ai pas encore choisi celui qui conduira l'avant-garde. J'hésite entre Murat, pour sa bravoure, et Davout, pour ses qualités manœuvrières, ou peut-être encore le maréchal Ney. Il est indispensable de garder le secret pour que les Russes n'aient pas le temps de monter des embuscades. Par les espions qu'on arrête, car dans cette ville il ne reste plus que des incendiaires, des prostituées et des espions, nous avons réussi à apprendre, avant de les fusiller, que le commandement russe faisait remonter vers Moscou son armée du sud, stationnée en Moldavie, face à la Turquie. Elle compte de nombreuses unités de cosaques à cheval qui excelleraient à harceler nos forces. »

Le débit de la voix de l'Empereur était devenu plus âpre, et ses traits se creusaient comme chaque fois qu'il conduisait un effort de réflexion. De temps à autre, il jetait un regard sur la foule bigarrée des militaires qui parcourait nonchalamment la place, en paraissant goûter le plaisir de vivre quelques moments paisibles dans cette ville grandiose et conquise, en dépit des panaches de fumée qui continuaient d'encombrer le ciel.

« Avant de te dire ce que j'attends de toi, poursuivit l'Empereur, je vais te raconter comment j'ai pris ma décision de quitter immédiatement Moscou. J'ai réalisé en plusieurs temps que cette guerre était une erreur, comme d'autres fautes que j'ai pu commettre, notamment dans la guerre d'Espagne.

« C'est lorsque j'ai quitté Dresde que la réalité a commencé à m'apparaître. À Dresde, j'étais l'empereur de l'Europe ! J'avais à mes côtés l'empereur d'Autriche, le roi de Prusse, le vice-roi d'Italie, et tous les princes souverains allemands. Ils étaient à mes pieds, avec leurs épouses, tu entends, à mes pieds ! J'aurais pu en rester là, et consolider des alliances qui en avaient besoin. Mais je me sentais poussé par une envie de domination irrésistible. Je voulais en finir avec la menace que les hordes barbares du nord faisaient peser sur l'Europe du Sud. Je n'assimilais pas Alexandre à cette menace : nous avions fini par nous entendre à Tilsit. J'étais encore disposé à négocier, et je savais que lui aussi y était prêt de son côté. Et en même temps nous sentions tous les deux que la guerre était inévitable, lui à cause de la frustration de son peuple qui n'avait pas digéré ses défaites et qui appelait à une revanche, et moi parce que je n'avais pas fait traverser l'Europe à cette immense armée de 500 000 hommes – la plus grande que le monde ait jamais connue – pour la laisser oisive au bord du Niémen, à pêcher les poissons de la rivière ! La guerre ne pouvait plus être évitée !

« En traversant le Niémen, je m'imaginais rencontrer l'armée de Barclay de Tolly à courte distance, je l'aurais anéantie en une ou deux batailles, et la route m'aurait été ouverte pour une marche rapide vers Moscou. Ce n'est pas ce qui s'est passé. Les Russes ont choisi de se retirer devant nous en essayant de ralentir notre marche.

« Je vais te faire une confidence. Lorsque nous sommes arrivés à Vitebsk, et que je me suis installé dans le palais de l'oncle du tsar, le prince de Wurtemberg, j'ai connu une phase de découragement. Nous ne rattrapions toujours pas l'armée russe. La chaleur était épouvantable, et les distances restant à parcourir me semblaient trop longues. Le corps de cavalerie que j'avais placé en tête de l'armée avait beaucoup souffert de l'absence de nourriture pour les chevaux. En roulant dans ma calèche de travail, j'avais pu voir des centaines de cadavres d'animaux de part et d'autre de la route. Je me suis dit qu'il fallait nous arrêter, laisser l'armée se reposer, organiser la Pologne, et préparer la campagne que nous reprendrions l'an prochain, en 1813. Pendant les deux semaines que j'ai passées à Vitebsk, j'ai senti le doute grandir autour de moi, et j'ai consulté mes généraux. Le prince de Neuchâtel, Duroc et Caulaincourt, tous pensaient qu'il valait mieux nous arrêter. Mais nous étions encore en juillet. Nous n'allions pas prendre nos quartiers d'hiver ! Et ma résolution m'est revenue. L'armée russe ne pourrait pas fuir indéfiniment devant nous. Elle nous offrirait l'occasion de l'écraser. C'est alors que j'ai pris la décision de reprendre notre marche offensive.

« Les Russes ont essayé deux fois de nous arrêter. La première fois devant Smolensk. C'était une bêtise. Barclay de Tolly avait mal préparé son affaire, et cela lui a coûté son commandement. Nous les avons battus, grâce à l'excellente manœuvre de Davout. Tu en faisais partie, je crois ? »

L'Empereur jeta un regard interrogatif vers le jeune officier qui lui répondit par un hochement de tête affirmatif.

« Oui, j'y étais, Sire, avec mon régiment. Nous marchions sur l'aile droite.

— Ou plutôt vous galopiez ! reprit Napoléon. C'est là que Davout a remarqué ta détermination et ton courage, et qu'il m'a parlé de toi. La seconde tentative des Russes pour nous arrêter a eu lieu sur la rivière Moskova. Ils avaient bien choisi leur terrain en concentrant leur artillerie, qui est la meilleure du monde, sur une redoute située au centre du champ de bataille. La lutte a été terrible. Nous l'avons emporté dans l'après-midi, grâce à l'héroïsme de nos soldats qui ont pris d'assaut la redoute sous le feu des canons. Nous avons subi trop de pertes, mais les Russes beaucoup plus que nous ! Les gazettes d'opposition disent que je suis un boucher ! Ce n'est pas vrai. J'en ai eu le cœur serré, et je le ressens encore. Mais nous avons gagné, et les débris de l'armée russe se sont enfuis devant nous ! »

Les propos de l'Empereur furent interrompus par les éclats d'une fanfare. La foule se retourna. C'était le roi Murat qui avait improvisé un défilé avec sa cavalerie napolitaine. Les spectateurs levaient les bras en agitant des shakos ou des coiffures à plumet. « Vive Murat ! Vive l'Empereur ! » criaient-ils. La bonne humeur conduisait à un dévergondage général.

L'Empereur se retourna vers le général Beille pour lui dire : « Ils sont heureux parce qu'ils sont dans une grande ville, et aussi, peut-être, parce qu'ils sont vivants. » Et après quelques minutes passées à écouter les hourras de la foule, il reprit :

« De manière précise – Napoléon aperçut Murat le saluant de loin d'un geste grandiose, drapé dans son manteau pourpre broché d'or –, j'ai examiné les choix qui s'offraient à moi, après que Murat eut reçu le message du commandant de l'armée russe. Tu connais le texte de ce message ?

— Non, Sire. J'en ai entendu parler, mais je n'en ai pas lu le texte.

— C'est une lettre extraordinairement plate, presque obséquieuse. Après sa défaite, le général en chef écrivait que l'armée russe allait se retirer sans combattre, en direction de Moscou, dont il voulait éviter la destruction que provoquerait une bataille ou un siège. Il proposait pour cela une sorte de trêve ambulante à Murat. Notre avant-garde marcherait à quelques centaines de mètres de l'arrière de l'armée russe, en retraite vers Moscou. Arrivés près de la ville, les Russes la traverseraient, et laisseraient le passage libre pour permettre à la Grande Armée d'y faire son entrée. Murat était enthousiasmé par cette proposition, dans laquelle il voyait un geste chevaleresque qu'il me suppliait d'accepter. J'étais moins naïf que lui ! J'y ai vu tout de suite une manipulation. Koutouzov savait que son armée avait été trop éprouvée à la Moskova pour être en état de livrer une nouvelle bataille, et il redoutait que nous n'avancions à marche forcée, avec notre cavalerie polonaise presque intacte, pour écraser les débris de ses forces. Il préférait nous proposer cette curieuse procession, unique dans l'histoire, où l'armée vaincue ouvre la voie à l'armée victorieuse pour l'amener dans sa capitale, où il espérait bien nous enfermer !

« Pendant que nous continuions notre progression vers Moscou, je retournais dans mon cerveau les choix qui s'offraient à moi, sans rien communiquer à mes maréchaux, puisque c'était à moi, à moi seul de décider. Il existait plusieurs possibilités. Aucune n'était satisfaisante. Je pouvais poursuivre la marche jusqu'à Saint-Pétersbourg, et forcer Alexandre à signer la paix. Mais c'était loin, près de 800 kilomètres, pour des marcheurs épuisés. Et Alexandre ne se serait jamais prêté à une négociation dans sa capitale occupée. Il aurait fui à temps dans l'est de l'immense espace russe, où il n'était pas question de le poursuivre. Cela ne m'aurait mené à rien.

« Une autre solution aurait été de poursuivre la destruction des forces de Koutouzov. Pour cela il fallait demeurer à Moscou et lancer des opérations autour de la ville, en direction de l'est et du sud. L'hiver serait arrivé. Nous serions immobilisés sous la neige. Il faudrait attendre le printemps pour en repartir. Nous aurions perdu la quasi-totalité de nos chevaux, faute de fourrage et de soins appropriés. Pendant ce temps, des troubles auraient éclaté en Allemagne, notamment en Prusse, et peut-être en France, où on m'informait que des conspirateurs s'agitaient, ce qui fait partie de la culture parisienne. Cette solution devait être écartée.

« Il y avait enfin des rêveries parmi les officiers. Celle d'aller hiverner en Ukraine, où le climat est plus doux, ou encore de faire alliance avec les

Russes pour reprendre ensemble la route du grand Alexandre et chasser les Anglais de leurs fastueuses possessions des Indes.

« Pendant que nous avancions, j'éliminais de mon esprit toutes ces hypothèses, et je n'en voyais surgir qu'une : repartir tout de suite ! J'ai même hésité à faire demi-tour avant d'arriver à Moscou ! Mais cela n'aurait guère eu de sens. Nous étions à portée de la ville. J'avais eu la sensation enivrante d'apercevoir dans ma lunette, appuyée sur l'épaule de mon aide de camp, ses tours et les dômes de ses églises, à partir d'une colline où Moscou se profilait au loin. Et puis les soldats étaient épuisés. Il fallait leur donner au moins deux ou trois jours de repos. Ils avaient un grand besoin de se détendre, après cette furieuse bataille.

« D'ailleurs regarde-les ! », ajouta Napoléon, en soulignant les mots d'un geste de son bras arrondi en direction des promeneurs militaires, dont le nombre commençait à se raréfier, pendant que la luminosité du ciel faiblissait.

« Tout de suite. Il faut partir tout de suite ! », répéta-t-il.

L'Empereur commençait à trépigner. Ses bottes noires claquaient sur le sol. Le général Beille s'était déplacé pour soustraire Napoléon de la vue des derniers soldats présents sur la place.

« Tout de suite ! reprit l'Empereur, sur un ton plus calme. J'ai sans doute perdu près d'un cinquième de mes effectifs pendant la bataille de la Moskova, et un autre sixième pendant la longue marche dans la campagne russe, du fait des déserteurs, des malades, et des victimes des embuscades des cosaques. La proportion est pire pour les chevaux. Je veux ramener mon armée en

Europe et en France ! Ce ne sera pas une débâcle, mais une manœuvre militaire strictement organisée. Mon objectif est de reconduire les deux tiers de la Grande Armée, de ses hommes et de ses canons, sur leurs bases de départ, après m'être emparé de la capitale de l'Empire russe, et avoir mis son armée hors d'état d'envahir l'Europe pour les cinquante années à venir ! C'est ce que je vais expliquer à mes maréchaux demain matin.

« La Grande Armée va commencer son retour dans deux jours, le 18 septembre pour les premières unités. Il faudra au moins quatre jours pour évacuer tout le monde. »

Le crépuscule, un beau crépuscule de fin d'été, semblable à un léger tissu de velours bleu, avait envahi maintenant la place, laissant surnager les coupoles des églises que le soleil couchant faisait flamber d'un scintillement doré.

« Ne t'éloigne pas, général Beille. Je me suis laissé aller à mes divagations, reprit l'Empereur. Mais je dois maintenant être précis sur les ordres que j'ai à te donner. »

*

*   *

« Comme je viens de te le dire – son ton était devenu autoritaire –, je veux ramener intacts les deux tiers de la Grande Armée en Europe, avec ses hommes et ses canons. L'armée se déplacera en ordre de marche, au commandement du prince de Neuchâtel. Je me retirerai au milieu d'elle, avec la Garde. Pendant le trajet de retour, notre objectif sera d'anéantir les forces russes, qui finiront par nous attaquer. Il faudrait détruire au moins la moitié de l'armée de Koutouzov, pour lui épargner la tentation de revenir en Europe ! Je vais modifier le dispositif de la cavalerie, en affectant les régiments à chacun des corps d'armée, pour qu'ils puissent se protéger des harcèlements des cosaques. L'arrière-garde sera formée par les cavaliers de Poniatowski, et les divisions d'infanterie des Italiens du Nord, que commande mon beau-fils. Ce sont d'excellents soldats ! »

L'Empereur souffla, et ramena en arrière son chapeau qui avait glissé sur son front.

« Et voilà maintenant ce qu'il te reviendra de faire. Derrière l'arrière-garde, il y aura une autre arrière-garde pour tromper les Russes. Il faudra faire croire au commandement russe que c'est le dernier maillon du cortège de la Grande Armée, alors que nous serons déjà cent cinquante ou deux cents kilomètres plus loin. Je voudrais atteindre Smolensk, que nous traverserons au pas de charge, vers le 5 octobre, et l'armée devrait franchir le Niémen avant la fin du mois, pour éviter les premières neiges. Nous aurons pris un peu d'avance sur les Russes, mais leurs mouvements sont plus rapides que les nôtres et notre marche sera ralentie par la présence des Français de Moscou qui nous ont demandé de les emmener, faute de quoi ils seraient massacrés, dans l'explosion de haine antifrançaise qui embrase la ville depuis la visite du tsar Alexandre. Les soldats russes connaissent mieux le terrain, et leurs petits chevaux y sont bien adaptés. Ils chercheront à accrocher notre arrière-garde, et c'est là que se situera ton action : il faudra les tromper sur notre situation exacte.

« Je vais te confier le commandement d'une petite unité mobile. Tu resteras en arrière, et tu devras persuader l'ennemi que la Grande Armée marche juste devant toi, alors qu'elle aura déjà pris six ou sept jours d'avance. En particulier, il te faudra rester à Smolensk une semaine après que nous en serons partis.

« Lorsque nous aurons dépassé Vitebsk, je t'enverrai un messager pour te dire que ta mission est terminée, et que tu peux avancer le plus vite possible pour nous rejoindre. »

Le général Beille gardait un regard concentré, sous son front creusé par des sillons parallèles.

« Ce messager ne réussira peut-être pas à m'atteindre, répondit-il. La campagne sera infestée de cosaques ! Que devrai-je faire ?

— J'espère qu'il réussira à te rejoindre, répliqua l'Empereur, on lui fournira une escorte. Mais si le 15 octobre tu n'avais pas de nouvelles, tu pourras forcer ton allure.

— Puis-je vous demander, Sire, si vous avez prévu la composition de l'unité chargée d'exécuter cette mission de retardement ?

— Évidemment, j'y ai réfléchi, fit Napoléon sur un ton irrité, en tapotant ses bottes avec la cravache à pommeau doré qu'il tenait dans sa main droite gantée de blanc. Évidemment ! Comme à tout le reste, d'ailleurs ! Elle comprendra deux batteries d'artillerie légère, fournies par la division Lauriston, et trois bataillons d'infanterie choisis parmi les solides marcheurs. Je pense aux Suisses, aux Bavarois et à notre armée des Alpes. Et j'envisage de faire une exception en t'affectant l'escadron des chevau-légers polonais, bien qu'ils fassent partie de ma garde. Cela te convient-il ? »

Le jeune général Beille restait abîmé dans ses réflexions, à propos d'une situation qu'il n'avait jamais imaginée, et qu'il cherchait maintenant à prévoir. Après une longue hésitation, il répondit :

« Il me semble, Sire, que le dispositif pourrait être complété sur deux points. L'artillerie d'abord. Pour tromper l'ennemi, nous devrions être capables de faire beaucoup de bruit, et de disperser nos tirs. Une batterie supplémentaire me paraîtrait souhaitable. La cavalerie ensuite. Nous serons attaqués sans doute sur les deux côtés de notre parcours. Un seul escadron ne serait pas suffisant pour nous protéger. Il en faudrait un autre.

— En somme tu me demandes de te confier toute la Grande Armée ! », s'indigna Napoléon. Puis après un moment où sa respiration était devenue plus calme, il ajouta : « Peut-être as-tu raison... Je te communiquerai ma décision finale demain, à 6 h 30, au palais du gouverneur, où je t'invite à te rendre. Mais je te le répète : d'ici là, pas un mot à personne. Je vais aller moi-même passer la nuit dans le château de Petrovskoie, au nord de la ville. C'est là que le tsar a l'habitude de s'arrêter quand il quitte la ville pour se rendre à Saint-Pétersbourg. Cela donnera matière à réflexion aux espions, qui vont imaginer que je m'apprête à prendre la même route.

« Je reviendrai demain matin pour veiller à l'organisation de la parade, et je réunirai les maréchaux dans l'après-midi au palais du gouverneur pour préciser la stratégie du départ. N'oublie pas que je t'attends à 6 h 30. Bonsoir, général Beille ! »

L'Empereur se leva et esquissa des mouvements latéraux des genoux, pour mettre fin aux crampes qui l'avaient gagné pendant sa longue immobilité.

Son aide de camp se précipita et lui offrit son bras pour l'aider à descendre les trois marches.

Au même moment, François Beille vit déboucher dans l'ombre de la place la calèche de l'Empereur qui stationnait dans l'attente d'un signal. Jamais il ne reverrait un spectacle aussi extraordinaire. Au cœur du Kremlin, parmi les silhouettes des églises byzantines, l'Empereur s'était installé dans sa calèche attelée de six chevaux. La capote était relevée, et il apercevait, assis à côté du cocher, un personnage en civil coiffé d'un chapeau haut de forme poilu. « Sans doute, pensat-il, est-ce un interprète ou un guide choisi pour éclairer l'itinéraire à travers la ville, qu'éclairaient toujours les foyers des incendies. »

Lorsque la voiture s'ébranla, il put observer les deux officiers d'ordonnance qui chevauchaient à côté des portières, et la petite escorte des cuirassiers de la Garde qui précédaient et suivaient la calèche. Les fers des chevaux claquaient sur le dallage.

« Non, se dit François Beille, non, ma vie durant je ne reverrai pas une image aussi étonnante. »

Il traversa la place, retrouva son cheval dont son ordonnance tenait la bride, monta en selle, ajusta ses étriers, et repartit parmi les rues désertes en direction du palais tout proche où l'intendance lui avait attribué sa résidence.

Il retournait dans sa tête les propos de l'Empereur, en s'interrogeant sur les mesures à prendre pour s'acquitter de sa mission.

*
*   *

Chapitre II

Moscou, vendredi 18 septembre

Lorsque François Beille arriva au palais du gouverneur, situé à quelques centaines de mètres de la place Rouge, l'esplanade située devant le bâtiment était le siège d'une intense activité. Piétons et cavaliers, en uniforme, se croisaient en tous sens.

« C'est la parade qui se prépare », pensa Beille, et il gravit les marches qui montaient au palais. Lorsqu'il se trouva devant la porte, un grenadier de la Garde coiffé d'un bonnet à poils lui barra le passage, en tenant son fusil en diagonale.

« Arrêtez ! On n'entre pas ! ordonna-t-il d'une voix rude qui sifflait dans sa moustache.

— Je suis le colonel Beille, commandant le 2ᵉ régiment de chasseurs de la Garde, répliqua Beille, en montrant du doigt les galons entrecroisés sur sa manche. C'est l'Empereur qui m'a convoqué dans ce palais ! Laisse-moi passer.

— Je vous reconnais, mon colonel, mais j'ai une consigne absolue : on n'entre pas ! On ne peut pas laisser cette bande d'assassins et d'incendiaires approcher l'Empereur. D'ailleurs, regardez-les ! »

Un brouhaha se formait en effet sur la place autour d'un groupe de civils encordés, qui avançaient difficilement, les pieds enchaînés, malgré les coups de cravache des cavaliers qui les entouraient. Ils avaient les cheveux hérissés, et portaient des blouses souillées de cendre. Certains semblaient très jeunes, presque des enfants.

« Ce sont des incendiaires. On a dû les prendre sur le fait, s'exclama le grenadier. Ils n'en ont pas pour longtemps ! »

La porte du palais s'était ouverte, et un officier était apparu dans l'entrebâillement.

François Beille l'interpella :

« Commandant, je suis le colonel Beille, et je suis venu ici sur convocation de l'Empereur. Pouvez-vous me laisser entrer ?

— Attendez un moment. Je vais me renseigner. »

Après une dizaine de minutes, l'officier revint en compagnie d'un personnage revêtu d'un uniforme de général.

« Je suis le général Durosnel, commandant la place de Moscou. L'Empereur va vous recevoir. Je vais vous conduire auprès de lui. »

François Beille suivit Durosnel dans l'antichambre dallée de marbre blanc, puis ils montèrent ensemble l'escalier, bordé de balustrades de pierre rouge. Arrivés au premier étage, ils se trouvèrent devant une haute porte, à double battant, gardée par un jeune officier.

Le général Durosnel lui fit signe de s'écarter.

« C'est la bibliothèque, annonça-t-il. Elle sert de salle de conférence. L'Empereur m'a dit que vous pourriez assister à la réunion, sans y participer. Il vous recevra quand tout sera fini. »

François Beille entra dans la pièce. C'était une longue salle, aux murs recouverts de rayons de bibliothèque, garnis de livres reliés en cuir fauve, et de cartes de géographie. Au milieu était installée une table rectangulaire de grande dimension, sur laquelle se trouvait une enfilade de lampes à huile. Elle était entourée de fauteuils, dont l'un, à son extrémité, avait un dossier surélevé. Il était posé sur une marche en bois.

Un groupe de hauts dignitaires, composé essentiellement des maréchaux, attendaient l'arrivée de l'Empereur. Ils avaient gardé sur leur tête leurs chapeaux noirs d'uniforme, bordés d'une garniture de galons d'or. Beille reconnut Berthier, Ney et bien entendu Davout, auprès duquel il avait servi. Murat se tenait à l'écart, coiffé d'un haut plumet, et le maréchal Poniatowski arborait le casque à plateau carré des lanciers polonais. Eugène de Beauharnais s'était assis sur une chaise placée le long du mur, et paraissait prendre des notes. Un roulement de tambour résonna près de la porte, et l'Empereur fit son entrée. Il était suivi d'Anatole de Montesquiou-Fézensac, fils de la gouvernante du roi de Rome, qui faisait office d'aide de camp. On entendit le claquement de bottes se mettre au garde-à-vous, et un cliquetis d'éperons. Les chapeaux furent déposés sur la table. L'Empereur garda le sien, placé en travers de la tête.

« Asseyez-vous, messieurs », les invita l'Empereur. Après que chacun eut occupé son fauteuil et que François Beille se fut assis sur une chaise, l'Empereur attendit que le silence soit total, avant de déclarer :

« Je vous ai réunis, messieurs les maréchaux, pour vous faire part de l'ordre que je viens de donner à la Grande Armée : cet ordre est de quitter sans délai Moscou, qu'elle a conquis, et pour examiner avec vous les modalités de son retour en Europe. »

Aucun bruit, aucune interrogation ne salua cette annonce. Il semblait cependant à François Beille qu'elle s'accompagnait d'un immense soupir de soulagement, fait aussi d'admiration pour l'audace de la décision prise.

Napoléon développa alors les motifs de son ordre de départ. François Beille reconnut les arguments qu'il avait entendus la veille de sa bouche. Puis il écouta attentivement les directives que donnait l'Empereur concernant la stratégie du retour. Il exigea d'abord de bannir le mot « retraite » – « on ne bat pas en retraite après une victoire ! » déclara-t-il – et de lui substituer le mot « retour ».

D'après les propos de Napoléon, le retour se ferait suivant trois axes. Le gros des forces reprendrait la route qui mène de Moscou à Smolensk, sous le commandement du maréchal Ney et du prince Eugène. Après son arrivée à Smolensk on déterminerait l'itinéraire de la fin du parcours. Il faudrait prendre en compte la détérioration des routes par la boue et la pluie, et éviter de repasser par les endroits où les approvisionnements et les hébergements avaient été ravagés par le trajet d'aller. Une option possible serait de prendre la route de Minsk, où l'Empereur avait ordonné au général Dumas d'organiser une base importante d'approvisionnement.

Le flanc droit du retour serait couvert par les corps d'armée de Murat et de Davout. Pendant les premiers jours, ils prendront la direction du nord, pour accréditer l'idée d'une marche sur Saint-Pétersbourg, et fixer les forces russes dans cette direction, puis ils s'orienteront plein ouest, en vue d'arriver à Vitebsk, peu de temps après l'arrivée de Ney à Smolensk.

Le flanc sud du dispositif serait assuré par le corps d'armée d'Oudinot, et l'armée wurtember-geoise. Leur objectif consistera à interdire la remontée des forces russes du sud, et à les rejeter dans les marais du Pripet. La direction générale de sa marche sera celle de Minsk.

Après avoir dressé cette fresque d'ensemble, Napoléon s'attacha à plusieurs détails.

La coordination de l'ensemble de l'opération serait assurée par le maréchal Berthier, prince de Neuchâtel, dont l'état-major avancera avec le 3e corps d'armée du maréchal Ney.

Il conviendrait d'éviter à tout prix la dispersion des soldats maraudeurs avides de rechercher et de piller de la nourriture dans les isbas et les villages. Ils constitueraient des proies faciles pour les cosaques, et fourniraient des renseignements sur les mouvements de la Grande Armée. Les contre-venants devraient être traités comme des déser-teurs, et fusillés, même s'ils étaient accompagnés par des cantinières.

Enfin l'Empereur s'attarda longuement sur le rôle de la cavalerie.

Avant de le faire, il changea de position, en retrouvant une attitude qui lui était familière. Il ramena son mollet droit replié sur le coussin de son siège, et s'assit sur lui.

« C'est sur la cavalerie que je compte pour nous assurer la victoire définitive », déclara-t-il d'une voix forte et sèche, montant de la gorge. Puis il jeta un regard circulaire, s'arrêtant d'une manière imperceptible sur les visages tendus de chacun des maréchaux, et poursuivit :

« Les généraux russes, le vieux Koutouzov et le jeune Bennigsen s'imaginent sans doute pouvoir gagner la guerre ! Même s'ils reconnaissent avoir perdu la bataille de la Moskova, ils ont été tellement impressionnés par la résistance héroïque des soldats russes – et il est vrai que ceux-ci ont fait preuve d'une opiniâtreté extraordinaire ! – qu'ils pensent avoir emporté sur nous une sorte de victoire morale. Quoique vainqueurs, nous aurions adopté un comportement de vaincus, comme si nous pressentions une prochaine défaite ! Et ils comptent confirmer ce succès en nous écrasant sur la route du retour !

« Il se surestime, ce diable rusé de Koutouzov ! Il a raison de penser qu'à la fin de la journée de la bataille de la Moskova nos forces commençaient à être fatiguées, et que je sentais monter leur lassitude. C'est la raison pour laquelle je me suis refusé à leur donner, ainsi qu'à la Garde, l'ordre de poursuivre l'armée russe en retraite. Mais il se trompe s'il s'imagine que notre armée a perdu sa capacité de morsure offensive. Nous allons lui en donner la leçon. Le lendemain du combat, comme chaque fois, je me suis rendu sur le champ de bataille. C'était un spectacle effrayant. L'odeur de la poudre remplissait mes narines. Beaucoup de blessés, surtout des Russes, appelaient encore au secours. Je n'avais jamais vu un amoncellement de corps tel que celui accumulé devant la redoute, et c'était pire encore à l'intérieur où les cadavres étaient emmêlés aux débris des canons, que notre artillerie avait détruits. J'ai essayé d'évaluer la proportion entre les Russes tués et les nôtres. Ce n'était pas facile dans cet affreux désordre, où on entendait encore respirer.

Il m'a paru qu'il y avait cinq soldats russes abattus, pour un des nôtres.

« Ma stratégie du retour doit nous permettre d'anéantir les forces russes qui subsistent avant de retraverser le Niémen, et de nous retrouver en Europe.

« Koutouzov va commencer par prendre du retard sur nous, parce qu'il ne connaît pas encore ma décision de quitter Moscou, puis il va chercher à nous rattraper entre Smolensk et le Niémen. À cette fin, il va se servir de sa cavalerie, en donnant l'ordre aux régiments cosaques de nous harceler pour ralentir notre progression. C'est là qu'il se trompe, et sa faute le conduira à sa perte !

« Au lieu de fuir devant les attaques des cosaques, je vous donne, messieurs, l'ordre de les laisser approcher, puis de les détruire. C'est pour cela que j'ai prévu de placer nos régiments de cavalerie sous les ordres directs de chacun des généraux des corps d'armée. Ils devront les utiliser sous forme d'unités mobiles, renforcées par des batteries d'artillerie. Les cosaques ne disposeront que d'un armement léger. À courte distance, notre artillerie pourra les écraser. Il faudra répéter cette opération autant de fois que nécessaire sur la route du retour. Alors Koutouzov sera aveugle, et s'essoufflera derrière nous. Il nous restera à le cueillir dans une dernière bataille, lorsque nous approcherons de Vilna, où nous nous retrouverons sur un terrain connu, et que nous recevrons les approvisionnements et les renforts que j'ai ordonné de faire venir de Varsovie et de Gdansk. À l'inverse du trajet de l'aller, où Koutouzov a fui la bataille, c'est lui qui va désespérément chercher le combat, car il n'acceptera pas l'idée de voir la Grande Armée retourner en

Europe presque intacte, après avoir connu la gloire de conquérir Moscou ! Ce combat scellera pour longtemps le sort des armées russes ! »

L'Empereur se tourna vers le maréchal Poniatowski, le dernier au bout de la table, sur la droite.

« À propos de Pologne, Poniatowski, c'est vous qui coordonnerez l'action de la cavalerie qui accompagnera le corps d'armée du maréchal Ney, au centre de notre dispositif. Vous vous tiendrez légèrement en arrière, avec un soutien d'artillerie, et je compte que vous ferez mesurer aux unités russes que la Grande Armée n'a rien perdu de ses capacités guerrières. »

L'Empereur posa ses mains, blanches et fines, sur la table, mais il attendit avant de se lever, car il souhaitait conclure.

« Je compte sur vous, messieurs les maréchaux, et sur vos soldats pour prouver que le retour de Moscou sera, pour la Grande Armée, une bataille glorieuse ! Vous pouvez prendre vos premières dispositions, et je vous invite à vous retirer. »

Napoléon s'appuya sur ses avant-bras pour se relever. Son visage creusé reflétait la tension de ses propos. Les maréchaux esquissèrent un salut, et commencèrent à quitter la pièce, en une longue file, et en tenant leurs chapeaux sous leurs bras repliés.

L'Empereur parcourut la bibliothèque d'un regard circulaire avant de se tourner vers le général Beille, au garde-à-vous, au fond de la pièce.

« Approche-toi, général Beille, je vais te donner mes ordres. »

Le général s'avança d'un pas régulier. Il portait la redingote verte et le gilet blanc des chasseurs de la Garde, et se mit au garde-à-vous.

« Voici ce que tu devras faire », lui dit l'Empereur, d'une voix un peu lasse.

*
* *

« En m'entendant donner mes ordres aux maréchaux, tu as certainement compris ce que j'attendais de toi. Pour que le retour de la Grande Armée se déroule en bon ordre, et débouche sur une victoire finale, il est impératif d'empêcher Koutouzov de situer avec exactitude les mouvements de nos troupes. Il faut le contraindre à tâtonner et à prendre du retard. Ce sera ta mission.

« J'ai réfléchi à tes demandes. Elles me semblent justifiées. Je vais même te donner un peu plus ! Pour l'artillerie, tu as raison : il faut qu'on l'entende tonner ! Je vais t'affecter quatre batteries au lieu de deux, toujours prélevées sur la division Lauriston. Pour la cavalerie, il faudra protéger tes deux ailes : j'ajouterai un second escadron de cavalerie, provenant du 3ᵉ régiment de dragons. Avec les trois bataillons d'infanterie, cela te fera près de quatre mille hommes : une petite armée pour cacher la Grande Armée ! Il te faudra un commandant en second pour te suppléer, et éventuellement pour te remplacer... »

Napoléon s'interrompit, pour ne pas prononcer le reste de la phrase : « Au cas où tu serais tué. »

« Je vais t'affecter un membre de mon état-major. Il est très jeune, âgé de vingt-huit ans, et est colonel. Son âge te donnera une autorité naturelle sur lui. Tu as trente-cinq ans, je crois ?

— Trente-trois ans, Sire.

— Cela laisse encore une marge ! C'est un officier extraordinairement brillant, et très courageux. Il est corse, et s'appelle Arrighi, il est le neveu du duc de Padoue. Cela te convient-il ?

— Parfaitement, Sire. Je n'aurais pas souhaité disposer de plus d'effectifs. Pour remplir ma mission, il est souhaitable que mon unité reste très mobile.

— Bien qu'elle n'ait pas, et de loin, la taille d'une division, je l'appellerai la division Beille pour clarifier mes ordres, conclut Napoléon. Encore deux précisions : demain, au cours de la parade de la Grande Armée, tu défileras avec ton escadron des chasseurs de la Garde. Ensuite, le jour du grand départ, le 20 septembre, tu porteras tes insignes de général, et tu viendras assister à côté de moi au défilé du corps d'armée de Ney, qui sera le premier à sortir de Moscou. Puis tu rentreras dans la ville où tu éparpilleras tes unités, pour donner l'illusion du nombre, et tu demeureras à Moscou encore trois jours après que le dernier de nos régiments en sera parti. Ensuite tu prendras la route de Smolensk, en suivant la Moskova. Il ne faudra pas te presser, de manière à arriver à destination le 7 octobre, juste après que Ney aura quitté Smolensk. Ensuite tu devras te maintenir à Smolensk pendant sept ou huit jours pour fixer l'ennemi, lui faire croire que la ville est encore occupée, et que nous l'attendons pour lui livrer bataille. Koutouzov perdra encore du temps à se préparer. Dès que tu auras reçu mon message, et au plus tard le 15 octobre, tu effectueras une percée pour sortir, et tu avanceras plus vite pour nous rejoindre. Tout cela est-il clair ?

— Parfaitement clair, Sire, répondit François Beille, en faisant dérouler dans son cerveau la succession des ordres que l'Empereur lui avait donnés, et en commençant à s'interroger sur les modalités de leur mise en œuvre.

— Au revoir, général Beille, je compte sur toi ! Quand tout cela sera fini, je te recevrai aux Tuileries, et je verrai comment te récompenser. »

L'Empereur jeta un coup d'œil par la fenêtre encastrée dans deux rayonnages de livres. Il pouvait apercevoir l'animation de la place, que surplombait, un peu plus loin, la muraille ocre du Kremlin.

« Ce sera bon de se retrouver au printemps à Paris, ajouta-t-il, sur un ton où perçait le mélange d'une nostalgie et d'une attente joyeuse. Nous y serons revenus en vainqueurs, et nous pourrons déclarer la paix à l'Europe ! »

Le général Beille comprit que l'entretien était terminé.

« Montesquiou va te reconduire », lui dit Napoléon.

*
* *

Lorsqu'il se retrouva sur le perron, François Beille respira largement, pour dissiper la tension née des propos de l'Empereur. L'air était chargé d'une légère poussière de cendres. Les rayons du soleil venus de l'ouest décoraient d'un scintillement rose vif les cheminées de brique. La place était parcourue par des convois à cheval, sans doute des unités qui regagnaient leurs cantonnements. Le ciel était encore traversé de la lueur des flammes, mais il lui sembla que celles-ci s'étaient éloignées.

Soudain un crépitement éclata, à courte distance sur sa gauche. Il fut suivi de quelques cris aigus.

« Ce sont les incendiaires, murmura le grenadier de la Garde, qui s'était rapproché de lui. Ils n'ont que ce qu'ils méritent ! Qu'ils rejoignent le diable ! »

Plusieurs coups de fusils résonnèrent encore, sans doute pour tirer des balles d'achèvement.

François Beille sentit des griffes racler son cœur. Dans le tumulte des cris, il lui avait semblé reconnaître des voix d'enfants.

*

*   *

Chapitre III

La parade sur la place Rouge

Quiconque a participé le 19 septembre 1812 à la parade organisée par la Grande Armée sur la place Rouge de Moscou s'en est souvenu des années durant.

Le maréchal Davout, qui avait été chargé des préparatifs, n'avait disposé que de quelques dizaines d'heures pour la réussir. Sa tâche avait été facilitée par le fait que la plupart des unités avaient été installées dans des cantonnements proches du centre de la ville. Mais les uniformes, les équipements et les chevaux avaient beaucoup souffert de la longue traversée de la plaine russe, et de la violence des combats de la Moskova. Seuls les régiments de la Garde, représentant trente mille hommes, étaient pratiquement intacts.

Comme dans chaque circonstance semblable, l'Empereur était intervenu pour arrêter certains détails : il n'y aurait pas de tribune dressée sur la place Rouge ; il assisterait à la revue à cheval, entouré des maréchaux, il se tiendrait devant le mur rouge du Kremlin, au pied de la haute tour du Sauveur. Le défilé entrerait sur la place en venant du sud-est, et se diviserait en deux branches, de part et d'autre de la cathédrale de

Basile le Bienheureux. L'essentiel des effectifs serait fourni par la Garde, mais l'Empereur tenait à ce que soient honorées des unités qui s'étaient signalées par leur courage à la bataille de la Moskova. Il avait retenu, en particulier, les régiments wurtembergeois, et les bataillons français de la division du général Friant.

Un peu avant 10 heures, l'empereur Napoléon Ier fit son entrée sur la place. Il déboucha de la porte du Kremlin monté sur son cheval blanc appelé Cantal, accompagné par le groupe des maréchaux, qu'escortaient les hussards de la Garde, portant de larges brandebourgs d'argent, déployés sur leur poitrine. Il se dirigea vers un emplacement marqué d'un rectangle de sable sur le dallage de la place. Le mameluk Roustan, coiffé de son turban blanc, s'approcha de son cheval pour en saisir la bride.

Les maréchaux s'alignèrent à gauche de l'Empereur. Plus loin se tenaient les tambours de la Garde, leurs baguettes relevées. Sur un commandement, les tambours se mirent à rouler. Napoléon tressaillit de plaisir en entendant le son continu et grave qu'il avait écouté tout au long de ses batailles. Un souvenir jaillit dans sa mémoire : celui de la fameuse revue des Quintini, qu'il avait organisée dans la cour des Tuileries, au retour d'une campagne en Italie. Ainsi qu'il le faisait souvent, l'Empereur se laissa aller à sa rêverie, comme un dormeur à peine éveillé. Il était alors Premier consul, et portait une longue veste rouge, boutonnée jusqu'au cou. La disposition des troupes était la même, les généraux d'un côté, la musique de l'autre. Les bataillons, déployés en largeur, serpentaient entre les murs du Louvre et leurs hautes toitures, pendant que les cavaliers retenaient avec peine leurs montures, impatientes de rejoindre le mouvement des troupes. C'était aux Tuileries, il y avait près de quinze ans, rêvait Napoléon dans son demi-sommeil. Nous étions jeunes, tous plus jeunes, pensa-t-il en regardant de côté les maréchaux. D'ailleurs, il savait que les maréchaux eux-mêmes l'avaient observé la veille au palais du gouverneur, et qu'ils avaient remarqué que son ventre était gonflé au-dessous de son gilet blanc.

Un roulement de tambour plus vigoureux sortit Napoléon de sa torpeur. Il annonçait l'arrivée prochaine du défilé sur la place. Chacun ajusta sa position. À droite de l'Empereur, le major général Berthier, prince de Neuchâtel, examinait du regard le groupe des maréchaux, assis sur leurs tapis de selle rouges. À gauche, Ney, monté sur un cheval à la robe brune, qui luisait comme si celle-ci avait été étrillée toute la nuit, faisait avancer sa monture de quelques pas pour mieux observer l'ordonnancement du défilé. Il leva son sabre d'un grand geste, et le reposa le long de son épaule. La Grande Armée faisait son entrée sur la place Rouge.

La cavalerie devait arriver en tête, puis fermer le défilé. Ses régiments avaient été alignés le long du quai de la Moskova, sous la muraille du Kremlin. Il leur fallait monter une avenue en pente pour atteindre la place où ils déboucheraient à droite de la cathédrale.

En les attendant, l'Empereur gardait son regard fixé sur la basilique. Il n'avait jamais vu d'architecture aussi étrange et aussi colorée. Est-elle belle, ou simplement étonnante ? Pour mieux l'analyser, il cherchait à compter les dômes et les coupoles : cinq, puis six, les uns bariolés de bleu, un autre en forme d'oignon recouvert de bandes vertes et jaunes alternées. Dans leur groupe figurait un clocheton à toit pointu, recouvert de tuiles vernissées, et encore au-dessus le clocher d'une église. Qu'est-ce qu'Ivan le Terrible voulait exprimer par ce fouillis sublime ? s'interrogeait Napoléon.

On commençait à entendre les clairons de la cavalerie, et Murat apparut sur la gauche de la cathédrale. Il était revêtu d'une tunique écarlate émaillée des rubans de ses décorations, et portait comme d'habitude une toque noire rehaussée par une touffe compacte de plumes blanches. La selle de son cheval était recouverte de la peau rayée d'un animal dont les pattes retombaient des deux côtés, léopard ou tigre. Napoléon réprima un sourire à la vue de son beau-frère. « Toujours le même déguisement, se dit-il, que ce soit à Naples ou à Moscou ! »

Murat étendit son sabre, et salua l'Empereur. Celui-ci lui répondit par un hochement de la tête. C'est alors qu'éclata la fanfare des trompettes de cavalerie. Les musiciens des différentes unités avaient été regroupés sur deux rangs derrière Murat, des rangs larges d'une trentaine de cavaliers, dont les uniformes différaient d'un rang à l'autre.

Les escadrons de la Garde les suivirent. Quand François Beille qui avançait à quelques mètres devant le 3ᵉ régiment de chasseurs étendit son bras que prolongeait un sabre pour saluer l'Empereur, il reçut en retour un signe de la main, comme une adresse complice.

La place Rouge commençait à se remplir de chevaux dont les sabots piétinaient les dalles. Le son des trompettes, qui sonnaient en tête de cortège, commençait à s'assourdir, mais le mur rouge du Kremlin en renvoyait les notes.

On aperçut enfin les premiers rangs des régiments d'infanterie qui débouchaient sur la place, à droite de la cathédrale. La surprise venait de leur musique. Elle jouait des airs de chasse. L'officier qui commandait l'unité, le colonel von Kerner, s'avança à cheval en direction de l'Empereur et, après l'avoir salué, annonça avec un fort accent germanique :

« Je présente à Votre Majesté les survivants de la division wurtembergeoise ! »

Puis il repartit au petit trop rejoindre la tête de son unité. Au premier rang les fantassins, coiffés d'un haut chapeau blanc, soufflaient dans de petits cors de chasse qu'ils avaient transportés sur leurs sacs, des airs qui évoquaient la Forêt-Noire, et qui introduisaient dans cette cérémonie grandiose une touche surprenante d'atmosphère champêtre.

L'Empereur se souleva légèrement sur sa selle, pour les saluer. Après un intervalle, ils étaient suivis par deux régiments d'infanterie, appartenant à la fameuse division du général Friant. Celui-ci les précédait, monté sur une jument noire. Ces régiments étaient connus dans toute l'armée pour avoir participé aux grandes batailles de l'Empire, de Iéna jusqu'à Wagram, et pour avoir fait preuve d'un courage extraordinaire à la Moskova, en étant les derniers à monter à l'assaut de la redoute russe, et les premiers à y pénétrer.

Ils portaient encore les stigmates de la bataille, et leur pas cadencé évoquait un grondement tragique. Des efforts avaient été accomplis pour améliorer leur présentation, mais il subsistait dans les rangs des traces des épreuves subies, des redingotes déchirées, des bretelles de fusils rattachées par des cordes de chanvre, et surtout des souliers hâtivement rapiécés.

Napoléon les suivait du regard. Ils étaient encadrés, à l'avant par des officiers à cheval, et sur le côté par des sous-officiers à pied. Les uns et les autres paraissaient extraordinairement jeunes. Sans doute venaient-ils d'être nommés pour remplacer les gradés tués ou blessés à la bataille de la Moskova.

Ils défilaient de la même manière que les soldats de la revue du Quintini, c'est-à-dire en rangs très larges comptant de vingt- cinq à trente participants, sur quatre ou cinq rangs seulement de profondeur. Les fusils étaient tenus droits, et, malgré l'effort de la marche, restaient dressés, comme des poils de hérisson. Napoléon s'efforçait de dénombrer les hommes de chaque compagnie : environ une centaine sur leur effectif initial de cent quatre-vingts. « Ils ont été très éprouvés ! » constata-t-il dans un élan d'émotion envers ces hommes à demi brisés qui s'étaient acharnés à combattre pour lui.

Puis vint la Garde. Le contraste était éloquent. La Garde avait peu souffert. Certes, elle était venue de Paris, par une marche de plus de deux mille cinq cents kilomètres, épuisante surtout vers la fin quand il fallait porter les lourds paquetages de vêtements et de munitions, ainsi que les fusils, mais elle n'avait pas combattu. Ses uniformes, ses armes étaient intacts. « J'ai bien fait de les épargner, pensa Napoléon, en regardant leur défilé aussi martial que devant l'arc de triomphe du Carrousel. D'abord les voltigeurs en shako noir à plumet rouge, suivis des grenadiers en guêtres blanches coiffés de leur bonnet à poils, et si bien alignés que Napoléon ne pouvait en voir qu'un seul, lorsque leur rang passait devant lui ; puis dans un grondement de roues ferrées sur la pierre, les batteries d'artillerie dont les canons se présentaient quatre par quatre. Derrière eux trottaient sur des chevaux alezans les quatre maréchaux de la Garde, coiffés de leurs grands chapeaux ornés de galons dorés qu'ils portaient, non de travers comme l'Empereur, mais droits, dans le sens de leur marche.

Le groupe suivant était formé par l'arrivée des cuirassiers et des dragons qui faisaient avancer de lourds chevaux, pour lesquels on avait dû trouver du fourrage dans les quartiers épargnés de Moscou.

La parade n'était pas achevée. On pouvait encore voir des visages et des képis polonais avancer le long de la cathédrale Saint-Basile, puis d'autres chevaux, qui devaient être ceux des lanciers du maréchal Poniatowski.

L'Empereur parcourait la place Rouge du regard. Elle était maintenant remplie de groupes de soldats marchant au pas cadencé, et dessinant des sortes d'arabesques, sur les ordres des officiers avançant à cheval devant eux. Le spectacle n'était pas seulement grandiose, il en ressortait une étrange beauté. Le soleil d'automne jetait par poignées ses rayons qui faisaient scintiller les casques, les étriers, et, ici et là, les baïonnettes au-dessus des fusils.

Napoléon était heureux. Même s'il avait pris tous les risques pour y parvenir, il avait de la peine à réaliser qu'il se tenait ici, en selle sur son cheval, sur la place la plus imposante de la Russie, entouré des mouvements de ses armées. Il était le maître, le souverain absolu ; il avait bien fait de ne pas renoncer. Mais maintenant, se disait-il, une pensée enchenillée à l'autre, maintenant il faut partir, il faut partir vite...

À cause du tourbillon des unités qui l'entouraient, son imagination s'était échappée. Il se revoyait petit garçon, happé par la foule sur la place d'Ajaccio, à la sortie de la messe de la cathédrale. Son frère aîné, Joseph, marchait devant lui, et sa mère le houspillait en lui disant : « Avance plus vite, Napoléon, tu vas nous mettre en retard. » Elle le tenait par la main pour le rassurer, mais ce tumulte fait par des personnages qui s'interpellaient, et la bousculade de personnes qu'il jugeait deux fois plus grandes que lui, le faisaient frémir de crainte. « À propos, songeait-il encore, où est aujourd'hui ma mère ? Est-elle encore en Corse, en cette fin d'été ? Ou a-t-elle regagné Paris ? Et lui a-t-on appris que son fils avait conquis Moscou ? »

Il y avait peu de public présent sur la place, tout au plus quelques centaines de spectateurs, qui devaient être des Français et des Polonais de Moscou. Ils s'étaient regroupés devant la cathédrale, où ils étaient surveillés par des gendarmes à cheval. Soudain un homme jaillit du groupe et s'élança en direction de l'Empereur. Il portait l'habit traditionnel du peuple russe : une chemise à manches longues, de couleur claire, serrée à la taille par une ceinture, et une culotte de toile grise dont les jambes étaient enfoncées dans ses bottes. Il tenait un papier dans la main et courait si vite qu'il captait l'attention de toutes les personnes présentes, dont les maréchaux qui se préparaient, en prenant en main les rênes de leurs montures, à l'intercepter avant qu'il ne puisse atteindre l'Empereur.

Un des gendarmes se lança à sa poursuite. Il semblait être une sorte d'Hercule. Son cheval rattrapa l'homme en quelques foulées, et le cavalier se pencha de côté pour le saisir par la ceinture. Il le jeta en travers de sa selle, en lui assenant sur le visage un coup si brutal que du sang se mit à couler dans la broussaille de sa barbe. Sa tête était maintenant penchée en arrière, et reposait sur l'épaule du cheval. Il tenait toujours son papier à la main.

Napoléon se retourna vers son aide de camp, en lui faisant signe de se rapprocher.

« Montesquiou, dit-il, allez donc voir ce que me voulait ce pauvre diable ! »

L'aide de camp mit son cheval au galop pour passer à l'arrière de la troupe des maréchaux, et il revint après quelques minutes. S'adressant à l'Empereur, il lui précisa :

« Sire, c'est un Polonais. J'ai pu lire sur le papier qu'il tenait dans sa main un texte que quelqu'un avait écrit en français : "Pitié ! Ramenez-nous. Ils vont tous nous tuer."

— Vous pourrez le rassurer, répondit l'Empereur. Nous les ramènerons. Sinon il est vrai qu'ils seront lapidés. »

Le regard de l'Empereur revint vers la place. Elle était couronnée au nord par les champignons noirs des incendies, mais devant lui le défilé s'achevait dans une atmosphère joyeuse. La tête de l'immense cortège commençait à s'engager dans l'avenue de Tver, qui est aussi l'amorce de la route de Saint-Pétersbourg, cependant que les derniers cavaliers polonais entraient sur la place, en faisant retentir des cymbales.

« Cette parade est parfaitement réussie, Davout, conclut l'Empereur. On ne pouvait pas faire mieux. Je vous demande de féliciter les généraux. Et regardez les soldats ! Ils se sentent tous comme chez eux ! »

Les tambours résonnaient toujours, mais sur des cadences différentes. On croyait entendre un orchestre, coloré au loin par les trompettes, et le cuivre des cors de chasse wurtembergeois. Napoléon fit faire une volte à son cheval, et salua les officiers. Il prit la direction de la porte d'entrée du Kremlin puis, quand il eut rejoint son aide de camp, il l'apostropha :

« Dépêchez-vous ! Allez dire qu'on me prépare l'appartement du tsar au Palais impérial. Ce soir je coucherai dans son lit ! »

*
* *

Chapitre IV

Le départ de la Grande Armée, lundi 21 septembre

Le départ de Moscou fut retardé d'une journée, sur l'ordre de Napoléon. Les hommes avaient besoin, jugeait-il, de se remettre des efforts qu'avait imposés le déroulement de la parade sur la place Rouge.

L'Empereur en profita pour inviter les maréchaux et les généraux de division à un banquet organisé dans la grande salle du Palais à Facettes qu'il avait fait ouvrir pour l'occasion. Les convives traversaient des pièces voûtées dont les murs étaient recouverts de fresques aux couleurs éclatantes, bleues, rouges et vert foncé, rehaussées de traits d'or, et décrivant, dans un tumulte de corps à corps, les victoires des premiers souverains russes sur les hordes de la steppe. Les hôtes, impressionnés par le décor, formaient un cortège silencieux. Napoléon, qui avait retrouvé toute son ardeur, les accueillit par des exclamations :

« Avancez, messieurs, leur dit-il. Avancez ! En vous mettant à table je vous invite à prendre possession de l'Empire russe, que vous avez vaincu. C'est ici qu'Ivan le Grand a installé son trône, et qu'Ivan le Redoutable a commis ses excès de pouvoir. Vous voici à leur place, vous les chefs de la Grande Armée de l'Europe, qui écarte à jamais la menace des hordes barbares. Buvons, messieurs, au triomphe historique de la Grande Armée dans ce palais où vous et moi l'avons conduite. »

L'Empereur leva son verre rempli du vin que l'intendance avait réussi à acheminer jusqu'à Moscou.

« Et buvons aussi, messieurs, au succès du retour, où nous allons anéantir ce qui subsiste de l'armée russe ! »

Dès que l'Empereur fut assis, le service de table, assuré par sa maison, commença. La préparation des plats restait modeste, car les approvisionnements étaient réduits, et il fallait conserver des provisions pour le chemin du retour, mais le vin et le cognac étaient versés en quantité suffisante pour échauffer les conversations, et faire place à un tumulte qui explosa, en fin de repas, sous la forme des cris de « Vive l'Empereur ! » poussés par des militaires au visage enflammé, heureux de pouvoir gesticuler dans ce décor insolite, où ils savaient qu'ils ne reviendraient jamais, comme au temps de leur jeunesse, lors de leurs premiers banquets de garnison. Murat se signalait par l'éclat tonitruant de sa voix, amplifié par l'accent de la vallée du Lot, tandis que Ney semblait pensif, et que Davout buvait à grands traits. Poniatowski et le prince Eugène, assis côte à côte, faisaient tinter leurs verres.

Napoléon restait souriant. Il savourait sa victoire au milieu des siens, le pied posé sur la tête de l'ennemi vaincu.

Le départ débuta le lendemain, 21 septembre, à 7 heures du matin.

L'Empereur avait souhaité assister à la mise en route de l'avant-garde. Il s'était installé à la porte de Smolensk, là où la Grande Armée avait fait son entrée à Moscou. On lui avait amené sa voiture de voyage, de couleur jaune, attelée de quatre chevaux gris. Sa capote était ouverte, et elle était aménagée en bureau, avec une petite écritoire derrière laquelle était assis Napoléon ; le maréchal Berthier lui faisait face. Sur la banquette avant, le mameluk Roustan s'était installé à côté du cocher. Deux aides de camp trônaient sur la banquette arrière. Un peloton de hussards de la Garde assurait une surveillance rapprochée, mais on n'avait signalé aucun mouvement de cosaques russes.

Napoléon avait demandé que sa calèche soit disposée parallèlement à la route du départ car il ne s'agissait pas, disait-il, d'une revue, et il souhaitait pouvoir observer, avec son télescope posé sur la table, le mouvement des troupes.

Le maréchal Ney qui commandait la manœuvre du groupe de corps d'armée central vint le prévenir que l'avant-garde allait passer devant lui. Il s'agissait d'un régiment de cavalerie disposé pour faire face à une embuscade. Le gros de la troupe suivait la route, sèche et empoussiérée, tandis que deux pelotons assuraient la surveillance, sur la droite et sur la gauche, à une distance de plusieurs centaines de mètres. Le colonel, en tenue de combat, avançait en tête de son régiment.

« Ce sont les dragons du 1ᵉʳ corps, précisa à l'Empereur le maréchal Ney, qui s'était rapproché de sa voiture. Ils seront suivis par le 3ᵉ régiment d'artillerie de campagne. »

Et l'immense cohorte du départ avançait dans la campagne, au milieu d'une brume très légère, tandis que le soleil du matin éclairait les croupes des chevaux.

« Combien vont-ils être ? demanda l'Empereur au maréchal Berthier. Pouvez-vous m'indiquer quand exactement le dernier soldat sera parti ? » Puis, comme si une pensée venait de lui traverser l'esprit, Napoléon se tourna vers un de ses aides de camp : « Flahault, lui dit-il, allez me chercher le général Beille. J'ai besoin de lui parler. »

Flahault sauta à terre, et se dirigea vers un des chevaux tenus en réserve.

C'était le moment où l'infanterie du 3ᵉ corps d'armée commençait à sortir de Moscou. Elle marchait au rythme normal de 65 pas à la minute, les officiers la précédant à cheval, les sous-officiers encadrant la marche.

L'Empereur cherchait avec son télescope portatif à identifier certaines unités. Il reconnaissait les unes à leur uniforme, celui des voltigeurs et des grenadiers des régiments de ligne, les autres à la personnalité de leur colonel. Parmi les colonels, il avait du mal à les identifier. Certains visages lui étaient familiers, et il murmurait entre ses dents leur nom de famille. D'autres lui étaient inconnus, et il s'en irritait contre lui-même.

Le maréchal Berthier l'observait et cherchait à capter son attention : « J'ai la réponse à votre question, Sire, lui affirma-t-il.

— Donnez-moi vos chiffres, Berthier !

— Il y a eu à peu près trois cent dix mille hommes qui sont entrés dans Moscou...

— Je n'aime pas cet "à peu près" ! Il me faut des chiffres précis.

— Je ne peux pas être plus précis, Sire. Les chefs de corps ne m'ont pas encore donné le montant exact de leurs effectifs depuis la bataille de la Moskova. Sur ces trois cent dix mille hommes, les armées du nord et du sud prélèveront quatre-vingt mille hommes qui partiront de leur côté. D'ailleurs Murat et Davout ont commencé aujourd'hui leur mouvement vers le nord. C'est donc deux cent trente mille soldats que nous devons faire sortir de Moscou, auxquels vont s'ajouter les dix mille civils qui chercheront à partir avec nous. Il nous faudra quatre jours pour achever le départ.

— Pas davantage ! Pas davantage, Berthier, ordonna Napoléon, le sourcil froncé. Et ne laissez partir les réfugiés que dans trois jours. Il ne faut pas qu'ils gênent la manœuvre. Quant à la Garde, je vous ordonne de lui faire quitter la ville demain, et je partirai avec elle ! »

Derrière les premiers régiments s'avançait une troupe bruyante. Elle était entassée dans des charrettes, auxquelles était accrochée une quantité innombrable de paquets et de sacs, qui en déformait les contours. On apercevait, sous les capotes abaissées, quelques jupes de femme.

« Qu'est-ce que c'est ? interrogea Napoléon en les désignant avec son télescope.

— Ce sont les civils qui accompagnent les régiments, pour leur petite intendance. Ils sont venus avec nous d'Allemagne et de France. Parmi eux il y a les cantinières. Nous les avons invités à ramasser tout ce qu'ils pouvaient à Moscou pour constituer leurs provisions de voyage.

— Je vois qu'ils se sont largement servis ! » observa Napoléon.

Le cortège militaire commençait à remplir la route. L'avant-garde était déjà loin et formait des petits points sombres dans la plaine, et l'on pouvait percevoir, dans cette foule qui restait ordonnée, chaque groupe étant précédé de ses chefs, un frémissement joyeux. Les soldats avaient repéré la voiture de l'Empereur, facile à reconnaître, et en passant devant elle ils poussaient des cris : « Vive l'Empereur ! Vive l'Empereur ! » D'autres voix leur faisaient un écho assourdi dans les unités suivantes.

« Ils sont heureux de repartir, constata Berthier.

— Non, Berthier, répliqua Napoléon d'une voix sèche, ils sont heureux d'être vainqueurs ! S'il reste du cognac dans les réserves, il faudra leur en faire servir ce soir ! »

Deux cavaliers arrivaient au galop le long de la colonne des fantassins. L'Empereur reconnut son aide de camp et le général Beille. Celui-ci s'approcha de la voiture, descendit lestement de son cheval dont il confia les rênes à l'aide de camp, et se mit au garde-à-vous.

« Berthier, vous n'avez pas besoin d'écouter cela ! déclara Napoléon en se tournant vers Beille. Je te confirme mes instructions confidentielles, lui dit-il. Tu resteras dans la ville trois jours après que le dernier régiment de la Grande Armée en sera parti. Tu feras manœuvrer tes troupes pour donner l'illusion du nombre. Puis tu partiras à ton tour. Tu progresseras lentement, comme si tu restais au contact du gros de l'armée. Tu devrais arriver à Smolensk vers le 7 octobre. Nous viendrons juste d'en partir. Tu t'y installeras pour une semaine, en faisant des sorties fréquentes. Et je t'enverrai un messager pour te dire quand il faudra t'en éloigner. Ce sera sans doute Flahault, dit-il, en désignant de sa main nue, petite et blanche, son aide de camp resté immobile sur son cheval, à côté de la voiture.

« À propos, reprit Napoléon, le colonel Arrighi t'a-t-il rejoint ?

— Oui, Sire, il est maintenant sous mes ordres. Nous préparons ensemble la poursuite de l'occupation de Moscou.

— Bonne chance, Beille, tu contribueras à notre victoire, lui dit l'Empereur, en se penchant à mi-corps hors de sa voiture pour lui pincer le lobe de l'oreille dans un geste familier. Après que tu nous auras rejoint, tu pourras rendre compte de tes opérations au major général, le maréchal Berthier. D'ici là, pas un mot ! Puis je te donnerai audience aux Tuileries. »

Alors que le général Beille remontait à cheval, l'Empereur interpellait son cocher :

« Nous en avons assez vu, tu peux repartir ! »

Tandis que la voiture de l'Empereur se mettait en marche, la Grande Armée continuait d'avancer dans la plaine réchauffée par l'éclat du soleil. Des estafettes galopaient le long du cortège pour communiquer des ordres. Le bruit des voix, le martèlement des pieds faisaient sourdre un grondement continu.

La Grande Armée était sortie de Moscou.

*
* *

Chapitre V

Le séjour solitaire à Moscou, 24-27 septembre

Le général Beille avait tenu à venir assister personnellement au départ du dernier régiment de Moscou. C'était le jeudi 24 septembre en fin d'après-midi, dix jours exactement après l'entrée des Français dans la ville. Accompagné de son aide de camp, le lieutenant Villeneuve, et de quatre cavaliers, il chevaucha en direction des quartiers du sud-ouest. Après avoir coupé deux fois la boucle de la Moskova, il arriva près d'une cathédrale, ceinturée d'un grand cimetière. Il reconnut l'endroit, et découvrit devant lui l'esplanade où il avait reçu les ordres de Napoléon. Des chevaux et des cavaliers y étaient rassemblés et se préparaient visiblement au départ.

Beille aperçut un petit groupe de militaires qui se tenaient à l'écart, à l'emplacement même où s'était installée la voiture de l'Empereur. Parmi eux il crut reconnaître le maréchal Poniatowski. C'était effectivement lui. Quand Beille s'en rapprocha, le maréchal fit faire quelques pas à son cheval, puis l'interpella :

« Salut, Beille, cela me fait plaisir de te revoir. »

Ils s'étaient connus dans la cavalerie de la Garde, et ils étaient restés amis.

« Mais qu'est-ce que tu fais ici ? Tu sais que nous sommes les derniers à partir ! »

Les officiers qui entouraient Poniatowski tenaient étroitement les rênes de leurs chevaux, qui dansaient d'impatience. Ils étaient tous polonais, et portaient des pantalons rouges étroits, serrés sur leurs jambes, qui se prolongeaient jusqu'aux étriers. Leurs têtes étaient coiffées du haut képi noir des lanciers, couronné d'un carré plat.

François Beille lui répondit à voix basse, pour ne pas être entendu d'eux :

« Moi je reste, je marcherai loin derrière toi. »

Le maréchal Poniatowski lui répondit :

« L'Empereur m'en a informé de manière confidentielle. C'est une mission dangereuse, car les Russes vont chercher à t'encercler. Il paraît que Bennigsen est dans un état de grande excitation. Il ne pardonne pas à Koutouzov d'avoir abandonné Moscou. Si tu as trop de problèmes, ajouta-t-il, en se penchant sur sa selle pour lui parler à l'oreille, envoie-moi un messager et je verrai ce que je peux faire pour toi.

— Merci, Joseph, mais j'ai reçu l'ordre de me débrouiller tout seul ! »

Beille et le maréchal Poniatowski se rapprochèrent, les positions de leurs chevaux étant inversées, puis ils dégantèrent leur main droite, replièrent leur bras, et firent claquer la paume de leurs mains l'une contre l'autre.

« Salut, et bonne chance ! » s'exclama Poniatowski, avant de mettre son cheval au galop, et de rejoindre le groupe de son état-major. Il ne s'y arrêta pas, et partit, suivi de ses officiers, en direction de la colonne qui s'apprêtait à s'ébranler.

François Beille resta immobile, méditatif, à contempler les derniers préparatifs. Il cherchait à évaluer le nombre des chevaux, regroupés en deux régiments devant lui, aux environs de quatre mille sans doute. Derrière eux étaient alignés des caissons d'artillerie. Il entendit Joseph Poniatowski, debout sur ses étriers, crier un ordre en polonais. Les trompettes de cavalerie lui répondirent en écho, et la troupe se mit progressivement en route.

Il tint à contempler le départ. Les escadrons s'emboîtaient les uns derrière les autres, au petit trot, puis, arrivés sur la route, ils allongeaient l'allure. « Ce sont des cavaliers bien entraînés », observa François Beille, en se remémorant les longues séances de dressage qu'il avait fallu organiser pour les chasseurs de la Garde, à l'École militaire de Paris.

La cavalerie était maintenant déployée devant lui, et remplissait la plaine jaune, de part et d'autre de l'axe de marche. Les canons suivaient au milieu, tirés par des chevaux de trait. Le soleil de 10 heures distribuait largement sa lumière, et les bouleaux faisaient voleter leurs feuilles d'argent.

« C'est vraiment un spectacle magnifique ! » se disait François Beille. Dans sa vocation militaire, le désir de participer à des manifestations grandioses, et soigneusement dessinées, comme dans les tableaux de combats, avait été déterminant. Il avait découvert plus tard le carnage, la puanteur, et la ferraille abandonnée des champs de bataille, et en avait pris horreur. Mais aujourd'hui, cette vaste manœuvre, ce carrousel précis des chevaux qui s'étirait dans une longue plaine dorée, le caractère joyeux de ce retour, vers la Pologne pour les uns, et vers la France pour d'autres, confirmaient ses rêves d'adolescent, ses rêves à lui qui était devenu maintenant, à trente-trois ans, tapotant l'encolure de son cheval, le général François Beille.

*

* *

François Beille était né le 5 mars 1779 dans la propriété de ses parents, le domaine d'Anglars, en Auvergne. Le manoir était situé près de Billom, à mi-hauteur d'une colline. De sa terrasse, tournée vers l'ouest, on découvrait un horizon qui s'étendait depuis les monts du Sancy, souvent couverts de neige, jusqu'à la mystérieuse chaîne des Dômes, située plus au nord. François Beille adorait contempler ce paysage, surtout le soir, quand le vent venu de l'ouest remplissait le ciel d'un reflet bleuté.

La famille Beille appartenait à ce qu'on pouvait appeler, dans cette province rattachée depuis longtemps à la couronne de France, la bourgeoisie noble. La mère de François était apparentée aux Montboissier, une des plus anciennes familles d'Auvergne. Son père, Jean, était un juriste, ou plutôt un légiste. Il avait siégé à la Cour des aides, puis au parlement d'Auvergne et servi ainsi la monarchie, mais la lecture des ouvrages de Montesquieu, et de ceux de Diderot, bien qu'il lui reprochât son « irréligiosité », l'avaient acquis aux idées des réformes. Il avait été déçu par l'échec de l'Assemblée des notables, et avait participé aux

États généraux. Puis, partisan ardent des travaux de l'Assemblée constituante, il s'était retrouvé membre du premier Conseil du département du Puy-de-Dôme, où il exerçait la fonction de vice-président.

Pendant ce temps, son fils François et ses deux filles, Angélique et Lucie, connaissaient une enfance heureuse, dans la vie semi-champêtre d'Anglars. Une fois par mois, François accompagnait sa mère dans une petite voiture lorsqu'elle se rendait à Clermont pour y faire ses courses. Il était fier qu'elle lui confiât le soin de tenir le cheval pendant qu'elle s'attardait pour des essayages. Lorsqu'il eut atteint ses neuf ans, il fut placé au collège de Billom, où il apprit le latin et les mathématiques. Deux ans plus tard, il rejoignait le collège militaire d'Effiat, sur la recommandation de son oncle, qui servait comme colonel dans l'armée royale. À la même époque, ses sœurs furent admises au pensionnat de Saint-Cyr.

Le cours de la Révolution perturba ce bel ordonnancement. Après la proclamation de la République et l'exécution du roi, Jean Beille, qui se sentait menacé par ceux qu'il appelait « les énergumènes », entraînés par Couthon, qu'il avait connu enfant, quand sa mère habitait le village voisin d'Orcet, décida d'émigrer. Pour protéger sa famille, il installa sa femme et ses trois enfants dans une ferme du Bourbonnais, où personne n'irait les chercher, puis il franchit la frontière et s'installa au Piémont.

François mena pendant deux ans la vie la plus rustique, en soignant les vaches laitières, et en montant le cheval de la ferme. Les bruits de la Grande Terreur ne parvenaient qu'assourdis, bien que les arrestations se multipliassent à Moulins. François était rassuré de savoir son père à l'abri, sans qu'il puisse recevoir de ses nouvelles, jusqu'à ce que le coup de tonnerre de Thermidor éclatât et fût ressenti comme une délivrance par le pays tout entier.

Aussitôt François Beille, âgé de quinze ans, décida de reprendre sa carrière militaire. L'armée était devenue républicaine, et mise au service de la nation, mais les écoles militaires avaient conservé leurs structures d'Ancien Régime. Beille réussit à se faire accepter à l'École de cavalerie, et en sortit sous-lieutenant en 1798.

Il assista à la montée vers le pouvoir de Napoléon, du Consulat jusqu'à l'Empire. Il rêvait de le servir. Sa conduite courageuse dans les campagnes, où il eut la chance de n'être pas blessé, lui permit de franchir les grades, et il se retrouva en 1810, à l'âge de trente et un ans, colonel du 3e régiment de chasseurs à cheval de la Garde, régiment dont l'Empereur lui-même portait l'uniforme.

Lors de la campagne de Russie, il avait suivi l'armée le long de sa longue route, mais comme il partageait le sort de la Garde, il n'avait jamais combattu. Il s'était consacré aux problèmes de cantonnement et de fourrages, et aux soins indispensables des chevaux, dans cet environnement qui leur était hostile.

Pendant la bataille de la Moskova, son régiment avait été placé dans un repli de terrain, d'où il ne pouvait rien voir, mais entendre seulement la terrifiante canonnade. À 2 heures de l'après-midi, il reçut l'ordre d'avancer. Les chasseurs montèrent en selle, et il se plaça devant son régiment, flanqué de ses deux lieutenants-colonels. Arrivé à hauteur de la plaine, il découvrit un spectacle extraordinaire. Ce terrain verdoyant, peu étendu, était entièrement livré à une bataille féroce. L'Empereur avait concentré l'essentiel de ses forces au centre, face à la redoute fortifiée des Russes. Il se tenait lui-même sur un petit monticule, à trois cents mètres environ devant François Beille, d'où il observait le déroulement des combats avec son télescope. Autour de l'Empereur, Beille reconnaissait les deux maréchaux Berthier et Ney, et un valet de chambre qui versait à boire à l'Empereur. Un va-et-vient constant d'estafettes allait porter aux généraux les ordres écrits de Napoléon. François Beille attendait de recevoir un billet qui lui commanderait de charger. On lui indiquerait sans doute l'objectif de la redoute russe couverte de fumée, et déchirée par des explosions stridentes. Beille pouvait y distinguer avec sa lunette de furieux combats au corps à corps. Il s'interrogeait sur la manière dont il devrait attaquer. L'avant de la redoute lui paraissait trop raide pour pouvoir être escaladé par ses chevaux. Il vaudrait mieux sans doute la contourner par la droite où il distinguait une pente plus douce. Une estafette se détacha en direction du régiment de chasseurs. François Beille se dressa sur ses étriers, et il reconnut Anatole de Montesquiou, qui arrêta son cheval à demi cabré sur ses jambes arrière.

« L'Empereur a décidé de ne pas faire donner la Garde ! lui cria-t-il. Tu dois rester sur place ! »

Puis il repartit au galop, répétant l'ordre aux généraux de la Garde, dont les régiments étaient alignés, en réserve, sur le côté sud du champ de bataille.

Ainsi François Beille n'avait-il pas combattu à la Moskova. Il en était frustré, puis son escadron avait assuré la sécurité de l'Empereur durant l'étrange procession de Borodino à Moscou. « Jusqu'ici même ! » pensa-t-il.

Il attendit, immobile, que la cavalerie polonaise ait disparu de la plaine, où une brume de poussière grise indiquait la direction qu'elle avait prise.

Et il se sentit soudain seul, dans l'immensité de Moscou.

*
* *

Le général François Beille reprit la direction du centre de la ville, accompagné de sa mince escorte. Il mit son cheval au pas, et, la tête penchée, il réfléchit à son étrange situation.

Il était désormais isolé dans la ville, et il ne recevrait plus aucun ordre. Sa petite troupe était bien composée : des unités solides et des hommes courageux, mais ils étaient entourés dans le voisinage de Moscou de plusieurs dizaines de milliers de soldats russes et de cosaques qui n'attendaient qu'un commandement pour fondre sur eux. À ce propos, il était étrange que la sortie de la Grande Armée se fût effectuée sans qu'on entende un coup de fusil.

En relevant la tête, François Beille vit qu'il traversait un quartier où les maisons étaient belles. Leurs façades étaient décorées de colonnes et de frontons, et leur accès protégé de hautes grilles de fer qui se terminaient par des pointes dorées. Certaines d'entre elles portaient des traces noires d'incendie. Les rues étaient quasiment désertes, et le seul bruit que réverbéraient les façades était celui des fers de leurs chevaux.

Presque à chaque croisement, au moment d'avancer, on apercevait au loin une silhouette courbée, enveloppée dans un amas de tissus gris, qui disparaissait aussitôt. Était-ce celle d'un incendiaire, ou d'un habitant qui s'était caché pour éviter l'exode ? Fallait-il les poursuivre ? s'interrogeait François Beille. Cela serait inutile, car ils seraient devenus invisibles avant qu'on ne s'en soit approché, et il serait trop dangereux de se risquer à entrer dans les maisons.

Au-delà du pont jeté sur la boucle de la Moskova, Beille aperçut les tours du Kremlin.

« Qu'est-ce que je fais là ? » se demanda-t-il. Le vide qui l'entourait lui communiquait une sorte de vertige. En se retournant, il constata que, sur toute la longueur du quai, derrière son aide de camp et ses deux cavaliers d'escorte, il n'y avait personne, ni une voiture, ni un chien. Ce vide, qui aurait dû le rassurer, commençait à l'oppresser.

« Nous allons traverser le Kremlin », dit-il au sous-lieutenant Villeneuve.

La porte d'entrée était gardée par un voltigeur français d'un des régiments de ligne. Il était assis sur une caisse et avait appuyé son fusil contre la muraille. Il jaillit sur ses pieds lorsqu'il aperçut le général et se mit au garde-à-vous.

« Tu es seul ? lui demanda Beille.

— Non, mon général, nous sommes quatre. Les autres sont à l'intérieur où ils se chauffent. »

En effet, Beille aperçut une pièce de garde, aménagée dans la muraille, d'où s'échappait de la fumée.

La place des Cathédrales était déserte. Juste au-delà, des lanciers polonais effectuaient une patrouille.

François Beille examinait les pancartes accrochées à l'entrée des églises. Il n'en comprenait pas un mot. Il avait fait des efforts pour reconnaître les lettres de l'alphabet cyrillique, mais il n'en retenait que six ou sept, le n renversé qui était un i, une sorte de « pi » grec qui était un l, et un r, cette fois retourné, qui se prononçait ya.

Ainsi il était seul, dans une immense ville, vidée de ses habitants, dont il ne pouvait comprendre ni le langage, ni l'écriture. Il avait hâte de retrouver ses compagnons, et il mit son cheval au galop pour sortir du Kremlin.

Le palais que lui avait affecté l'intendance impériale se situait à quelques centaines de mètres seulement au nord-est de la place Rouge. C'était une grande bâtisse, récemment construite par un architecte italien qui avait inscrit son nom sur la façade. Celle-ci avait été léchée par les flammes de l'incendie, mais ne paraissait pas en avoir été trop endommagée. Elle donnait sur la rue par un escalier recouvert d'une toiture, soutenue par quatre colonnes. Un soldat montait la garde dans une cahute en planches.

La porte s'ouvrit en haut de l'escalier, et l'ordonnance du général Beille, Le Lorrain, y apparut, sa large figure éclairée d'un sourire.

« Appelle-moi le palefrenier Bonjean, pour qu'il s'occupe de mon cheval ! » lui jeta Beille en mettant pied à terre et en montant les marches de pierre sur lesquelles cliquetaient ses éperons.

Il s'assit dans l'entrée pour enlever ses bottes. Elles étaient serrées, aussi Le Lorrain se retourna, plaça la jambe du général entre ses deux cuisses, et se mit à tirer sur la botte à petits coups.

Le général Beille se retint aux accoudoirs de son siège pour ne pas glisser.

Il entendait du bruit dans la maison sur une tonalité qu'il n'avait pas perçue depuis longtemps : des rires, des interjections en français, le tintement des verres contre les bouteilles, tout cela alerte et tapageur. Cela lui parut un miracle : il se crut en France, dans un mess de garnison, à Montauban ou à Saumur.

Lorsqu'il poussa joyeusement la porte de la salle à manger, il découvrit les officiers de sa petite armée, qu'il avait conviés pour le dîner. Ils étaient assis sur des caisses et des chaises disparates, les jambes écartées, et leurs gilets déboutonnés. Ils tenaient chacun un verre à la main, et des bouteilles vides étaient alignées sur un coffre. Dès qu'ils virent entrer le général, ils sautèrent sur leurs pieds et se mirent au garde-à-vous.

« Bonjour, messieurs, dit Beille, et s'adressant à son ordonnance, il l'interpella : Le Lorrain, je t'avais demandé de faire attendre ces messieurs. Je ne t'avais pas dit de les faire boire ! D'où sortent toutes ces bouteilles ?

— De la cave, mon général, de la cave du comte Tzlykov, si j'ai bien lu son nom. Et il en reste beaucoup d'autres ! Quand le comte Tzlykov est parti précipitamment, il a fait charger dans ses voitures tout ce qu'il y avait à l'avant de la maison, et il a négligé tout ce qu'il y avait à l'arrière, de l'autre côté de la cour, où les placards sont bourrés de provisions.

— Et d'où te viens cette science ?

— De la cuisinière, mon général !

« — Car il y a aussi une cuisinière ?

— Oui, et elle est française, et même lorraine comme moi. C'est elle qui a fait le dîner de ce soir. Elle demande seulement à repartir avec nous.

— Comment s'appelle-t-elle ?

— Marie-Thérèse. Je ne connais pas la suite. »

Les officiers avaient remis leur tenue en ordre, boutonné leurs cols, et agrafé leurs gilets. Ils attendaient des instructions, les yeux rougis par l'alcool.

« Asseyez-vous, messieurs, leur dit le général Beille. Tâchez de trouver des sièges. Le colonel Arrighi s'assiéra en face de moi, et les autres, où vous voudrez. Nous commencerons par dîner, et nous discuterons de nos plans après. Le Lorrain, apporte-moi à boire ! J'ai soif, et j'ai du terrain à rattraper ! Et ouvre la fenêtre, on étouffe ici ! »

Lorsque les persiennes furent écartées, un souffle d'air balaya la pièce. L'air était frais, mais on apercevait au-dessus des maisons d'en face les lueurs des incendies qui s'étendaient.

Cela était indifférent à François Beille. Dans sa tête, il était en France. Tous ses camarades étaient jeunes, insouciants comme lui, et la belle maison aurait pu se trouver en Avignon. L'incendie de Moscou n'était qu'un feu de forêt !

« Tu peux commencer le service, dit-il à son ordonnance. Quant à vous, messieurs, nous allons nous tutoyer, car on va partager une drôle d'aventure ! »

La cuisinière Marie-Thérèse fit son entrée en déposant sur la table ce qui ressemblait à une tarte aux œufs. Elle devait avoir autour de vingt-cinq ans, et portait ses cheveux blonds enroulés au-dessus des oreilles, à la manière russe. Sa taille était fine, et ses hanches ondulaient légèrement sous le drap gris de sa longue jupe. Elle éveillait le désir chez ces hommes privés de femmes.

Le dîner se prolongea comme une fête. Chacun avait son anecdote à raconter sur les événements du trajet d'aller en direction de Moscou. Les chevaux du colonel du 3ᵉ dragons avaient été empoisonnés par la pluie torrentielle qui s'était abattue sur l'armée juste après le passage du Niémen. Empoisonnés comment, par quoi ? Leurs cadavres jonchaient la route. Chacun donnait son avis. Le Lorrain remplissait les verres sans désemparer, en interrogeant seulement : « Rouge ou blanc ? » François Beille reconnut sur une étiquette le nom d'un grand cru de Bordeaux. Les poissons de rivière avaient succédé aux œufs. Les mains guettaient fébrilement la taille de Marie-Thérèse quand elle s'approchait pour le service, et les convives, du moins ceux qui avaient la bonne fortune de disposer d'une chaise, se renversaient en arrière. La nuit était maintenant tombée. Le Lorrain et Marie-Thérèse avaient découvert un stock de bougies à l'arrière du bâtiment, qu'ils répartissaient dans la pièce où elles distribuaient une lumière tremblotante. Des bouteilles de vin de Champagne encapuchonnées de papier doré firent leur entrée sous les acclamations des convives. Les cavaliers proposèrent leurs services pour les décapiter au sabre.

Le général Beille se leva. « Il commence à se faire tard, dit-il. Le Lorrain, débarrasse la table, nous avons à travailler ! »

*
*   *

« Quelqu'un d'entre vous possède-t-il une carte de Moscou ? » interrogea le général Beille.

Les officiers s'étaient installés autour de la table, les coudes en avant. Ils étaient dix : l'adjoint de Beille, le colonel Antoine Arrighi ; les quatre capitaines des batteries d'artillerie ; le comte Verowski, commandant les lanciers polonais ; le colonel Aimery de Villefort, en charge du 3e dragons ; et les trois commandants des bataillons d'infanterie, Frejoz, Schmidt, et le baron Grainbert pour les Suisses.

« Da ! répondit Verowski. J'ai apporté une carte que j'ai trouvée sur le mur, dans le palais du gouverneur. Je l'avais piquée comme souvenir ! »

Il se leva pour aller chercher dans l'antichambre une feuille de papier soigneusement pliée.

« La voici, dit-il en l'étalant. Malheureusement toutes les inscriptions et les noms des rues sont en cyrillique.

— Cela ne fait rien, le remercia Beille, en pointant du doigt le nord et le sud de la ville. Cette tache brune au milieu, c'est le Kremlin. Et la couleur verte doit représenter les jardins ?

— Oui, approuva Verowski, et vous voyez bien les trois boucles de la Moskova.

— Cela nous donne une idée de l'ensemble. C'est cet espace que nous devons occuper, en faisant croire aux Russes que nous sommes l'arrière-garde nombreuse de la Grande Armée. Alors il va falloir faire beaucoup de tapage et se montrer partout. Les espions ne sauront plus quoi raconter.

— Si on les attrape, que doit-on en faire », interrogea le commandant Frejoz ?

Le général Beille marqua un temps d'arrêt. Il réfléchissait. « Si vous êtes certain que ce sont des espions, mais je ne vois pas bien comment vous pourrez vous en assurer, il faudra les fusiller. » En clignant rapidement des paupières, il imagina l'horreur de la scène, les suppliques incompréhensibles, les hurlements d'effroi. « Si ce sont des incendiaires, vous n'aurez qu'à les laisser courir ! Qu'ils achèvent de brûler Moscou, c'est leur affaire ! Nous, dans trois jours nous serons partis ! C'est eux qui coucheront dans des lits de cendres ! Bien entendu, s'ils se rapprochent de nos cantonnements, vous leur faites tirer dessus. »

L'ordonnance Le Lorrain avait entrepris de balayer les miettes de la table avec une brosse à parquet qu'il avait dénichée dans l'arrière-cuisine, et disposait devant chaque officier un verre ballon aux armoiries du comte Tzlykov, pour y verser le cognac de sa cave.

Le général Beille précisa son dispositif, le doigt posé sur la carte. Moscou serait divisé en deux secteurs, le nord-ouest commandé par Verowski, et le sud-est confié à Villefort. Chacun d'eux disposerait d'un escadron de cavalerie, d'une batterie d'artillerie et d'un bataillon d'infanterie. Le bataillon d'infanterie restant et les deux batteries d'artillerie seraient stationnés au voisinage du Kremlin, sous les ordres d'Arrighi. Quant à lui, Beille, il s'installerait place des Cathédrales, à l'intérieur du Kremlin, sous une tente où on pourrait toujours le joindre. Il prendrait ses repas et dormirait au palais Tzlykov. « En compagnie de Marie-Thérèse », soupirait en lui-même le colonel Verowski...

« Dans la journée, vous devrez multiplier les patrouilles à cheval, et faire manœuvrer l'infanterie dans les avenues. Essayez de récupérer les cantonnements abandonnés par la Grande Armée pour y installer vos hommes, et fouillez partout pour trouver des vivres et du fourrage, dont nous aurons besoin pour le retour. Et si vous voyez quelques attroupements hostiles, profitez-en pour tirer quelques coups de canon, conclut François Beille d'une voix affairée. Cela fera du bruit dans la ville !

— Quels sont les ordres si l'armée russe nous attaque ? » interrogea le colonel de Villefort. Il se tenait très droit, et portait une petite moustache noire. La discipline qu'il maintenait dans son régiment de dragons était légendaire. Issu d'une famille féodale du Périgord, il considérait le colonel Verowski et le roi de Naples comme des parvenus, même s'il n'était plus lui-même qu'un ci-devant.

« Cela dépendra du nombre, lui répondit Beille. S'il s'agit d'une patrouille, vous les encerclerez et vous les exterminerez jusqu'au dernier, pour qu'il n'y ait pas d'informateurs qui s'échappent. S'ils sont plus nombreux, vous envoyez aussitôt une estafette à Arrighi, et il décidera des mesures à prendre. De toute manière, arrêtez vos disposi-tions pour un départ à l'aube dans trois jours. Et j'y reviens, conclut-il, soignez bien vos chevaux, nous en aurons grand besoin au retour. Encore deux choses : colonel Verowski, pourriez-vous trouver parmi vos sous-officiers des hommes qui baragouinent le russe, et en détacher un auprès de chacun de vos collègues, pour qu'ils puissent au moins déchiffrer le nom des rues. Vous les récupérerez au départ, car nous n'aurons plus rien à lire ! Enfin faites préparer des bûchers dans vos cantonnements, de grands bûchers pour y mettre le feu au moment du départ. Allez-y carrément ! Il ne faudra laisser que des cendres ! Nous épargnerons seulement les églises et le Kremlin. Maintenant, Le Lorrain, verse-nous du café. »

Sans qu'il y ait été invité, le commandant Frejoz entonna une chanson à boire. C'était un air bourguignon, bien connu dans la Grande Armée. Les officiers reprirent le refrain en chœur, et la nuit russe retentit de leurs voix.

*
* *

Les deux journées suivantes se déroulèrent sans encombre. Les patrouilles circulaient dans la ville, et tiraient sur des silhouettes sans les atteindre. Le deuxième jour, un petit groupe de cosaques qui s'était aventuré dans le nord de la ville fut surpris par les lanciers polonais qui les sabrèrent jusqu'au dernier.

Mais le troisième jour, à 4 heures de l'après-midi, un cavalier arriva au galop sur la place Rouge, et chercha frénétiquement le poste de commandement du colonel Arrighi.

« Les Russes arrivent ! Les Russes sont entrés dans la ville ! » criait-il, dans son affolement.

Arrighi imagina qu'il s'agissait d'un détachement russe qui traversait la ville d'est en ouest, sans doute pour tenter de rattraper le corps d'armée de Murat.

Il mit aussitôt en place son dispositif. Trois batteries d'artillerie se positionneraient dans les larges avenues du nord de la ville, et devraient canonner les cavaliers russes à vue. Elles seraient protégées par les fantassins suisses et bavarois.

Les lanciers polonais pousseraient quelques pointes en avant pour tâter le dispositif ennemi, mais devraient fuir le contact.

Antoine Arrighi rédigea ses ordres sur une feuille de papier qu'il remit à l'estafette :

« Va porter cela tout de suite au colonel Verowski. Tu sais où le trouver ? »

Pendant que l'estafette repartait au galop, Arrighi alla rejoindre Beille au Kremlin, et le mit au courant des ordres qu'il avait donnés.

Le général Beille l'approuva :

« Tout cela est excellent, lui dit-il, mais si les Russes sont nombreux, et qu'ils cherchent à reconquérir la ville – ce que d'ailleurs je ne crois pas – nos forces devront se replier en direction de la place Rouge. La dernière batterie d'artillerie va s'y installer, et je vais demander à Frejoz d'y construire des barricades. Au pire, nous nous enfermerons dans le Kremlin, avant d'essayer d'en sortir par la porte sud. Mais tes ordres sont déjà arrivés à destination, ajouta-t-il, à l'intention d'Arrighi. Écoute ! »

On entendait en effet des tirs de canon, dans le nord de la ville. Les grondements étaient espacés, et plutôt réguliers.

« Ils choisissent leurs cibles, dit Beille. Je te demande de diffuser un ordre à toutes les unités. Nous quitterons Moscou demain matin. Puisque les Russes semblent se rapprocher, nous partirons avant le lever du jour. Les unités devront se rassembler à 5 heures, le long de la muraille sud du Kremlin. Tu prendras la tête du convoi, avec les dragons, puis l'artillerie et les trois bataillons à pied. Je fermerai la marche avec les lanciers polonais. Va mettre tout cela en ordre ! »

On continuait d'entendre des détonations, mais elles paraissaient s'espacer. Peut-être l'armée russe cherchait-elle seulement à contourner la ville.

François Beille monta sur son cheval, Volta, que le palefrenier Bonjean avait soigneusement brossé, et regagna le palais Tzlykov pour y goûter le demi-sommeil d'une dernière nuit.

*
*　*

Chapitre VI

L'adieu à la ville

François Beille adorait l'atmosphère des rassemblements nocturnes. Il fallait se lever au milieu de la nuit, vers 4 heures du matin, s'habiller dans l'obscurité en tâtonnant pour trouver ses bottes, se raser à l'eau froide, mal éclairé par une bougie, comme c'était la règle pour les officiers de la Garde impériale. Puis on ouvrait une porte donnant sur l'épaisseur glacée de l'air, et on recevait aussitôt sur la figure une giclée de vent. On cherchait ensuite son chemin vers le lieu du regroupement, où s'entassaient des silhouettes noires, qui communiquaient entre elles à voix basse. Lorsqu'un des participants se risquait à faire craquer une allumette, on apercevait dans son halo de lumière jaune un visage buriné, avec des dents en saillie, et des sourcils épais, visage que la nuit avalait goulûment, dès que l'allumette s'éteignait. Les croupes brunes des chevaux semblaient immenses, à la hauteur des yeux. Ils esquissaient des mouvements nerveux, en cherchant à reculer pour s'arracher à leur bride, maladroitement tenue dans l'ombre. François Beille craignait que, malgré ses bottes de cuir, ils lui écrasent les pieds.

Toute cette apparence d'agitation masquait une organisation méthodique. Des groupes se réunissaient, des ordres s'échangeaient, et lorsque la première apparition de la lumière commençait à ourler les toits des maisons d'une frange claire, on prenait conscience d'une expédition en formation. Une demi-heure plus tard, le convoi se mettait en marche.

C'est ainsi que, dans le petit matin du 28 septembre, la division du général Beille se déploya le long du mur sud du Kremlin. En se dressant sur ses étriers, celui-ci pouvait apercevoir l'ensemble de la troupe : loin devant, les dragons à cheval, puis les batteries d'artillerie sur les canons desquelles les premiers rayons du soleil jetaient des éclairs. Venaient ensuite les carrés compacts des bataillons d'infanterie. Ils étaient suivis du groupe désordonné de petits chariots où s'entassaient les derniers réfugiés, et le personnel civil. Marie-Thérèse avait raflé avant de partir les verres et les couverts du comte Tzlykov, qu'elle avait entassés dans la dernière voiture, coiffée d'une capote blanche en forme de cylindre, tirée par deux chevaux russes, dont Le Lorrain tenait les rênes.

L'escadron des lanciers polonais de la Garde fermait la marche. On les aurait crus à la parade. Les six pelotons se suivaient à intervalles réguliers, et marchaient au petit trop. Verowski, qui se trouvait en tête, fit un grand geste de salut au général Beille.

Ce dernier lança son cheval au galop et, suivi de son escorte, remonta le long des troupes. Il se tenait sur la pelouse qui longe la Moskova. De là il apercevait les unités qui avançaient sous le mur du Kremlin. Le jour était complètement levé, aussi pouvait-il contempler un spectacle superbe : au second plan la muraille rouge du Kremlin, coiffée des tours de la cathédrale de l'Annonciation, avec, à son pied, les unités de sa petite armée qui marchait en bon ordre. Il continua d'avancer jusqu'à l'angle du Kremlin, et il s'arrêta en face de la dernière tour, là où ses soldats allaient devoir tourner en direction du sud-ouest, pour rejoindre la route de Smolensk.

Il attendit que le dernier cavalier polonais eût pris le virage, et il resta immobile pendant quelques minutes, pour regarder derrière lui, la main gauche appuyée sur la croupe de son cheval. Aussi loin que portait son regard, il n'y avait plus personne en vue, entre le mur du Kremlin et l'eau verte de la Moskova. Plus loin, dans les quartiers nord, des colonnes de fumée noire s'élevaient droit dans le ciel au-dessus des feux allumés dans les cantonnements. On était le lundi 28 septembre, à 9 h 30 du matin. Douze jours après son entrée dans la ville, il ne restait plus un seul soldat de la Grande Armée dans Moscou.

*

*　　*

Chapitre VII

La route de Smolensk

Le trajet de Moscou à Smolensk se déroula presque sans incident. Pour respecter les ordres de l'Empereur, le général Beille faisait avancer lentement sa division, qui parcourait, selon les jours, trente à quarante kilomètres. La route était sèche. Les ornières, creusées par les pluies tombées il y avait plus d'un mois, avaient été nivelées par le retour de la Grande Armée, et le roulement était facile pour les canons et les charrettes des civils.

On n'apercevait pratiquement pas de soldats russes. Deux ou trois fois dans la journée et le soir, quelques silhouettes de cosaques apparaissaient comme des points noirs sur la ligne d'horizon de la plaine. Les deux escadrons de cavalerie français et polonais avançaient de part et d'autre de la colonne. Ils détachaient un peloton qui se lançait au galop à la poursuite des cosaques. S'il réussissait à les rattraper, ils les exterminaient à coups de sabres. Les cosaques se défendaient mal, embarrassés par leurs lourds paquetages, et leurs fusils, portés en bandoulière, qui gênaient leurs mouvements. Les lanciers polonais excellaient dans ces poursuites, et subissaient peu de pertes. Une seule fois, un régiment russe voulut s'approcher de la division Beille. On pouvait les observer au télescope avancer en rangs serrés. Le général profita de la présence d'un bois de bouleaux pour dissimuler derrière lui en embuscade deux batteries d'artillerie. Celles-ci laissèrent approcher les fantassins, et lorsqu'elles ouvrirent le feu, les boulets firent des couloirs sanglants dans leurs rangs. Un voltigeur réussit à atteindre d'un coup de fusil le colonel, qui chuta de son cheval. La panique s'empara des soldats russes. N'arrivant pas à identifier leurs adversaires, ils s'enfuirent en désordre.

« Laissez-les courir, ordonna le général Beille, qui ne voulait pas que ses cavaliers s'épuisent à les suivre, ils iront raconter à leurs chefs qu'ils ont rencontré la Grande Armée ! »

Beille n'arrivait pas à comprendre la stratégie du commandement russe. Manifestement celui-ci n'avait pas encore décidé de rattraper l'armée de Napoléon pour la combattre et essayer de la détruire. À quoi était due cette hésitation ? L'armée russe, ou ce qui en restait, avait-elle été positionnée trop loin à l'est de Moscou pour se lancer tout de suite dans cette poursuite ? Les généraux russes s'interrogeaient-ils sur l'objet de la manœuvre du corps d'armée de Murat et de Davout, qui paraissait s'engager sur la route de Tver et de Saint-Pétersbourg ? Ou plus simplement se disputaient-ils entre eux, Barclay de Tolly, pratiquement mis à l'écart, Koutouzov aux réactions imprévisibles, et le fougueux Benningsen ?

Quoi qu'il en soit, la manœuvre de Napoléon avait réussi ! La Grande Armée, ou plutôt ce qui en subsistait après les pertes de la Moskova, traversait la plaine russe sans être inquiétée. Elle n'était plus qu'à cinq jours de marche de Smolensk, où elle ferait halte et prendrait du repos. Le temps était favorable, plus frais que pendant le trajet d'aller, où l'armée avait souffert jusqu'à la fin du mois d'août d'une chaleur insupportable accompagnée d'une sécheresse qui empêchait de donner à boire aux dizaines de milliers de chevaux qui suivaient la route. Le génie de la Grande Armée avait déblayé la voie d'une grande partie de la ferraille, des déchets et des troncs d'arbres sciés que l'ennemi y avait disposés pour ralentir sa marche.

Chaque matin au lever du jour, le général Beille scrutait le ciel en direction du nord-est, d'où soufflait le vent dominant, pour s'assurer qu'il n'apporterait pas la pluie, redoutée par-dessus tout car elle aurait obligé ses hommes à progresser dans un marécage de boue. Mais rien ne venait.

À la fourche des deux routes de Smolensk, l'ancienne route dont la trajectoire était orientée au sud, et la nouvelle, qui passait plus au nord, Beille avait choisi délibérément cette dernière, qui lui donnerait l'occasion de longer le champ de bataille de la Moskova. Il n'avait pu l'observer que de loin, pendant qu'il restait confiné dans le repli de terrain où était parquée la Garde impériale.

Après deux jours de route, il arriva au village de Borodino. Il était 4 heures de l'après-midi. Apercevant sur le côté du chemin une longue maison basse, d'où l'on avait une vue d'ensemble du terrain, il mit pied à terre, confia les rênes de son cheval Volta au palefrenier Bonjean, et s'assit sur le banc de pierre posé contre la façade. Le sol était labouré de traces de bottes et de fers à cheval. Cette isba avait dû servir de poste de commandement russe pendant la bataille. Beille saisit le télescope qu'il portait dans son dos. Il le déploya et appuya ses coudes sur ses genoux pour éviter que ses mains ne tremblent. Il regardait avidement le paysage.

Vers sa gauche, il reconnut, à deux ou trois kilomètres de distance, le petit monticule d'où l'Empereur avait observé – plutôt observé que dirigé, pensa-t-il en lui-même – la bataille. Derrière lui, une ligne d'ombre bordait le vallon où la Garde avait été tenue en réserve. Beille se trouvait maintenant à l'emplacement où s'étaient installés les généraux russes, et il imaginait à leur place les mouvements de l'armée française en train de conduire ses assauts successifs.

Devant lui, la rivière devait être celle qu'essayait de franchir le corps d'armée du prince Eugène et du maréchal Grouchy.

Puis, au milieu de la plaine, cet amoncellement de labours et de terres torturées marquait sans doute, pensa-t-il, l'emplacement de la fameuse redoute russe qu'avait fait édifier Koutouzov.

Il dit alors au colonel Arrighi de continuer à faire avancer la colonne, et de prévoir son cantonnement au voisinage du prochain village, sans doute en ruine, puis il monta lestement en selle et, suivi du lieutenant Villeneuve, partit au galop en direction de la redoute russe.

Soudain une brusque saute de vent qui accompagnait le passage d'un nuage gris vint lui fouetter le visage. Elle portait avec elle une odeur infâme, répugnante, irrespirable. Beille fit cabrer son cheval. Cette odeur provenait du champ de bataille, de la décomposition des cadavres qui n'avaient été ni enterrés, ni enlevés depuis plus de vingt jours, et des excréments des hommes et des chevaux. Elle interdisait toute tentative de respirer. Beille sortit de sa poche un grand mouchoir qu'il noua devant sa bouche, en cherchant en même temps à s'empêcher d'aspirer par le nez. Il mit son cheval au pas et continua d'avancer, en fermant à moitié les yeux pour ne pas regarder les visages, les bustes sans tête s'achevant sur une découpe de bouillie de chair rouge et blanche, les chevaux aux ventres ballonnés entourés d'immondices, la crosse des fusils enfoncée dans le sol, et un amoncellement inimaginable de roues, de ferraille, de coffres disloqués par les obus.

Beille continuait de pousser son cheval en avant, car il voulait arriver jusqu'à la redoute, mais soudain son sang se glaça. Il y avait devant lui quelqu'un qui le regardait. C'était un voltigeur français, les yeux grands ouverts, à demi assis contre un caisson d'artillerie avec son shako sur la tête, et sa mentonnière attachée. Sa barbe avait envahi son visage et l'avait recouvert d'une mousse mauve. Son buste s'arrêtait au haut des jambes, mais son regard était intact, et il le jetait fixement sur le général Beille, comme un reproche qui n'attendait plus de réponse. Celui-ci ne put supporter plus longtemps la scène. La puanteur de l'air traversait son mouchoir, et se mêlait à sa salive. Il fit faire un demi-tour brusque à son cheval, et partit au trot. L'instinct de l'animal le conduisait à éviter de heurter les corps et les débris, comme s'il connaissait le chemin qui permettait de s'évader de cet enfer. Il levait haut ses pattes pour qu'elles ne touchent rien.

Aussitôt qu'il eut rejoint la route, Beille arracha son mouchoir de sa bouche, et le jeta à terre. Puis il se souvint que c'était sa mère qui l'avait brodé avec soin pour lui sur la terrasse d'Anglars. Il descendit de sa monture, ramassa le mouchoir, le plia en respectant les lignes du fer à repasser, et l'enfonça dans sa poche. Il remonta en selle, et fouetta son cheval pour partir au galop. Il voulait échapper à cette terrible odeur, à ce chaos de ferraille et de chair, et au regard fixe du voltigeur qui lui revenait en plein dans les yeux. C'était donc cela la guerre, cette horrible réalité, tellement différente de celle qu'il avait imaginée dans sa jeunesse, avec des charges de cavalerie dans des prairies vertes, et des fantassins en uniforme de parade qui escaladaient des collines !

Le colonel Arrighi l'attendait quelques centaines de mètres plus loin.

« Tu as pu voir le champ de bataille ?

— Oui, c'est une horreur ! Je n'aurais jamais dû y retourner. »

Arrighi lui jeta un regard de côté, avec ses yeux vifs et son nez légèrement busqué, qui rappelaient ceux de l'Empereur.

« C'est sûrement une horreur, lui dit-il, mais nous faisons la guerre, et ce n'est pas fini ! »

Ils mirent leurs chevaux au trot, pour rattraper la colonne, et avancèrent côte à côte, leurs étriers se touchant, sans échanger un mot.

*
* *

Trois jours plus tard, dans l'après-midi, ils arrivèrent dans la petite ville de Viazma, à mi-chemin entre Moscou et Smolensk. Bizarrement ce gros village de paysans avait été épargné à l'aller par l'armée russe qui ne l'avait pas incendié, et au retour par la Grande Armée qui venait de le quitter, en laissant partout des traces de son passage, des sacs de toile vides, des seaux d'étain, et des charrettes dont les roues avaient été enlevées pour les récupérer pour d'autres. La rue principale, qui formait une longue courbe, était bordée d'un alignement de petites maisons de bois, peintes de couleurs claires dans lesquelles le bleu et le vert pâle dominaient. Tous les volets étaient fermés, mais une sensation étrange faisait penser que la ville n'était pas déserte et que les habitants se cachaient quelque part.

Les dragons étaient entrés les premiers dans la ville, suivis des artilleurs, et ils commençaient à s'aménager un cantonnement à la sortie de la grand-rue vers la campagne. Les bataillons d'infanterie seraient sans doute répartis dans les quartiers périphériques.

Le général Beille, escorté du lieutenant Villeneuve, arriva sur la place centrale de la ville. Celle-ci formait un carré bordé de bâtiments importants, bâtis en pierre blanche, et disposant d'un second étage. L'un de ces bâtiments, qui portait une inscription en lettres dorées que Beille ne pouvait pas déchiffrer, devait être le siège de l'administration. Sur un autre côté de la place, une construction presque semblable avait l'apparence d'une habitation. C'était sans doute le logement du sous-gouverneur. L'ordonnance Le Lorrain, campé devant cette maison, dont la porte était ouverte, faisait de grands gestes de s'approcher.

« C'est ici qu'a logé l'Empereur il y a encore quatre jours, d'après ce que nous a dit un serviteur russe, dit-il d'une voix emphatique au général Beille qui était descendu de son cheval. J'ai pensé que vous pourriez passer la nuit ici, ainsi peut-être que le colonel Arrighi, car la maison est grande ! Suivez-moi, je vais vous la montrer. »

Beille grimpa les marches et se trouva dans une antichambre assez propre mais entièrement démeublée. À sa surprise, il reconnut devant la porte de la pièce qui devait servir d'office la cuisinière Marie-Thérèse. Elle avait abandonné ses tresses russes, et ses cheveaux blonds flottaient sur ses épaules. Et elle avait échangé sa longue jupe grise pour une robe de toile bleue, recouverte d'un tablier fait d'une dentelle beige assez grossière.

Beille lui tendit la main, en lui disant :

« Bonjour, Marie-Thérèse, je suis heureux de vous voir ici. Alors vous avez choisi de nous accompagner ?

— Oui, général. C'est le sergent Le Lorrain qui m'a transmis votre autorisation. Il m'a dit que vous auriez besoin de quelqu'un pour cuisiner pendant votre trajet. Et c'est moi qui vais vous préparer votre repas de ce soir ! Il m'a dit aussi qu'il vous faudrait une interprète. »

François Beille ne se souvenait pas d'avoir donné cette autorisation, ni même que la question lui eût été posée. Mais il valait mieux pour cette femme française, pensa-t-il, qu'elle échappât aux atrocités de la reconquête de Moscou.

« À tout à l'heure, Marie-Thérèse, lui dit-il. Je souperai ce soir à 7 heures avec le colonel Arrighi. »

François Beille emboîta le pas à son ordonnance. Ils montèrent l'escalier et arrivèrent au premier étage. L'espace était aussi vide qu'au rez-de-chaussée. Le palier formait une antichambre, fermée aux extrémités par des doubles portes.

« C'est ici qu'a dormi l'Empereur », annonça Le Lorrain, en s'effaçant pour que le général Beille puisse entrer dans la pièce. Le seul mobilier était constitué d'un lit de bois, porté par quatre pieds carrés, et formé de lattes entrecroisées qui tenaient lieu de matelas. Deux oreillers blancs étaient posés contre le mur, et une table de toilette en merisier jaune occupait un angle de la pièce. Un broc, rempli d'eau, était posé à ses pieds.

« Merci, Le Lorrain, dit François Beille. Je dormirai ici à mon tour, mais il faudrait que tu me trouves une couverture.

— Ce sera facile. Il y a encore un placard rempli de linge. »

François Beille traversa l'entrée, et ouvrit l'autre porte. La pièce était entièrement démeublée, et les murs étaient rayés de fissures noires.

« Qui a dormi ici ? demanda-t-il.

— Le maréchal Berthier.

— Il faudrait que tu prépares cette chambre pour le colonel Arrighi. »

*
*   *

Après le dîner, François Beille voulut remonter tout de suite à l'étage. Il était fatigué. La visite du champ de bataille avait épuisé ses nerfs. Pendant qu'il grimpait les marches, il entendit une fusillade.

« Qu'est-ce que cela peut être ? demanda-t-il au colonel Arrighi qui montait avec lui.

— Ce sont nos sentinelles, répondit Arrighi. Ce soir, elles appartiennent au bataillon suisse. Elles sont disposées tout autour de la ville, par groupes de cinq hommes pour qu'ils ne s'endorment pas, avec la consigne de tirer sur tout ce qui bouge. »

Une nouvelle salve déchira la nuit.

« Bonsoir, Arrighi, dit Beille. Demain départ à 6 heures. Si je dors, peux-tu me réveiller ?

— Oui, comptez sur moi. Bonne nuit, mon général.

— Pas général ! François...

— Bonne nuit, François. »

Les deux portes sur le palier se refermèrent en même temps.

*
* *

François Beille se sentait vidé de fatigue. La vision de la Moskova continuait de le hanter, et d'user ses nerfs, comme une scie sur des cordes. Il décida de ne pas se déshabiller. Il enleva ses bottes avec peine, et conserva son pantalon de cheval, et sa chemise blanche, dont il dégrafa les boutons près du cou. Puis il s'étendit tout en longueur sur les lattes du lit, dont la couverture dénichée par Le Lorrain atténuait la rigidité. Il étira ses bras et ses jambes, et ferma les yeux pour s'endormir. Peu après, il entendit un petit bruit, comme un grattement. Quelqu'un frappait à la porte.

« Qui est-ce ? » interrogea-t-il.

Pas de réponse.

« Qui est-ce ? demanda-t-il à nouveau. Entrez ! »

La porte s'ouvrit : c'était Marie-Thérèse. Elle portait sa robe bleue, mais elle avait enlevé son tablier, et elle tenait un bougeoir à la main. Elle s'approcha du lit où s'était assis Beille.

« Je suis venue vous dire merci !

— Mais tu n'as pas à me dire merci.

— Si, général ! Je vous dois tout ! Si vous n'aviez pas donné l'autorisation de m'emmener, lorsque les Russes seraient revenus dans la ville et qu'ils y auraient trouvé une Française, ils m'auraient coupée en morceaux, ils m'auraient torturée et violée. C'est de cela que je veux vous dire merci ! »

Marie-Thérèse se rapprocha encore. Elle saisit des deux mains le bas de sa robe bleue, qu'elle releva, et s'assit sur les genoux de François Beille, en passant son bras autour de son cou. Beille crut sentir la peau lisse de ses cuisses sous le tissu rêche de sa robe.

« Ce n'est pas la peine, Marie-Thérèse, de me remercier, lui répondit-il. Je n'ai fait que ce qui était normal ! »

Elle appuya son visage contre l'épaule du militaire, calmement, sans agressivité, avant de reprendre :

« Je vois que vous ne voulez pas de moi ! Vous me prenez pour une fille qui couchait avec les Russes. Vous vous trompez. C'est le comte Tzlykov qui m'a embauchée à Nancy. Il visitait la Lorraine et cherchait une bonne cuisinière à ramener chez lui, mais il ne s'intéressait pas aux femmes, et d'ailleurs à rien d'autre, sauf peut-être à ses collections. Quant au personnel de la maison de Moscou, c'étaient des brutes et des ivrognes, et je ne leur permettais pas de me toucher. Il y a bien eu un jeune homme, le fils de l'intendant, qui était tombé follement amoureux de moi. Je l'ai laissé me caresser, mais je l'ai empêché d'aller trop loin. Vous, je vous ai trouvé beau, et surtout j'avais envie de vous dire ma gratitude. »

Marie-Thérèse se redressa, saisit le visage de Beille entre ses deux mains, et appliqua longuement ses lèvres sur les siennes, puis elle s'écarta.

« Si vous ne voulez pas de moi, dit-elle, je vais vous laisser dormir.

— Ce n'est pas cela, Marie-Thérèse. Je te trouve très belle, et j'ai envie de toi. Mais regarde où nous sommes, et ce qui m'attend… »

Par une sorte de coïncidence, deux fusillades claquèrent au même moment aux extrémités de la ville.

« Je ne peux pas me permettre de me laisser aller. Plus tard, si tu le veux encore, je serai heureux de t'accueillir. Peut-être quand nous serons à Varsovie. »

Marie-Thérèse se redressa. Ses yeux brillaient.

« Vous l'aurez peut-être oublié en arrivant là-bas ! dit-elle. Mais moi je m'en souviendrai, et je vous le rappellerai à Varsovie ! Je vous y attendrai. »

Elle était debout, et s'appliquait à défroisser sa robe. Puis elle s'avança vers la porte. François Beille la suivit du regard, et observait ses mains qui repassaient le tissu sur ses hanches, en épousant soigneusement leurs courbes. Une brusque impulsion fit chavirer sa résolution. Il se précipita, la rejoignit juste au moment où elle allait sortir de la pièce. Il la retourna contre lui, et la serra de toute la force de ses deux bras, rejoints derrière ses épaules. Puis il l'embrassa d'abord tendrement, puis furieusement, en dépit du harcèlement des tirs de fusils qui avaient repris dans la nuit. Ses lèvres étaient douces et sentaient la framboise.

*
* *

François Beille regagna son lit, et s'étendit à nouveau en cherchant le sommeil. Celui-ci tardait à venir car il était troublé et insatisfait par la visite de Marie-Thérèse.

Les volets de la chambre étaient à demi fermés, et la place située devant la maison restait silencieuse. Une lueur pâle se reflétait dans la chambre.

Un bruit léger, une sorte de grattement, se fit entendre dans l'escalier. On aurait dit quelqu'un qui montait les marches sur la pointe des pieds. Beille fut saisi d'une idée perverse qui excita sa jalousie. Peut-être était-ce Marie-Thérèse qui, déçue par son refus, avait décidé de transférer sa reconnaissance au colonel Arrighi ! Beille écoutait avidement. Le bruit persistait, à peine audible. Fou de colère, il bondit de son lit, et se précipita vers la porte qu'il ouvrit. Tout était noir dans l'antichambre, où il n'y avait personne. On ne distinguait aucun rai de lumière sous la porte du colonel Arrighi. Il entendit un mouvement de fuite le long du mur de l'escalier, sans doute le départ d'un petit animal, ou d'une souris.

François Beille retourna vers son lit, furieux contre lui-même.

*
* *

Trois jours plus tard, dans la matinée, la division Beille suivait le cours du Dniepr, sur la rive droite du fleuve, qui n'est encore qu'une rivière modeste. Les unités étaient déployées dans la plaine, où elles avançaient en direction de la ville de Smolensk, située à une trentaine de kilomètres.

Sur le côté gauche, les deux escadrons de cavalerie marchaient l'un derrière l'autre, pour protéger le flanc sud des attaques éventuelles des cosaques. Ils étaient difficilement visibles, en raison des moutonnements du terrain, dont on pouvait les voir surgir à l'horizon de temps à autre.

L'infanterie et l'artillerie se suivaient, au centre du dispositif, précédées du colonel Arrighi, qui caracolait sur son cheval noir. Elles marchaient sur la belle route droite que Catherine II avait fait aménager pour acheminer ses armées vers la frontière polonaise. Et sur le côté droit, le général Beille faisait avancer sa monture au pas, en surveillant l'autre rive du Dniepr, pour s'assurer qu'il n'y avait pas de mouvements de troupes russes dans la plaine qui bordait le fleuve. Il recherchait les traces du pont qui avait permis au corps d'armée de Junot de franchir le fleuve lors de la bataille qui avait suivi, pendant le trajet d'aller, la sanglante et féroce prise de Smolensk. Et il se remémorait les événements de ces combats, car c'est de là que datait son premier doute sur l'état physique et intellectuel de l'Empereur.

Il laissait son cheval aller de son propre pas, les rênes lâches, et la tête baissée. Des deux côtés du cou de l'animal, il apercevait ses pistolets d'arçon à crosse de nacre enfoncés dans leurs étuis de cuir accrochés à la selle. C'étaient des souvenirs de son oncle, le général de l'armée royale. Le sol était doux, comme sablonneux, avec quelques touffes d'herbes sèches. Du bord du fleuve montaient des cris aigus d'oiseaux-pêcheurs, à la recherche de poissons. Rien ne dérangeait la méditation de François Beille.

Il s'interrogeait sur l'évolution récente de l'Empereur. C'était un sujet interdit dans la Grande Armée, comme par une révérence religieuse. Personne n'osait en souffler mot, et pourtant les signes étaient visibles. Il avait grossi, ou plutôt enflé. Une épaisseur de graisse recouvrait le réseau, jadis si apparent, de ses muscles et de ses nerfs. Sur son front, la ligne de ses cheveux avait reculé, et n'alimentait plus qu'une étrange mèche noire. Ses yeux étaient cerclés d'une tache sombre. Et surtout son énergie, son extraordinaire vitalité, qui le faisait galoper d'un bout à l'autre du champ de bataille, comme à Austerlitz, pour ordonner et modifier les mouvements de ses unités, cette énergie avait partiellement disparu. Beille s'en était aperçu, lorsque, après la prise de Smolensk, l'armée russe s'était trouvée dans une situation très vulnérable en raison de ses manœuvres contradictoires, et que l'Empereur avait tardé à donner les ordres qui auraient permis de l'anéantir, sans causer trop de pertes à nos troupes. Contrairement à son habitude, il n'était pas resté sur le lieu des combats, et avait fait demi-tour pour regagner Smolensk, laissant le maréchal Ney en charge de poursuivre la bataille. Lui-même, Beille, avec ses chasseurs de la Garde, avait accompagné le retour de Napoléon.

Il avait ressenti la même impression pénible lors de la bataille de la Moskova. Pendant que son régiment restait parqué derrière le mamelon de l'Empereur, il avait réussi à l'observer. Pas un instant le souverain n'était monté à cheval pour aller surveiller les mouvements de son flanc gauche. Il était resté assis pendant toute la matinée, au moment où se décidait le sort de la bataille, et rédigeait ses ordres sur une petite table disposée devant lui. Fréquemment, son valet de chambre, Roustan, lui versait dans sa tasse une boisson qui devait être chaude, à en juger par la fumée qui s'en dégageait. Beille avait appris par la suite que l'Empereur avait souffert d'un rhume ou d'une grippe, mais cela ne suffisait pas à justifier son inertie.

Le moment le plus éprouvant pour lui s'était situé après la prise dramatique de la redoute russe par la cavalerie lourde française, où les cuirassiers sabraient les artilleurs en train de pointer sur eux leurs canons. Il était environ 2 h 30 de l'après-midi. Ney et Murat avaient présenté à l'Empereur la demande instante d'engager les réserves pour transformer la défaite de l'armée russe en déroute. Beille était trop loin de la tente de Napoléon pour comprendre le sens de ce va-et-vient incessant d'estafettes, mais il avait fini par en situer l'enjeu lorsqu'il avait reçu l'ordre, avec les autres régiments de la Garde, de rester sur place, et de ne pas rejoindre la bataille. Cet ordre lui avait paru détestable. La Garde représentait plus du quart des effectifs français engagés dans les combats. Elle était intacte, et avide d'intervenir. Elle n'avait pas parcouru plus de deux mille kilomètres pour rester à l'écart de l'affrontement culminant de la guerre. Si la Garde avait reçu l'ordre d'avancer, elle aurait taillé en pièces les unités russes, épuisées et décimées par les affrontements du matin. Le refus de Napoléon lui semblait provenir soit d'une prudence injustifiée, au moment où il s'agissait de transformer une victoire en triomphe, soit, pis encore, d'une carence de la volonté, d'une incapacité à décider qui annonçaient la défaillance du génie du grand homme !

Et, en poussant en avant son cheval, Beille tentait d'évaluer les inconvénients et les risques d'un système où tout dépendait du pouvoir d'un seul homme, appelé inévitablement à faillir.

Dans la réunion qu'il avait tenue au palais du gouverneur, à Moscou, Napoléon lui avait semblé disposer de tous les moyens de son exceptionnelle intelligence, et de sa pleine capacité stratégique. Sa décision de repartir immédiatement de Moscou était un signal encourageant, mais qu'arriverait-il si ses qualités de chef de bataille et de manœuvrier commençaient à faiblir ? Tout cela est si fragile, malgré les apparences, se disait François Beille : l'héritier du trône n'a qu'un an ; parmi les souverains allemands, nombreux sont ceux qui souhaiteraient pouvoir le trahir ; pendant la traversée de la Prusse, la population avait exprimé ouvertement ses sentiments antifrançais ; et l'Angleterre était un adversaire cynique et redoutable, par l'emploi de tous les moyens en sa possession, et désormais en raison des victoires que Wellington remportait en Espagne ! Oui, si fragile, se répétait François Beille. Il y faudrait une victoire, et un grand remède...

« Mon général ! cria derrière lui la voix du lieutenant Villeneuve, mon général, regardez devant vous. Ces fumées qu'on aperçoit au loin, ce sont les fumées de la ville. Nous arrivons à Smolensk ! »

*
* *

Chapitre VIII

La semaine passée à Smolensk

Dès son entrée dans Smolensk, le général Beille avait voulu se faire une idée de l'état de la ville, qu'il avait vue dévorée par les flammes, un mois auparavant, lors des combats du 18 août. Accompagné du colonel Arrighi et de ses neuf commandants d'unités, il parcourait les rues à cheval.

Il avait commencé par faire le tour de la cité, en suivant les avenues qui longeaient les fortifications. Les gros murs de briques de huit mètres de haut et de cinq mètres d'épaisseur avaient été réduits à des amoncellements de terre et de débris de tuiles par les tirs successifs de l'artillerie française et de l'artillerie russe. Ils étaient coupés par de larges failles, au travers desquelles les troupes d'assaut étaient entrées. Quant aux tours qui devaient protéger les murailles, une seule restait debout, avec à son sommet sa couverture bizarrement décoiffée.

De l'autre côté des ruines des murs, on apercevait les demi-cercles de collines qui, de chaque côté du Dniepr, ceinturaient la ville. Quant au pont sur le fleuve, il avait été provisoirement rétabli par les pontonniers de la Grande Armée.

Beille ramena sa troupe de cavaliers vers le centre de la cité. Les deux tiers des maisons, évalua-t-il, avaient été détruits par le feu. Quant à la population, on voyait quelques survivants, surtout des femmes et de jeunes enfants, fouiller dans les décombres de leurs maisons. Des juifs, reconnaissables à leurs vêtements et à leurs larges barbes noires, marchaient dans les rues. Le plus grand nombre d'habitants de cette ville moyenne, qui avait dû compter, avant la bataille, de douze mille à quinze mille personnes, selon l'estimation qu'en faisait Beille par comparaison avec les cités françaises, avaient été exterminés durant la bataille ou avaient fui, mais il en restait quelques-uns, car l'armée russe s'était éloignée, et la Grande Armée n'avait fait que traverser la ville, à l'aller comme au retour.

Elle venait précisément d'en partir, deux jours plus tôt. Elle avait accompli un effort important de nettoyage, observa Beille. La plupart des rues, quoique défoncées, étaient carrossables. On ne voyait plus de cadavres, ou de membres coupés. Ils avaient dû être rassemblés dans les deux hôpitaux de la ville, dont les corridors ressemblaient à des charniers. Par contre, des blessés, des éclopés, des infirmes circulaient péniblement dans les rues, appuyés sur des béquilles taillées dans des planches. Combien restait-il d'habitants ? Moins d'un millier sans doute. Mais la ville n'était pas déserte.

Arrivé sur la place centrale, le général Beille arrêta son cheval, et fit face à ses officiers pour leur donner ses instructions. Ceux-ci restèrent eux-mêmes en selle. Beille leur parla d'une voix forte, ce qui était sans risque car il n'y avait personne autour d'eux pour entendre, et encore moins pour comprendre ce qu'il disait en français.

« Nous sommes ici pour une semaine, car nous devons donner à la Grande Armée le temps de se déployer devant nous. Et en même temps il nous faut envoyer aux commandants russes des signaux trompeurs sur l'importance de nos forces, en particulier sur notre intention de nous maintenir à Smolensk.

« Cela signifie d'abord qu'il faut être capables de nous défendre ici. Je vous charge, colonel Arrighi, d'assurer la surveillance des remparts, ou de ce qu'il en reste, et la défense de la ville. Vous disposerez pour cela des trois bataillons d'infanterie, et de deux batteries d'artillerie.

« Mais il faut aussi nous montrer, au nord et au sud du fleuve. Ce sera évidemment le rôle de la cavalerie : les lanciers polonais au nord, et les dragons français au sud. Chacun de vous sera accompagné d'une batterie d'artillerie. Je vous réunirai tous les soirs à 6 heures pour décider de vos opérations du lendemain.

« Nous sommes vendredi. Nous pouvons prévoir notre départ de Smolensk samedi prochain, à moins qu'un ordre de l'Empereur n'en décide autrement. Ce départ sera difficile, car nous serons sans doute encerclés par l'armée russe. Mais nous gagnerons la bataille de Smolensk ! »

Pendant qu'il parlait, un cavalier traversa la place au galop. C'était son aide de camp, le lieutenant Villeneuve, qui avait une nouvelle à lui communiquer :

« Mon général, je viens de rencontrer un détachement de l'intendance de l'armée du maréchal

Ney qui était resté dans la ville pour faciliter notre installation.

— Où sont-ils ? Conduis-nous auprès d'eux ! »

Le groupe des officiers partit aussitôt dans le sillage du lieutenant Villeneuve. Celui-ci prit la direction du nord-ouest de la cité.

« Ce quartier est le moins abîmé, précisa-t-il à l'intention du général. Les combats se sont surtout déroulés de l'autre côté. »

Ils arrivèrent sur une place rectangulaire, construite dans le style de Catherine II. Son centre était occupé par le socle d'une statue équestre de bronze qui avait été jetée à terre. Il s'agissait sans doute du tsar Pierre Ier, pensa Beille. Un petit groupe d'hommes attendait dans un coin de la place. Ils portaient l'uniforme bleu ardoise de l'intendance.

« Qui êtes-vous ? Que faites-vous ici ? interrogea Beille, dont le cheval s'était rapproché d'eux.

— Adjudant Conichard, mon général, répondit celui qui paraissait être le chef. Nous appartenons à l'intendance de la 1re armée, et nous avons reçu l'ordre de faciliter votre installation. Nous nous sommes cachés en attendant votre arrivée.

— Pourquoi vous êtes-vous cachés ?

— Parce que la ville est bourrée d'espions et de bandits en tout genre. S'ils nous avaient dénichés, ils nous auraient massacrés et probablement brûlés. Mais on nous avait dit que vous n'étiez pas loin, et que nous n'aurions sans doute qu'un jour à attendre.

— Les espions que j'ai croisés m'ont paru bien abîmés, répliqua Beille, mais vous avez eu raison de prendre des précautions. Qu'avez-vous à nous montrer, Conichard ?

— D'abord le logement qui vous est réservé, mon général. Je vais vous y conduire. C'est un petit palais, situé sur cette place. Pendant ce temps, mes hommes pourront montrer à vos officiers les cantonnements que nous prévoyons pour leurs troupes. Ce n'est pas fameux, mais ce sont ceux qui ont servi à la Grande Armée. Pouvez-vous me suivre ? »

Conichard entraîna Beille vers deux jolis bâtiments situés de l'autre côté de la place, en face de la statue.

« Ce sont les palais du prince Kalinitzy, expliqua Conichard. Il en avait construit deux, un pour lui, et l'autre pour son fils, qui était colonel dans l'armée impériale. Les deux sont morts, et c'est maintenant sa belle-fille, la comtesse, qui habite la maison avec la belle porte. Vous occuperez, si cela vous convient, la maison d'à côté. Elle a servi de logement au maréchal Ney, qui m'a chargé de vous souhaiter la bienvenue. Le miracle c'est que le mobilier est pratiquement intact. Les murs de pierre ont résisté à l'incendie de la ville que nos troupes ont rapidement étouffé ! »

L'adjudant était arrivé devant la porte de la maison adjacente. Il tira sur la poignée de la sonnette. On entendit une cloche grelotter dans le lointain, et la porte s'ouvrit. Une femme poussa le battant. Elle portait l'uniforme traditionnel du personnel russe : une longue robe noire, un tablier dont les bretelles blanches se croisaient sur sa poitrine, et dans ses cheveux gris compacts et bien peignés, une sorte d'auréole, amidonnée de blanc. Elle murmura quelques mots, qui devaient être des paroles de bienvenue.

« Elle s'appelle Anna, précisa Conichard. Elle ne parle que le russe. C'est elle qui va vous servir, en dehors de votre personnel français, parce qu'elle connaît la maison. Mais méfiez-vous d'elle. Je crois qu'elle est menteuse, et qu'elle renseigne les espions. »

Anna avait des yeux bleu acier, et un regard fuyant. Le Lorrain aura affaire à forte partie, se dit Beille.

« Voulez-vous maintenant que je vous montre les étages ? » lui proposa Conichard.

Et, précédant François Beille, il gravit l'escalier jusqu'au premier étage.

Arrivé sur le palier, ce dernier jeta un coup d'œil autour de lui. Cette maison est très joliment meublée ! pensa-t-il. C'est un miracle qu'elle ait échappé aux incendies. Le mobilier lui rappelait celui de la maison de ses parents à Anglars, en Auvergne. Deux commodes en acajou, de style Louis XVI, sans doute de provenance française, ornaient l'antichambre.

Conichard qui l'observait lui fournit l'explication. « Vous admirez les meubles. Ils viennent presque tous de France. Ils font partie de la dot de la jeune comtesse, dont le grand-père, le comte Souvarovski, a été un moment ambassadeur de Russie à Paris, du temps de la tsarine Catherine. »

L'antichambre comportait plusieurs portes. Conichard ouvrit celle du milieu. Elle donnait sur un salon, décoré par des portraits de famille. « Ce portrait est celui de la mère de la comtesse, c'est une dame polonaise », dit-il en pointant le doigt vers une toile représentant une femme élancée, à la taille tournée de trois quarts, et vêtue d'une robe longue de soie bleue, et d'un boléro bordé de fourrure.

« Je crois qu'elle vit à Varsovie. »

Puis il ouvrit la porte située à l'extrémité droite du palier. « Voici votre chambre. C'est celle que le maréchal Ney a occupée, et avant lui le mari de la comtesse. C'était un officier de l'armée russe qui a été tué à la bataille de Friedland. » La pièce était vaste, ouverte par deux fenêtres qui donnaient sur la place. Un grand lit à baldaquin s'appuyait contre un mur, un bureau précédé d'un fauteuil occupait l'avant de la chambre, tourné vers une des fenêtres. Une tapisserie rectangulaire représentant des armoiries, sans doute polonaises, était accrochée en face de la porte d'entrée. François Beille contemplait avec un plaisir étonné la chambre où il dormirait pendant son séjour.

Revenu sur le palier, il observa la porte qui lui faisait face, sur la gauche de l'escalier.

« Sur quoi ouvre cette porte ? interrogea-t-il.

— Elle est condamnée, lui répondit Conichard. Elle donne sur le corridor qui reliait les deux maisons, avant la mort du vieux prince. Depuis que la jeune comtesse est allée habiter le palais avec sa petite fille, ce passage n'a jamais été rouvert. Le maréchal Ney m'a posé la même question que vous. J'ai fait questionner la comtesse. Elle a répondu que cette porte séparait désormais les deux maisons, et qu'il n'était pas question de l'ouvrir. »

François Beille et l'intendant redescendirent l'escalier.

« Votre personnel, c'est-à-dire votre ordonnance et votre cuisinière, assureront votre service, en compagnie de la rugueuse Anna, expliqua Conichard. Ils ne sont pas logés dans cette maison, mais je leur ai réservé des chambres convenables dans le bâtiment que j'occupe avec mes hommes au bout de la place.

— Là où vous vous êtes caché ! interjecta Beille sur un ton moqueur.

— Précisément, répondit Conichard, vexé de la raillerie. Sinon je ne serais pas ici pour vous servir !

— Bon ! Bon ! Je n'ai pas voulu vous offenser, reprit Beille. C'est vrai que sans vous mon séjour ici et celui de mes hommes seraient très différents...

— J'ai commandé votre souper à Anna pour 7 heures. Combien serez-vous à table ?

— Quatre personnes : mon adjoint, et les deux commandants des escadrons de cavalerie. Pouvez-vous aller les prévenir, et vous assurer de leur installation ? » demanda Beille, qui ajouta pour se libérer d'un léger remords : « J'espère ne pas vous avoir offensé avec mon allusion à votre cachette.

— Pas trop, mon général. C'est vrai qu'ici nous vivons sur nos nerfs, mais nous vivons, et c'est l'essentiel ! »

*
* *

Quand François Beille remonta dans sa chambre, après le dîner, il se coucha dans le large lit aux draps fins, en conservant ses sous-vêtements, car il se sentait trop fatigué pour se déshabiller. À la lueur de la bougie allumée sur la table à côté de son lit, il contemplait la pièce, et s'étonnait de l'étrangeté de la situation où il se trouvait. Il était étendu dans une maison raffinée, avec de beaux meubles français, comme chez ses parents. Ce n'était pourtant pas l'Auvergne qui l'entourait, mais l'immense espace de la plaine russe parcourue sur tous les côtés par des forces ennemies. Celles-ci devaient se rassembler quelque part, peut-être tout près, et attendre des renforts venus de tout le pays. Un jour ils vont nous attaquer, se dit-il. Saurons-nous nous défendre suffisamment pour protéger le retour de la Grande Armée qui est à trois jours de marche devant nous ? En serai-je capable ?

Sans trouver la réponse François Beille s'endormit.

*
* *

Le lendemain, samedi 10 octobre, le temps était clair et beau, avec une trace de fraîcheur. Le soleil, pâli par la saison, donnait presque un air de fête à cette ville dont les murs en ruine paraissaient les dentelures d'un décor de théâtre. Le général Beille parcourut les rues à cheval pour se rendre sur la place centrale, où il voulait installer son poste de commandement dans ce qui restait du palais du gouverneur, aux trois quarts détruit.

Les regards des habitants lui semblaient chargés d'une haine inexpiable et de révolte, à l'exception de ceux des passants juifs, qui témoignaient d'une prudente curiosité. Arrivé au palais, il retrouva les commandants de ses neuf unités, rassemblés dans la seule pièce subsistante. Une table de bois y avait été installée par l'intendance, entourée de tabourets disparates. Après que chacun se fut installé, Le Lorrain fit son apparition en portant un broc d'étain où fumait du café, suivi de Marie-Thérèse, souriante, dans une robe de coton rouge, les bras chargés d'un plateau de verres à boire. Le général Beille ouvrit la discussion sur le dispositif à mettre en œuvre :

« Je vous ai donné mes ordres hier. Avez-vous pu les appliquer ? »

Tous les officiers répondirent par un hochement de tête affirmatif.

« Notre principale difficulté, poursuivit-il, est que nous ignorons l'emplacement actuel des armées russes, et leurs intentions concernant Smolensk. Vont-elles passer au nord du Dniepr, et se diriger vers Vitebsk ? Ou contourneront-elles Smolensk par le sud, en direction de Minsk ? De toute manière elles chercheront à nous anéantir, car elles ne peuvent pas laisser un tel abcès de résistance sur leurs arrières, au moment où elles livreront bataille à la Grande Armée. Nous n'avons pas d'effectifs suffisants pour pouvoir nous battre des deux côtés du fleuve. Le moment viendra où il faudra choisir. Pour cela nous aurions besoin de disposer de renseignements sur les mouvements des forces russes. Nos cavaliers vont-ils nous les apporter ? » interrogea-t-il en s'adressant aux colonels de Villefort et Verowski.

Avant que ceux-ci ne répondent, le colonel Arrighi intervint dans le débat.

« Il me semble, dit-il, que l'armée russe va choisir la voie du sud. J'y ai beaucoup réfléchi. D'après nos rares indications recueillies par les Polonais, il semble que Koutouzov reconstitue ses forces, et instruise les nouvelles recrues dans la région de Toula, au sud de Moscou. S'il veut rattraper la Grande Armée, il leur faudra couper au plus court. En passant au nord de Smolensk, il allongerait son itinéraire de plus de cent cinquante kilomètres, soit trois jours de marche supplémentaires. C'est pourquoi je pense que nous devons nous attendre à le voir arriver par le sud.

— Qu'en pensez-vous, messieurs ? reprit Beille, en se tournant vers les deux colonels de cavalerie.

— Les cosaques que nous avons attrapés ces jours-ci, répondit Verowski, nous ont indiqué qu'ils venaient du sud. Nous avons abattu leurs chevaux, et les survivants sont partis à pied. Je ne pense pas qu'ils aient pu aller loin.

— Et vous, Villefort ?

— Je ne peux rien vous dire, François, répondit le colonel de Villefort, que le caractère péremptoire du raisonnement d'Arrighi agaçait visiblement, car je ne dispose d'aucun renseignement. Quand mes dragons rencontrent des cosaques, ils se contentent de les sabrer, car ils ne peuvent pas leur arracher un mot compréhensible, seulement des hurlements sauvages ! Le raisonnement d'Arrighi est peut-être exact, mais il y a une autre hypothèse possible : c'est que Koutouzov cherche à écraser les corps d'armée de Murat et de Davout, et en même temps à protéger la route de Saint-Pétersbourg, au cas où l'Empereur déciderait d'y lancer une opération éclair. Dans ce cas il prendrait la direction du nord-ouest, et nous cueillerait au passage. »

Le général Beille réfléchit. Les deux options étaient envisageables.

— Nous avons besoin, dit-il, d'obtenir davantage de renseignements sur les mouvements des troupes russes. Essayez d'envoyer vos cavaliers patrouiller plus profondément dans les plaines, mais restez prudents ! Nous ne pouvons pas nous permettre de perdre trop de monde avant la prochaine bataille, qui est inévitable. Je vous donne deux jours pour compléter mon information. Demain soir je vous réunirai à nouveau, et nous arrêterons nos choix sur le positionnement de nos forces. Je vous remercie, messieurs ! »

Les officiers se levèrent en repoussant des talons leurs tabourets et saluèrent leur chef, puis ils quittèrent à la file la pièce pour rejoindre leurs chevaux.

Quand François Beille sortit à son tour, il retrouva la même sensation de luminosité et de décor de fête sur la grand-place, où commençaient à s'allonger des ombres en diagonale.

C'est étrange, pensa-t-il, qu'à cause d'un rayon de soleil tout paraisse si normal dans une ville déjà en ruine, et sans doute promise au pillage et à la destruction complète. Il passa sa botte de cuir dans l'étrier de son cheval Volta, dont le palefrenier lui tendait les rênes, et pendant qu'il enfourchait la selle avec légèreté, il aperçut devant lui le dôme de l'église du Sauveur, là où devait se trouver la fameuse icône miraculeuse de la Vierge que révérait la Russie. « Nous sommes samedi, se dit-il, demain sera dimanche. Les Russes sont à ce point fanatiques de religion qu'il y aura sans doute une célébration dans la matinée pour ces malheureux en guenilles. Je viendrai y assister. »

Il mit son cheval au trot, et pendant qu'il prenait la direction du palais Kalinitzy, il se souvint des matinées de dimanche où il se rendait à la messe à Billom, dans le cabriolet que conduisait sa mère. Il était assis entre elle et sa sœur, la ravissante Angélique au fin profil, qu'il tenait par la

taille afin de l'empêcher de tomber de la banquette. Celle-ci lui picotait de petits baisers dans
le cou pour lui faire comprendre tout le plaisir
qu'elle prenait à sentir la pression de sa main.

*
* *

Lorsque, le dimanche 11 octobre, François
Beille, accompagné du lieutenant Villeneuve,
arriva à l'église du Sauveur, il y découvrit un spectacle étrange. Le bâtiment était effectivement
détruit, du moins sa partie droite qui avait été dévorée par les flammes. Le toit se tenait en suspension
et recouvrait le mur vertical de l'hypostase, derrière
lequel le prêtre officiait. Les icônes avaient été
arrachées de la cloison, dont sans doute l'icône
miraculeuse qui avait dû être emportée lors de la
retraite de l'armée russe, mais une main habile
avait dessiné au charbon de bois l'emplacement
de leurs cadres. La nef était remplie d'une foule
compacte qui marmonnait en égrenant des cha-
pelets. Beille s'efforça de la traverser, car il avait
aperçu, au-delà des fidèles qui se tenaient debout,
des bancs de bois situés à l'avant. En se frayant
son chemin, il se heurtait à la résistance muette
des femmes enveloppées dans des châles de laine,
qui se tenaient debout et refusaient de s'écarter,
et à celle des hommes vêtus de blouses de gros
drap bleu, qui jetaient sur son uniforme des
regards meurtriers. À force de jouer des coudes,
il put atteindre le troisième rang des bancs qu'il
enjamba pour y prendre place. Devant lui, par une
ouverture percée dans l'anastase, il apercevait les
gestes liturgiques du prêtre, ou plutôt des prêtres,

puisqu'il entendait les répons aux prières psalmodiées par une voix ample et grave de baryton. À la fin d'un chant, toutes les personnes assises sur les bancs se levèrent pour recevoir une bénédiction. François Beille jeta un regard circulaire autour de lui. Tous ses voisins étaient des hommes et des femmes de petite taille absorbés dans leurs psalmodies liturgiques. Soudain, au premier rang, une jeune femme se dressa. Elle dominait ses voisins de la tête, et portait sur ses cheveux blonds qui tombaient en cascade une mantille de dentelle blanche. François Beille, en se tordant le cou, vit qu'elle tenait par la main une petite fille, habillée avec recherche.

Qui sont-elles ? se demanda-t-il. Que font-elles ici ? Au moment où l'office semblait se terminer, la jeune femme se tourna vers sa voisine de gauche pour lui dire quelques mots à l'oreille, et François Beille trouva la réponse à ses questions. Elle ressemblait singulièrement à la jeune femme en robe bleue dont il avait aperçu le portrait dans le salon du palais Kalinitzy. C'était sans doute sa fille, la jeune comtesse Kalinitzy. La foule commençait à s'écouler, et leurs regards se croisèrent. Celui de la jeune femme parut marquer un instant d'étonnement à la vue de l'uniforme du général dont la veste de drap vert et les épaulettes dorées tranchaient sur la grisaille emmitouflée qui remplissait encore l'église. François gagna lentement la porte de sortie, ou plutôt l'ouverture béante entre deux piliers sans toiture qui en tenait lieu.

Quand il déboucha sur le parvis, il découvrit que les assistants s'étaient regroupés en un long arc de cercle, les hommes devant, et les femmes massées derrière, pour observer sa sortie. Leurs visages fermés lui jetaient des regards meurtriers. Le silence était impressionnant. Il suffirait d'un cri, ou d'un geste violent, pensa Beille, pour que tout ce beau monde se jette sur moi et me massacre. Il n'aurait pas d'arme pour se défendre, car il avait laissé son sabre accroché à sa selle, et Villeneuve avait fait de même. De toute manière, il y avait suffisamment de pierres et de pavés répandus sur le sol pour qu'ils puissent l'en bombarder, et l'ensevelir sous les débris.

Il avança lentement vers son cheval dont le palefrenier Bonjean tenait les rênes, à l'extrémité de l'arc de cercle. Sa botte buta sur un caillou, et il lui sembla entendre un frémissement de plaisir dans la foule. Il attendait les coups, mais rien ne vint. Il reprit sa marche en évitant soigneusement les obstacles, et il aperçut devant lui la jeune femme qui tenait sa petite fille par la main. Elle portait un long manteau noir, avec un col de fourrure gris perle, et des bottes de cuir également noires.

Il s'approcha d'elle et lui dit :

« Permettez-moi de me présenter à vous, madame. Je suis le général Beille qui commande la division de l'armée française stationnée à Smolensk.

— Vous êtes bien imprudent, monsieur, lui répondit-elle en français d'une voix au timbre argenté, sans la plus légère trace d'accent. Toutes ces personnes n'attendent qu'un prétexte pour vous massacrer. Quant à moi, je suis la comtesse Krystyna Kalinitzy, et je crois que vous logez chez moi. »

Pendant qu'elle parlait il avait continué d'avancer, et se trouvait maintenant près de son cheval,

Volta, dont le poil lustré était parcouru de frissons d'impatience.

« Vous avez un bien beau cheval, lui dit la comtesse qui l'avait suivi. Ma fille l'admire beaucoup. Elle aussi avait un petit poney dans notre propriété située à cinquante kilomètres d'ici, mais il a disparu avec tout le reste quand les paysans ont mis le feu aux bâtiments et ont tout emporté pour rejoindre l'armée du courageux général Tuchkov, qui se battait pour vous empêcher de marcher vers Moscou. »

La petite fille regardait avidement le cheval avec de grands yeux remplis de curiosité et approchait sa main comme si elle cherchait à le caresser.

« Si vous le permettez, madame, je peux prendre votre fille avec moi, et la ramener sur mon cheval jusque chez vous.

— Certainement pas ! répliqua vivement la comtesse. Ce serait de la folie ! Tous les gens qui nous entourent le lui feraient payer très cher un jour ! Vous vous étonnez peut-être de ma connaissance de votre langue, mais ma mère est polonaise, et j'ai été élevée par une gouvernante française. »

François Beille se dressa sur ses étriers, salua la jeune femme et fit faire une volte à son cheval pour s'éloigner en direction de la grand-place, suivi du lieutenant Villeneuve.

En regardant derrière lui il vit que la foule ne se dispersait que lentement, par petits groupes, comme si ces âmes pieuses regrettaient d'avoir laissé passer l'occasion de l'écharper.

*
*   *

Le lendemain, lundi 12 octobre, en fin d'après-midi, le général Beille réunit à nouveau ses officiers dans la salle du palais du gouverneur. Les tabourets étaient restés sur place, et les verres avaient été lavés. Le Lorrain tenait à la main son broc de café fumant.

« Asseyez-vous, messieurs, dit-il. Vos hommes ont-ils pu observer quelques mouvements ? »

Le colonel de Villefort répondit en premier :

« Comme vous me l'avez commandé, François, mes hommes ont poussé leurs reconnaissances beaucoup plus loin, au sud du fleuve. Ils ont rencontré le lot habituel de cosaques maraudeurs, qu'ils ont sabrés, mais en montant sur une petite hauteur, ils ont pu voir à l'horizon des unités organisées qui se déplaçaient en direction de l'ouest. Elles étaient trop éloignées pour qu'ils puissent tenter de les identifier, mais il leur a semblé que c'était une avant-garde. L'armée tout entière va sans doute suivre. Nous n'avons pas fait de prisonniers, poursuivit-il avec humeur, car nous sommes incapables de les interroger. Deux de mes hommes ont été blessés par les cosaques. Nous les avons ramenés en ville, où ils sont soignés. »

Le comte Varowski, commandant les lanciers polonais de la Garde, prit la parole à son tour.

« Nous, nous sommes allés très loin en direction du nord. J'ai même envoyé une patrouille jusqu'à Demidov, ce qui était peut-être imprudent. Mes hommes n'ont rencontré personne, aucun cosaque, aucun soldat, à l'exception de maraudeurs et de déserteurs. Des déserteurs russes, mais aussi des allemands de la Grande Armée. Il jeta un regard en direction du colonel Schmidt. Ils ont

128

sabré les maraudeurs, et laissé les déserteurs à leur promenade...

— À propos de maraudeurs, interrompit François Beille, j'ai aperçu dans la ville en venant ici des soldats qui tiraient des charrettes remplies de butin. C'étaient des Français, des Polonais, et des Suisses. Pas d'Allemands, ajouta-t-il, pour atténuer la susceptibilité du colonel Schmidt. C'est inacceptable. Vous devez prendre les dispositions les plus sévères pour l'empêcher !

— Faut-il les fusiller ? interrogea le colonel Frejoz.

— Nous n'avons pas assez d'hommes pour nous le permettre, mais si vous surprenez des pilleurs, vous pouvez les assigner à des corvées répugnantes, comme d'enterrer les derniers cadavres qui traînent encore dans les ruines des murailles. Par contre, examinez avec Conichard la manière de mettre à la disposition de vos hommes les quelques réserves de vivres qu'il a découvertes dans les cachettes de la ville.

« Mais revenons à la disposition de nos forces. Il semble bien que l'armée russe vienne du sud-est, et qu'elle avance assez rapidement en direction de l'ouest, en vue de la bataille décisive avec la Grande Armée. Les Russes ont encore plusieurs jours de retard sur nos forces. Lorsqu'ils arriveront à hauteur de Smolensk, ils lanceront une attaque massive pour nous déloger. Nos moyens sont trop réduits pour que nous résistions, mais nous pouvons encore manœuvrer pour gagner du temps. Il faut leur prouver notre détermination, sans qu'ils puissent évaluer nos effectifs. Les deux escadrons de cavalerie seront ramenés au sud, avec leurs batteries d'artillerie. Ils devront se montrer offensifs, mais en restant à distance pour limiter les pertes. La meilleure tactique sera de dissimuler l'artillerie, et de n'ouvrir le feu qu'au dernier moment. Résistez à la tentation de charger, surtout vous, les Polonais. L'ennemi vous le ferait payer trop cher ! Quand vous aurez avancé de six ou sept kilomètres, je ferai déployer derrière chacun de vous un bataillon d'infanterie, accompagné d'une batterie d'artillerie pour faire croire que nous préparons de grandes manœuvres. Les Savoyards du 141ᵉ régiment de ligne se mettront derrière les dragons, ce qui facilitera les communications entre eux. Les Bavarois appuieront les lanciers polonais, en espérant qu'ils pourront se comprendre ! Lorsque le jour commencera à baisser, vous reviendrez en arrière, et vous rentrerez dans Smolensk. N'hésitez pas à vous montrer dans les rues, et à faire du tapage.

« Le départ pour cette opération aura lieu demain matin, mardi, à 7 heures. Je vous réunirai au retour, ici à 18 h 30, pour que vous me disiez ce que vous avez pu observer. Bonne soirée, messieurs ! »

François Beille enfourcha son cheval, et prit la direction de sa résidence. Il croisait toujours les mêmes regards de haine, sous la broussaille emmêlée des sourcils, et à demi cachés par des bonnets de fourrure et de laine enfoncés jusqu'au bas des oreilles. Il croyait apercevoir sur les visages une nouvelle détermination. Ils doivent pressentir, pensa-t-il, l'avancée de l'armée russe, et ils se préparent, lorsqu'elle sera arrivée, à se jeter sur nous comme une meute de chiens-loups. D'ici là, ils peuvent être tentés de me lancer des pierres. Aussi il décida d'avancer au milieu de la rue, protégé par son escorte de quatre dragons qui se tenaient en alerte le long des murs, sabre au clair. Mais il y avait aussi le danger qu'un mercenaire ou un aventurier, ou un fuyard caché dans la ville, ne lui tire dessus d'une des fenêtres des étages. « On ne peut pas se protéger contre cette menace », raisonnat-il, mais il fallait qu'il prévoie de déléguer ses pouvoirs au colonel Arrighi, pour le cas où il serait abattu.

Arrivé devant le palais Kalinitzy, il fit passer sa jambe au-dessus de la tête de son cheval, et sauta légèrement à terre. Il lui sembla que quelqu'un l'observait à travers le voilage épais d'une fenêtre. Il était heureux de se sentir si souple : ces interminables trajets n'avaient pas rigidifié ses muscles.

Il monta directement au premier étage de sa résidence. Le Lorrain, le buste enflé de son importance, lui tendit une grande enveloppe bleue qu'il tenait à la main.

« C'est une lettre de la comtesse Kalinitzy que sa femme de chambre m'a apportée pour vous », lui dit-il.

François Beille prit l'enveloppe et, passant son doigt sous le rabat fraîchement collé, il l'ouvrit. À l'intérieur se trouvait un carton rectangulaire sur le haut duquel figuraient des armoiries compliquées, sans doute celles des princes Kalinitzy, et au-dessous un texte gravé à l'encre noire, en français : la comtesse Kalinitzy serait heureuse de recevoir M... à souper au palais Kalinitzy, le.... Une main avait rempli les vides d'une écriture élégante et souple : « le général français » et « le lundi 12 octobre, à 7 h 30 du soir ». La même main avait ajouté, au bas de la carte d'invitation : « J'enverrai une personne vous chercher pour vous montrer le chemin. »

« Quand cette lettre t'a-t-elle été remise ? demanda Beille à son ordonnance.

— En fin de matinée, mon général.

— Attendait-on une réponse ?

— On ne m'a rien dit ! »

Il est déjà près de 7 heures, pensa François Beille, émoustillé à la pensée de rompre, par cette invitation, la monotonie lugubre de son séjour à Smolensk.

Il commença à se préparer en sortant de son bagage sa veste d'uniforme de parade. Marie-Thérèse, qui s'était improvisée lingère, avait repassé deux de ses chemises, qu'elle avait déposées sur son lit, et Le Lorrain avait ciré comme chaque soir ses bottes de rechange. Il était prêt pour se rendre au souper de la comtesse, et n'avait plus qu'à attendre l'arrivée de l'émissaire. Il ouvrit la porte de sa chambre.

Après quelques minutes, qui lui parurent lentes à s'écouler, il entendit des pas sur le dallage. C'était la femme de chambre de la comtesse qui avait ouvert la serrure de la porte de communication entre les deux palais.

« Si Votre Excellence veut bien me suivre, je la conduirai chez la comtesse », lui dit-elle en allemand.

Beille rassembla les rudiments de culture germanique qu'il avait recueillis au collège de Billom.

« *Vielen Dank* », lui répondit-il, et il partit derrière elle par la porte entrouverte.

*
* *

Chapitre IX

La comtesse Kalinitzy

Après avoir franchi le seuil, François Beille et Maria se retrouvèrent dans un long corridor tendu d'un tissu d'Andrinople rouge, semblable à celui qui recouvrait les murs du second étage d'Anglars, et dont sa mère lui avait appris le nom. Des deux côtés des dessins étaient accrochés : sur la droite, de grandes cartes, de couleur sépia, des différentes provinces russes. Ce devait être des cartes militaires, pensa Beille. Et en face une collection de portraits de boyards, coiffés d'étonnants bonnets, qui devaient être les ancêtres de la famille Kalinitzy.

Le couloir débouchait sur une antichambre, semblable à celle de l'autre maison, mais qui avait plus grande allure. L'architecte a dû se faire plaisir, pensa Beille. La pièce était bordée d'une balustrade de marbre blanc, sur laquelle débouchait un escalier de la même pierre, qui montait du rez-de-chaussée en faisant un angle droit le long du mur. Au plafond étaient suspendues deux lanternes cylindriques qui portaient des bougies allumées, et dans l'angle qui terminait la balustrade, un buste d'empereur, sans doute Pierre Ier, trônait sur un fût d'acajou.

Une porte donnait sur le salon. Elle était ouverte à deux battants, et juste derrière elle se tenait la comtesse Kalinitzy. Elle portait une robe longue sans épaules, d'un tissu de soie moirée verte et noire. À ses lobes d'oreilles étaient accrochés deux pendentifs qui paraissaient être des cascades de petits diamants, et la large échancrure de sa robe, au milieu de sa poitrine, était fermée par une broche qui contenait dans un cercle un portrait en émail que la distance ne permettait pas à François Beille d'identifier. Celui-ci était surpris de ce choix vestimentaire qui lui paraissait mieux adapté à un bal à la cour de Saint-Pétersbourg qu'à un dîner en province, mais peut-être étaient-ce là les mœurs russes ?

« Je vous souhaite la bienvenue, monsieur le général français dont je ne connais pas le nom. Vous avez été très attentionné avec ma fille Olga à la sortie de l'église, aussi je suis heureuse de vous recevoir. Olga est déjà couchée. Elle est très fatiguée par les événements horribles que nous avons traversés, sinon elle serait ici avec moi pour vous accueillir. »

François Beille retrouva la voix argentée qu'il avait entendue la veille, et s'inclina pour baiser la main dégantée que lui tendait la comtesse.

« Je m'excuse, madame, j'ai dû mal prononcer mon nom hier. Je m'appelle Beille », et il épela le mot.

— Si vous le voulez, nous pouvons souper tout de suite, car vous devez vivre de dures journées. J'ai envoyé ma femme de chambre vous chercher pour que vous passiez par le corridor, au lieu de vous faire entrer par la porte qui donne sur la place. Comme il y a des espions partout, votre venue risquait d'être compromettante pour moi, car je crains que la suite ne soit terrible, et que les passions que vous avez éveillées en détruisant notre ville ne se déchaînent contre tout ce qui vous a approchés. Je m'excuse pour la qualité du souper, mais je n'ai plus de personnel. Tout le monde est parti le mois dernier, à l'arrivée de votre armée, sauf une vieille cuisinière qui fait ce qu'elle peut. »

La comtesse se retourna, pour conduire François Beille vers la salle à manger, qui occupait la pièce suivante. Il était stupéfait de ce qu'il voyait. Le mobilier était d'un raffinement digne d'un hôtel parisien : une superbe commode française de laque noire, décorée de motifs japonais, des fauteuils de tapisserie reprenant les sujets des fables de La Fontaine, et, sur la cheminée, une pendule de bronze doré représentant une nymphe appuyée sur son cadran, qui devait porter elle aussi une signature française. Des toiles de maîtres du siècle précédent étaient accrochées aux murs.

La comtesse, qui avait perçu son étonnement, voulut lui en livrer la clé.

« Nous sommes ici, lui dit-elle, dans la maison de mon beau-père, le général Kalinitzy. C'était un homme très riche. Il avait hérité de beaucoup de terres, et de milliers de serfs. Mais c'était aussi un homme de goût. Il s'est rendu à Paris plusieurs fois avant votre Révolution, pour acheter des meubles et des objets afin de décorer ses deux maisons, à Saint-Pétersbourg et ici. Quand je me suis installée, j'ai laissé les choses en l'état. »

Elle s'était avancée dans la salle à manger. Une table en occupait le milieu, portant deux couverts l'un en face de l'autre. Des vitrines, garnies d'une collection de porcelaines, étaient placées le long des murs. La plaque de verre de l'une d'elles portait une fente en diagonale, sans doute ouverte par les vibrations des bombardements.

La comtesse fit signe à François Beille de s'asseoir. Le service était assuré par Maria, qui avait revêtu pour la circonstance un long tablier blanc. Elle déposa devant chacun d'eux une assiette creuse, provenant d'un service de Saxe, où fumait une soupe de betteraves rouges. À l'odeur, Beille jugea qu'elle y avait ajouté de la vodka.

« Puis-je vous parler de votre campagne, monsieur Beille ? demanda la comtesse. A-t-elle été très éprouvante pour vous ?

— Pas tellement pour moi. Évidemment nous avons dû parcourir de longs trajets ! D'abord en Europe, parce que mon régiment, qui fait partie de la Garde impériale, était stationné à Paris. En Russie, nous avons découvert un environnement très différent. Pour commencer, des pluies torrentielles lorsque nous avons traversé le Niémen, puis la longue marche dans la plaine, qui ne ressemble en rien à notre campagne. Dans les combats, je n'ai participé ni à la prise de Smolensk, ni à la bataille de la Moskova. L'Empereur n'a pas voulu engager dans ces luttes la Garde impériale, qu'il tenait en réserve.

— Ainsi vous êtes un soldat qui n'a pas combattu ! Pour Smolensk, j'en suis heureuse, car la prise de la ville a été abominable ! Mais pourquoi êtes-vous allés mettre le feu à Moscou, comme viennent nous le raconter les déserteurs qui passent par ici ?

— C'est un mensonge, madame, inventé de toutes pièces par la propagande de la cour de

Saint-Pétersbourg. Je suis entré parmi les premiers à Moscou, à la suite de Napoléon. Les feux étaient déjà allumés dans la ville par des incendiaires russes, généralement des brigands, libérés des prisons sur ordre du gouverneur Rostopchine. Celui-ci a déclaré qu'il préférait voir Moscou en cendres qu'occupée par les Français !

— C'est votre version, général ! Mais vous vous demandez peut-être pourquoi je vous pose toutes ces questions. C'est que j'ai vécu ici dans un environnement militaire. Mon beau-père, le général, a fait la guerre toute sa vie. Il a combattu les Turcs et les Tartares dans le sud de la Russie, sous les ordres du prince Potemkine. Il a servi d'aide de camp au général Souvorov, qu'il considérait comme le plus grand stratège russe, avec sa devise « Toujours plus avant ». Il nous racontait comment il donnait du courage à ses troupes, lui qui était chétif, en faisant le matin dans la neige, presque nu, ses exercices sportifs et ses cabrioles. Ce n'est pas lui qui aurait laissé s'enfuir, avec l'obstination d'un bœuf, l'armée russe jusqu'à Moscou !

« Et mon mari, lui aussi, était militaire. Il a commencé à servir, à la sortie de l'école de Tsarkoïe Selo, dans les chevaliers-gardes, avant d'assister tout jeune à la bataille d'Austerlitz où il put admirer la vitalité et le coup d'œil de Napoléon, qu'il avait vu se déplacer à cheval au milieu du champ de bataille. Nous nous sommes rencontrés à Saint-Pétersbourg, où mon père travaillait au ministère des Affaires étrangères. Et nous nous sommes mariés, ici même, à Smolensk, devant l'icône miraculeuse, dans l'église où vous êtes venu pour l'office de dimanche. Notre fille Olga est née deux ans plus tard, et mon mari a été affecté à l'état-major du général Bennigsen. Il a été tué, il y a cinq ans, à la bataille de Friedland. L'armée française avançait vers Königsberg, appuyée par les tirs massifs de son artillerie. Bennigsen a envoyé mon mari en estafette au général qui commandait l'aile droite de l'armée russe, pour lui dire de tenir sa position à tout prix. C'est en arrivant près de lui que mon mari a reçu un boulet qui les a tués, lui et son cheval. Voilà ce que m'ont raconté ses camarades. »

La comtesse interrompit son récit, les yeux humides et la voix tremblante. Après avoir respiré profondément, elle reprit :

« Ainsi, général, c'est votre armée qui est responsable de la mort de mon mari ! J'ai même appris depuis que cette armée était commandée par le maréchal Ney. Or j'ai su seulement le matin de son départ que le militaire qui s'était installé dans la maison d'à côté, là où vous logez, juste avant vous, était ce même maréchal Ney. Il couchait, comme vous d'ailleurs, dans la chambre de mon mari ! Si j'en avais été informée à temps je l'aurais jeté dehors !

— Vous auriez eu du mal à le faire, madame. Nous sommes en guerre !

— Vous êtes peut-être en guerre, mais je suis encore chez moi, du moins jusqu'à ce que cette maison soit détruite ! » répliqua-t-elle d'une voix stridente.

Puis elle s'appuya sur le dossier de sa chaise, et saisit des deux mains sa serviette qu'elle passa sur son visage où elle resta longtemps appliquée.

« J'ai tort de vous parler ainsi. Vous êtes mon invité », se reprit-elle et elle reposa ses mains de chaque côté de son assiette.

Maria s'était tenue dans l'embrasure de la porte, soucieuse de ne pas être mêlée à une scène dont elle ne comprenait pas un mot. Elle avança en portant à hauteur de la poitrine un plat où s'étalait une omelette aux champignons.

« Ce ne sont pas des champignons frais, mais séchés, s'excusa la comtesse. Il est devenu impossible de les ramasser. Pourtant les forêts voisines en sont pleines. Avant l'invasion, j'emmenais Olga avec moi pour lui apprendre à les reconnaître... »

Pendant qu'elle parlait, François Beille observait son visage, qu'il n'avait aperçu jusque-là que de loin. C'était assurément une femme d'une grande beauté, une de ces beautés slaves, que l'on disait joyeuses. Son visage était légèrement ovale. Son front élevé ne portait aucune ride sous la lisière des cheveux d'or, tirés en chignon. Quant à ses yeux qui le fixaient, ils étaient de couleur bleu-vert pâle, d'une tonalité ressemblant à celle de la mer Baltique, et étaient un peu enfoncés à l'abri des pommettes. Sa bouche était fine, sans être mince, se disait François Beille qui cherchait les mots dans sa tête pour parfaire sa description, et ses lèvres étaient positivement adorables, surtout la lèvre supérieure qui dessinait de chaque côté du nez une volute qui s'achevait à l'extrémité de la bouche.

Il remarqua un détail surprenant : sa joue gauche portait une fossette assez visible, qui n'avait pas d'équivalent sur sa joue droite. Ce détail, ajouté à la lumière des yeux, donnait à sa physionomie une expression d'insouciance amusée.

La comtesse, qui se sentait observée, reprit la parole après avoir découpé l'omelette.

« Nous avons déjà beaucoup parlé de questions militaires, mais je voudrais vous présenter encore une ou deux observations. Vous avez tous, en Europe de l'Ouest, y compris l'empereur Napoléon, l'habitude de sous-estimer la qualité de notre armée. Vous oubliez que cette armée est la condition même de notre survie. Nous nous battons pratiquement depuis deux siècles sur toutes nos frontières : à l'ouest contre les Suédois et les Polonais, au sud contre les Turcs et les Khans de Crimée sans compter les forcenés du Caucase, à l'est contre les Tartares et les Mongols. Il était vital pour notre existence de perfectionner notre armée. C'est pourquoi nous avons fondé des écoles militaires, et mon mari me disait que nous avions réussi à organiser la meilleure artillerie au monde, sans doute plus efficace que la vôtre.

« L'autre point, c'est que vous ne comprenez pas comment des serfs incultes peuvent être d'aussi bons soldats. Il est vrai que c'est mystérieux. Ces serfs sont désignés par leurs propriétaires pour aller effectuer un service qui dure au moins quinze ans. La plupart ne reverront jamais leur famille. La discipline de l'armée russe est féroce, bien plus dure que la vôtre, m'a-t-on dit. Et pourtant ils se battent comme des lions, et sont prêts à se faire tuer sur place plutôt que de reculer. Je crois que dans leur âme primitive chacun d'eux se voit chargé d'une mission : celle de défendre jusqu'à la mort le sol de la Sainte Russie. Ils ont, si je puis dire, une mentalité d'assiégés mystiques.

— C'est superbement dit, madame, répondit François Beille, surpris par cette péroraison militaire, et appliqué à terminer sa part d'omelette, désormais tiède. Comment se fait-il que vous maniiez si bien notre langue ? Vous avez dû pousser très loin vos études.

— Pas vraiment ! J'ai été envoyée par mes parents dans le grand pensionnat pour les filles de la noblesse, situé au monastère de Smolny, au bord de la Néva. À la maison, mes parents parlaient français entre eux, ma mère parfaitement, comme une Polonaise, mon père un peu moins bien, avec l'accent russe, et j'avais une gouvernante française, Marguerite, que j'adorais, et dont j'aimerais savoir ce qu'elle est devenue... Ce n'était pas les études qui m'intéressaient, c'était la danse. Je rêvais de devenir ballerine. »

À cette évocation, les yeux de la comtesse se recouvrirent de la lumière pâle du rêve.

« J'ai beaucoup parlé de questions militaires, et de moi, dit la comtesse Kalinitzy. Pendant que nous prendrons notre dessert – je ne peux vous offrir que des pommes –, j'aimerais que nous parlions un peu de vous. Êtes-vous marié ? Combien avez-vous d'enfants ? Disposez-vous de grandes terres en France ? Et enfin, si vous le voulez, que pensez-vous de votre maître, le grand empereur Napoléon ?

— Je vous répondrai volontiers, madame, dit François Beille, qui avait repoussé sa chaise et contemplait avec bien-être le jeu d'ombres que les chandelles dessinaient autour du visage de la comtesse, mais je crains de vous décevoir. Je ne suis pas marié, et je n'ai pas d'enfants. Cette année, j'ai atteint l'âge de trente-deux ans...

— C'est jeune, pour un général, interrompit la comtesse.

— Oui, c'est plutôt jeune, mais je suis dans l'armée depuis quatorze ans, et j'ai fait pratiquement toutes les campagnes du Directoire et de l'Empire, y compris la guerre contre l'armée russe de votre cher général Souvorov en Italie du Nord. Je n'avais pas le temps de penser à me marier, d'autant que je n'étais pas certain de revenir vivant de ma prochaine campagne. Quant à l'étendue de mes terres, elle est modeste, dans notre province du centre de la France. »

Se souvenant de la superficie d'Anglars, qui tournait autour de cent soixante hectares, en comptant les bois, il hésitait à avancer un chiffre qui eût paru ridicule à la comtesse.

Il préféra en venir à la personnalité de Napoléon.

« Vous m'avez interrogé, madame, sur ce que je pensais de l'empereur Napoléon. Je vais essayer de vous répondre : c'est un génie, et d'abord un génie militaire...

— Il ne l'a pas prouvé jusqu'ici en Russie ! l'interrompit la comtesse.

— Il n'en a pas eu l'occasion, à part la bataille de la Moskova, où son état de santé l'a handicapé, mais ce n'est pas fini ! C'est un génie militaire, j'y reviens. Il dispose d'une lucidité, d'un coup d'œil, d'un sens de la manœuvre et de l'utilisation du terrain, qui ne se comparent à ceux de personne. Il est adoré de ses soldats, qu'il sait récompenser. Quand il le faut, il mène une vie simple, et même frugale. Mais il dispose en même temps d'une intelligence civile extraordinaire : dans l'état d'extrême confusion où se trouvait la France après sa Révolution, il a su installer en une dizaine d'années un ordre nouveau, bien adapté à la mentalité des Français.

— Un ordre autoritaire et policier, malgré tout !

— Autoritaire, sans doute, mais pas tyrannique. Il s'est entouré d'institutions, le Corps législatif, le Sénat conservateur, la Cour de cassation, et le Conseil d'État, dont il sollicite les avis. Je l'ai accompagné à plusieurs reprises au Conseil d'État, où je l'ai vu se mêler à la discussion...

— Peut-être, reprit la comtesse, mais c'est lui qui prend toutes les décisions.

— Il faut bien que quelqu'un les prenne, madame, mais il n'agit pas par caprice, mais après réflexion. Que le régime reste trop policier, je vous le concède, et le ministre de la Police est une personnalité diabolique. Nous ne pouvons pas ignorer cependant, quinze ans après la Grande Terreur, l'existence de complots et les menaces d'attentats !

— Il n'aurait pas dû faire fusiller le duc d'Enghien, au mépris de tous les droits ! s'exclama la comtesse.

— Non ! il n'aurait pas dû le faire, je vous donne raison, madame. Il a voulu sans doute donner un gage à l'opinion républicaine, alarmée par la dérive impériale. Mais il s'est trompé de gage, ou on l'a trompé. Le duc d'Enghien n'était pas le prétendant au trône. Les deux frères de l'ancien roi sont toujours vivants. »

François Beille s'interrogea pour savoir s'il pouvait aller plus loin, et évoquer ses préoccupations devant l'évolution récente de l'Empereur : la moindre disponibilité de son génie militaire, et la dégradation de son état physique. Son interlocutrice était pour le moment isolée du monde, sans aucune possibilité de contacts extérieurs, mais il se pourrait qu'elle revienne un jour à Saint-Pétersbourg, et qu'elle fasse état de ses confidences. Il valait mieux en rester là.

La comtesse guettait son silence. Après un moment, elle reprit : « Je vois qu'il est toujours votre grand homme ! » Et avec une surprenante intuition, elle ajouta :

« Vous ne voulez rien me dire sur son état actuel ?

— Je ne l'ai pas revu depuis Moscou, répondit François Beille, en esquivant la réponse. Mais je ne vous en dirai pas plus, car je n'oublie pas que nous sommes des adversaires !

— Je ne suis pas votre adversaire, répliqua la comtesse Kalinitzy sur un ton d'ironie, je suis votre ennemie ! »

Et elle repoussa sa chaise pour se lever de table. François Beille fit de même, et il jeta un dernier regard sur le décor de la salle à manger : la nappe de damas blanc, les couverts armoriés, les chandeliers d'argent aux pieds contournés et les bougies de cire verte.

Tout cela semblait irréel, comme l'image d'un monde en survie qui goûtait ses dernières heures d'existence avant de sombrer dans le gouffre de la destruction. Des larmes lui picotèrent les yeux. Pas de sensiblerie, se corrigea-t-il. Et il sortit de la pièce.

La comtesse Kalinitzy l'attendait.

« Je vais vous reconduire chez vous, lui dit-elle. Il se fait déjà tard, et j'imagine que vous commencez vos activités guerrières au lever du jour ! »

Elle le précéda dans le corridor, un bougeoir à la main. François Beille remarqua son léger mouvement des hanches. En passant devant la carte de la région de Smolensk, il découvrit une large tache verte à l'ouest de la ville. La comtesse, qui l'avait observé, lui dit :

« C'est la forêt de Katyn. Elle débute à quinze verstes d'ici. C'est dans cette forêt que j'emmenais Olga ramasser des champignons. »

Beille nota dans sa mémoire l'existence de cette forêt. Elle pourrait être utile lorsqu'il lui faudrait prévoir l'évacuation de Smolensk.

La comtesse était arrivée devant la porte de séparation. Elle l'ouvrit.

« Je vous remercie de votre visite, général. Elle m'a été très agréable dans le malheur où je vis. » Et après un temps d'arrêt elle ajouta : « Je m'appelle Krystyna. »

« Bonsoir, Krystyna », lui dit François Beille en lui prenant la main pour la baiser.

La porte se referma, et il entendit le bruit de la clé tournée dans la serrure.

Il traversa l'antichambre, éclairée par les lueurs blêmes venues de la place, et regagna sa chambre, la tête remplie d'impressions contradictoires.

*
* *

Pendant la journée du mardi 13 octobre, les cavaliers français et polonais poursuivirent leurs patrouilles de plus en plus profondément au sud de la ville. Il se confirmait que l'armée russe était en mouvement en direction de l'ouest. On n'observait pas de tentatives de venir attaquer Smolensk, mais cela se produirait inévitablement lors du passage de l'arrière-garde russe, qui serait chargée de liquider ce pôle de résistance.

Le général Beille cherchait à situer la position de la Grande Armée. Elle était loin devant lui, et aussi devant les Russes, à plus de six jours de marche, c'est-à-dire deux cent cinquante kilomètres. Elle devait être en train de franchir la Berezina, au nord de Minsk, où l'Empereur recherchait le champ de bataille qui conviendrait pour attendre et écraser Koutouzov. Il avait plu pendant une heure durant la matinée, ce qui l'avait inquiété, car un excès d'eau aurait rendu les routes boueuses, et compliqué son départ de Smolensk. Heureusement le ciel s'était éclairci dans l'après-midi, et le soleil avait asséché à nouveau la campagne. Il lui fallait, pensait-il, demeurer encore trois journées dans la ville, en attendant l'ordre éventuel de l'Empereur.

Pendant l'après-midi, il s'occupa à vérifier l'état des cantonnements, et à s'assurer que les chevaux recevaient la nourriture et les soins qui leur permettraient de franchir allègrement la prochaine étape.

Sur le côté est de la grand-place, il tomba sur le campement des civils de la division, et des réfugiés qui les suivaient. Ils s'étaient installés à côté des tentes du 141ᵉ régiment d'infanterie de ligne, pour bénéficier de sa protection. C'était un spectacle surprenant. On aurait dit un jour de marché en France. Chacun s'affairait autour de petits feux où cuisaient des marmites. Il y avait quelques enfants qui sautaient entre les pierres, sans doute des enfants de réfugiés. Les hommes valides aperçurent le général Beille et vinrent entourer son cheval. « Quand partons-nous ? » interrogeaient-ils, pendant que d'autres répétaient : « Il ne faut pas attendre ! Les Russes vont arriver ! »

Le général Beille se pencha sur l'encolure de son cheval pour leur parler :

« N'ayez aucune crainte, nous partirons à temps, mais il faudra que vous soyez prêts. Occupez-vous de mettre en état vos voitures, et de préparer des roues de secours, et chargez des ballots de foin pour vos chevaux, car nous ne sommes pas assurés d'en trouver en route ! »

Les hommes le regardaient les yeux brillants. La moitié d'entre eux sans doute ne comprenaient pas le français. Les autres essayaient des traductions, en prononçant quelques mots d'allemand et de polonais. Puis ils approuvaient de la tête. La diversité des vêtements stupéfiait Beille : des culottes de drap ou de cuir, des manteaux tombant jusqu'aux chevilles, des bottes rapiécées, et surtout une forêt de bonnets, de calots, de casquettes et de toques de fourrure, empruntés à toutes les variétés végétales et animales.

Le général Beille se redressa, et éperonna légèrement Volta pour qu'il reprenne sa marche. Quand il s'éloigna, des vivats s'élevèrent de cette foule étrange, qui lui firent chaud au cœur.

Arrivé devant sa résidence, il prit la décision de dîner de bonne heure, et de se coucher aussitôt après.

Le souper était préparé par Marie-Thérèse, et servi par Le Lorrain. Ils avaient visiblement réussi à neutraliser la douteuse Anna, qu'on entendait grommeler dans la cuisine.

Marie-Thérèse apportait les plats jusqu'à la salle à manger. François Beille remarqua qu'elle était très jolie, dans une tenue qui avait une allure polonaise :

une large jupe plissée noire et un corsage aux manches bouffantes, fermé par un nœud de velours rouge sur le cou.

« Tu es très élégante, lui dit-il. Mais où peux-tu trouver cette variété de costumes ? Tu n'as pas pu les emporter de Moscou !

— Il y a des placards dans cette maison, répondit-elle en rougissant. Je suis allée voir ce qu'il y avait dedans, car je n'oublie pas que je suis au service du fameux général Beille !

— Fameux, je ne suis pas sûr ! Mais ce que tu fais est adorable. »

Marie-Thérèse remit sa soupière entre les mains de Le Lorrain, et retourna vers la cuisine.

Après le dîner, François Beille monta dans sa chambre. Il avait envie de passer une soirée tranquille. Sur un rayonnage, il avait aperçu, appuyés les uns contre les autres, des livres dont quelques-uns avaient des titres français. Il reconnut *Jacques le fataliste*, qui était une des lectures favorites de son père. Il s'empara du livre, le posa sur le lit, et commença à se déshabiller en enlevant successivement son gilet, sa chemise et sa culotte de cheval. Puis il s'étendit, rapprocha la bougie, et commença sa lecture. Il cherchait à retrouver la phrase « c'est écrit là-haut » que son père aimait à citer. Il tourna la première page mais n'alla pas plus loin. Il s'était endormi.

*
* *

Il fut réveillé par une faible secousse. Que se passait-il ? Il eut du mal à rassembler ses esprits. La lueur d'une deuxième bougie brillait dans la pièce. Elle éclairait une longue silhouette, enveloppée dans une cape sombre. François Beille reconnut la comtesse Kalinitzy.

Celle-ci se rapprocha du lit, et lui dit à voix basse :

« J'espère que vous ne m'en voulez pas de vous avoir réveillé. J'ai vu qu'il y avait encore de la lumière chez vous... »

Puis elle se tourna vers un fauteuil, et enleva sa cape qu'elle plia avec soin sur le siège, et se débarrassa de ses mules en secouant ses pieds. Elle ne portait plus qu'une chemise blanche, qui s'arrêtait aux genoux et était décorée de dessins brodés sur la poitrine.

Elle s'approcha du lit pendant que François Beille s'écartait pour dégager un peu de place. Elle s'assit sur le bord et, dans un mouvement léger, rassembla ses deux genoux, et les fit pivoter pour s'étendre auprès de François Beille. Elle ne le touchait pas, et se mit à s'adresser à lui à voix basse.

« Je vous parle doucement, lui dit-elle, parce que cette maison est assez sonore, et je ne voudrais pas que quelqu'un m'entende, et sache que je suis chez vous. Cela serait terrible pour moi. Je sais que j'ai tort, et que ce que je fais n'est pas bien, mais essayez de me comprendre ! Je vis seule, avec quelques domestiques, dans cette horrible ville. Je n'ai personne à qui parler. Olga est trop petite pour que je lui fasse partager mes soucis. Et puis cela fait plus de sept ans qu'aucun homme ne m'a approchée, même pour une danse. J'aimais beaucoup mon mari, bien que notre mariage ait été arrangé, mais il est reparti en campagne un an après la naissance d'Olga, et l'année suivante il était tué. »

François Beille l'écoutait avec un sentiment étrange. Il lui semblait qu'elle ne s'adressait pas à lui, mais à elle-même pour se plaindre et se justifier. D'ailleurs elle ne le regardait pas. Son visage était tourné vers le plafond. Elle marqua un temps d'arrêt, et resta immobile.

En entendant ce récit, Beille comprit qu'il n'éprouvait pas de tendresse pour elle, peut-être un attrait physique pour cette longue et élégante jeune femme russe, mais pas d'élan d'affection. Il se dit qu'il éprouvait davantage de tendresse pour la jolie Marie-Thérèse, avec sa voix non maniérée, et la jupe polonaise qu'elle avait revêtue pour l'honorer. En cherchant dans ses souvenirs, il ne trouvait pas de circonstances où il avait pratiqué l'amour sans un certain mouvement du cœur, sauf peut-être une ou deux fois quand il était très jeune, à titre d'initiation.

La comtesse Kalinitzy s'était tournée vers lui, et se rapprocha. Il sentait maintenant le léger contact de son corps contre le sien, et elle saisit sa main en la serrant dans la sienne.

« À quoi pensez-vous ? dit-elle. Vous ne me répondez rien. Et d'ailleurs je ne connais même pas votre prénom !

— Je m'appelle François.

— Il y a une autre chose que je dois vous dire, François, au lieu de vous raconter ma vie. Je suis absolument terrifiée par ce qui peut m'arriver, terrifiée et terrorisée. » Ses doigts enlaçaient fébrilement les siens. « Vous avez vu les hommes qui restaient dans la ville. Ce ne sont que des bandits. Ils s'apprêtent à faire les pires horreurs aussitôt que vous serez partis. L'armée russe arrivera, c'est vrai, mais ses chefs auront d'autres préoccupations que de rétablir l'ordre dans Smolensk. Je meurs de peur, et je ne peux rien faire. »

Elle se serra contre lui, et il sentit la tiédeur de son corps à travers la fine chemise. Cette peur, cette peur panique, éveillait peut-être en lui l'amorce d'un mouvement de tendresse.

Il se souvint d'une expression que sa mère lui répétait souvent. Elle était passionnée par les belles choses, et adorait la peinture italienne de la Renaissance, depuis Mantegna jusqu'au Caravage. Elle collectionnait les livres, dont elle lui montrait les images. « Regarde, lui disait-elle, et n'oublie pas qu'il n'y a rien de plus important dans le monde que la beauté ! »

Il se tourna vers la droite pour la regarder, et il rencontra devant lui, à une dizaine de centimètres, les yeux bleu-vert pâle de Krystyna. Il passa son bras autour de ses épaules, et la rapprocha de lui. Elle avança son genou qu'elle posa sur les siens.

*
* *

François Beille sentit qu'une main le secouait. Tout était encore noir. Il apercevait à peine la silhouette de la comtesse Kalinitzy qui était debout à côté du lit, et tenait son bras qu'elle agitait doucement.

« Je me suis fait une spécialité de vous réveiller ! », dit-elle. Elle avait déjà revêtu son manteau. « Le jour va commencer à poindre, et il faut éviter à tout prix qu'on sache que je suis venu chez vous ! » Pendant qu'elle s'asseyait dans le fauteuil pour enfiler ses mules, elle continua à murmurer, en fouillant dans sa poche.

« Je vais rentrer, et j'ai apporté une clé pour vous. Il en existe deux. Si vous avez envie de me voir, un soir, vous pourrez passer par le corridor, mais attendez que tout le monde soit couché. Vous verrez un peu la lumière chez moi, et vous me trouverez soit dans le salon, soit dans ma chambre. » Elle ouvrit la main pour lui donner la clé de fer noir qu'elle tenait dans sa paume. « Au revoir, François. Bonne journée ! Vous m'avez apaisée », dit-elle, et elle glissa silencieusement vers la porte.

François Beille l'entendit à peine traverser l'antichambre sur la pointe des pieds, et perçut le léger bruit de la clé dans la serrure.

La comtesse Kalinitzy était rentrée chez elle.

*
* *

La journée du mercredi 14 octobre apporta la confirmation de ce qui avait été observé les jours précédents. L'armée russe poursuivait son avancée en direction de l'ouest. Sa progression n'était pas très rapide, et le gros de ses forces n'était pas encore arrivé à la verticale de Smolensk. Les patrouilles ne relevaient aucun signe d'une marche vers la ville.

Le général Beille, en raison de la rencontre de la nuit dernière, aspirait, sans oser se l'avouer, à prolonger son séjour à Smolensk, et cherchait à imaginer les événements des jours suivants. Il était exclu que Koutouzov puisse se désintéresser du sort de Smolensk et de sa garnison, mais il cherchait en même temps à réduire son retard sur la Grande Armée. Il détacherait sans doute à un moment ou à un autre un corps d'armée pour venir récupérer la ville. Quand serait-ce ? Dans deux ou trois jours au plus tard.

Beille réunit en fin d'après-midi les commandants d'unités dans le palais du gouverneur. Chacun fit part des renseignements apportés par ses hommes. L'armée russe était flanquée, sur ses côtés, de groupes de cosaques, équipés de lances, qui ne paraissaient pas appartenir à des unités régulières. Ils se consacraient au pillage des fermes, et au massacre des déserteurs, s'ils en trouvaient sur leur passage. Ils dépouillaient leurs cadavres de tout ce qu'ils pouvaient arracher : les bagues de cuivre pour lesquelles ils coupaient leurs doigts, les ceintures de cuir qui les conduisaient à laisser les corps à demi nus. Ces cosaques constituaient une proie facile pour les lanciers polonais de la Garde, qui agissaient en pelotons organisés, et étaient dotés d'un armement moderne, mais leur capture n'apportait aucun renseignement utile, car on ne pouvait rien en tirer, sauf qu'ils venaient du sud, et on les abandonnait plus qu'à demi morts sur le terrain.

Le colonel Arrighi paraissait soucieux. Il restait silencieux, et se décida à poser une question à François Beille. « Tout cela, mon général, ne nous apprend rien de nouveau ! Les Russes se trouvent au sud-ouest de Smolensk et marchent vers l'ouest. Ils finiront par nous attaquer, mais nous ne savons pas quand, et nous ne serons pas de taille à nous défendre. Peut-être faudrait-il penser à organiser notre départ d'une manière qui évite notre destruction, et rende service à la Grande Armée. »

François Beille l'écoutait avec attention, car il admirait l'esprit de synthèse de son adjoint.

« As-tu commencé à y réfléchir, colonel Arrighi ? demanda-t-il dans un langage qui s'efforçait de concilier les impératifs de la camaraderie et ceux de la hiérarchie militaire.

— Oui, mais je n'ai pas réussi à conclure. Le plus simple serait évidemment de traverser le Dniepr et de partir par le nord du fleuve. Il semble que le territoire soit pratiquement désert, et nous pourrions rejoindre les corps d'armée de Murat et de Davout.

— Quel serait l'inconvénient de cette solution ?

— Aucun inconvénient pour nous, mon général ! Elle assurerait la survie de notre division. Mais elle nous ferait manquer à notre mission principale, qui est de ralentir et de compliquer les mouvements de l'armée russe avant la prochaine bataille.

— Alors que me recommandes-tu, insista Beille.

— De tenter une diversion vers le sud, pour jeter le trouble dans les plans russes, mais je ne vois pas comment nous pourrions réussir ensuite à nous échapper !

— Il existe peut-être une solution, répondit le général qui songeait à utiliser la protection de la forêt de Katyn. Il n'en dit pas davantage car il craignait toujours la présence d'oreilles attentives cachées dans les ruines du bâtiment. De toute manière, reprit-il, prenez vos dispositions pour un départ de la ville samedi prochain, dans trois jours. C'est le délai que m'avait fixé l'Empereur. Au-delà nous risquerions d'être pris dans une situation strictement défensive. Préparez donc les équipements et les approvisionnements durant les deux jours qui viennent. »

Après avoir pris congé de ses officiers, le général Beille décida de rejoindre le palais Kalinitzy, car il avait besoin de réfléchir.

Il dîna seul dans la salle à manger du rez-de-chaussée, puis monta dans sa chambre. La nuit était tombée. Il alluma les bougies, et décida d'aller regarder dans le corridor la carte où il avait remarqué la grande forêt de Katyn. Il rechercha la clé du passage que lui avait remise la comtesse Kalinitzy, et qu'il avait cachée sur sa table de nuit, entre les pages du livre de Diderot. Elle était bien là. Il s'empara d'une bougie et avança vers la porte située à l'extrémité de l'antichambre. La clé s'enfonça aisément dans la serrure, mais elle eut du mal à tourner. Visiblement le passage était rarement utilisé. La porte finit par s'ouvrir avec un grincement sourd, et François Beille s'enfonça dans le corridor à la tenture rouge. Il repéra la carte de la région de Smolensk, posa sa bougie par terre, et s'assit à côté d'elle. Il existait effectivement une grande forêt à l'ouest de Smolensk, qui était sillonnée de pistes forestières, mais aussi par deux grandes routes qui se croisaient au milieu. L'une prenait directement la direction de l'ouest, et l'autre remontait vers le nord-ouest, en direction du Dniepr, qu'elle traversait, pour rejoindre ensuite la route impériale de Minsk. François Beille s'interrogea longuement sur l'usage qu'il pourrait faire de ces pistes et de ces routes, puis il se releva et ramassa sa bougie. Il aperçut alors au bout du couloir une faible lueur sous la porte de l'appartement de la comtesse. Elle était donc chez elle. Le cœur battant, il avança dans le corridor et ouvrit la porte de l'anti-chambre. La lueur venait du salon. La comtesse était assise devant une table, où elle paraissait ran-ger des papiers. Elle se retourna au bruit, et aper-çut François Beille.

« Entrez, François, lui dit-elle. J'espérais un peu votre visite ce soir ! Pour passer le temps, je m'occupais à classer la correspondance de mon beau-père avec la tsarine Catherine. »

Krystyna se leva. Elle portait une longue robe de laine verte, qui l'enveloppait, sans aucun orne-ment. Elle ne s'était pas tressé de chignon, et ses longs cheveux blonds étaient rejetés vers l'arrière.

François Beille était incapable d'articuler un seul mot. Son cœur continuait de battre, sans qu'il puisse le contrôler.

« Bonsoir, Krystyna » fut tout ce qu'il trouva à dire.

La comtesse s'amusait de son embarras.

« Il vaut mieux ne pas rester ici, à cause de la lumière qu'on aperçoit de la place. Nous serions plus tranquilles dans ma chambre. Je vais vous y conduire. »

Dans un mouvement qu'il n'avait pas calculé, François Beille s'avança vers elle, passa son bras gauche autour de ses épaules, et glissa son bras droit sous ses genoux, qu'il souleva de terre. La comtesse n'opposa aucune résistance, et, dans un mouvement souple, ajusta son équilibre entre les deux bras qui la portaient.

« J'espère ne pas être trop lourde, dit-elle, mais laissez-moi prendre la bougie. »

François Beille se rapprocha de la table, et s'inclina pour qu'elle puisse saisir le bougeoir.

Arrivé sur le palier, il se dirigea avec son léger fardeau en direction de la porte de la chambre qui était fermée.

« Je vais l'ouvrir », murmura la comtesse, près de son oreille. Elle avança le bras, sans chercher à se dégager de son étreinte, et tourna la poignée. « Comme tout ceci est simple, et me paraît naturel », pensait François Beille.

La chambre qu'il découvrait était plus vaste que la sienne. Le parquet était recouvert d'un grand tapis qui se prolongeait jusqu'aux murs. Il traversa la pièce, en portant toujours la comtesse, dont la joue s'appuyait maintenant sur son épaule, et gagna le lit à baldaquin. Sa couverture était défaite. Il y déposa doucement la comtesse, puis, en s'appuyant sur ses deux bras, se pencha sur elle, dont il devinait le corps à travers sa robe de laine, se pencha encore, jusqu'à ce que ses lèvres rejoignent les siennes, et les aspirent dans un élan de tendresse possessive.

*
*   *

Chapitre X

L'assassinat du commandant
de Flahault

Ce matin-là, jeudi 15 octobre, François Beille se sentait d'humeur légère. Il ressentait encore, par vagues, et sans qu'il y insiste, la présence tiède de Krystyna. Pendant la tournée de la ville qu'il avait faite à cheval, il avait constaté que le ciel restait bleu, malgré quelques nuages floconneux. Dans les cantonnements des unités, les soldats s'affairaient en vue d'un prochain départ, qu'ils imaginaient pour samedi. Ils conduisaient les chevaux par paires pour les faire boire dans des abreuvoirs grossièrement réparés. Les voitures étaient alignées, et des hommes, civils ou réfugiés, fixaient leurs capotes sur des montants de bois. « Cela ressemble davantage à une promenade qu'à la guerre », se disait-il, en découvrant en lui le souhait inavouable de pouvoir prolonger de quelques journées sa présence à Smolensk. De toute manière, pensait-il, ce soir, après que toutes les lumières se seraient éteintes, il irait rejoindre Krystyna dans son appartement.

De retour à sa résidence, François Beille s'installa dans la salle à manger du rez-de-chaussée.

Il avait besoin de réfléchir, en toute tranquillité, à la stratégie du départ de Smolensk. À sa demande, Marie-Thérèse avait déployé sur la table une grande feuille de papier blanc, provenant probablement du rayonnage d'un placard, sur laquelle il s'efforçait de reconstituer le plan de la forêt de Katyn. À l'aide d'une règle de bois, il mesurait les distances.

La fenêtre de la pièce était grande ouverte sur la place, bien qu'il y eût dans l'air un soupçon de fraîcheur, comme un premier signal que la saison d'hiver allait approcher. De rares passants se croisaient sur le trottoir d'en face où une patrouille du bataillon suisse exerçait sa surveillance. Il sembla à François Beille avoir entendu un crépitement à peine audible en direction de l'ouest. Il regarda l'heure à sa montre, une montre en or qu'il portait dans la poche de son gilet, et qui lui avait été offerte, pour sa première communion, par son oncle, le général. Elle indiquait 10 h 15. Il continua de dessiner la carte de la grande forêt.

Une demi-heure plus tard, son travail fut interrompu par un déluge sonore qui secouait la place. C'était une troupe de cavaliers qui arrivait au grand galop, les quatre fers de leurs chevaux claquant sur les dalles de pierre. François Beille s'approcha de la fenêtre. À la tête de la cavalcade, il reconnut le colonel Arrighi. Celui-ci était nu-tête. Il avait dû perdre son chapeau durant la chevauchée. Beille s'avança vers la porte, à la rencontre d'Arrighi qui avait sauté à terre de son cheval, couvert d'écume blanche, et qui marchait vers lui. Il découvrit qu'il était hagard, le visage vidé de son sang, les traits tirés par l'angoisse.

« Qu'est-ce qui t'arrive ? l'interrogea-t-il.

— Il s'est passé une chose terrible, répondit Arrighi d'une voix creuse, ils ont fusillé Flahault !

— Qu'est-ce que tu me racontes, Flahault n'est pas ici !

— Il était en train d'arriver. Il t'apportait le message de l'Empereur, et était escorté par six cuirassiers de la Garde. Ils sont tombés dans une embuscade, à la sortie d'un bois, à cinq kilomètres de la ville. Il semble que les attaquants étaient des cosaques de l'armée régulière. Flahault les a peut-être pris pour des lanciers polonais. Les cosaques les ont encerclés, et fait descendre de cheval, puis ils les ont ligotés à des arbres, et les ont fusillés. Ce sont des sauvages ! Ils leur ont crevé les yeux.

— À Flahault aussi ? demanda Beille, bouleversé.

— Pour Flahault, ils l'ont achevé d'une balle dans la tête. Ils avaient dû le manquer. Son crâne a éclaté, et sa cervelle a coulé sur son visage.

— Comment as-tu été prévenu ?

— Un peloton de lanciers a entendu la fusillade. Ils ont détaché un cavalier pour me prévenir.

— Et les Russes, où sont-ils passés ?

— Il semble qu'ils se soient enfuis aussitôt, répondit le colonel Arrighi. On ne les a pas revus. »

François Beille s'interrogea un court instant.

« Viens, dit-il, je vais y retourner avec toi. »

*
*   *

C'était une verte clairière, au bord d'un boqueteau, traversé par une allée par laquelle le commandant de Flahault et ses hommes avaient dû arriver. En se retournant, on pouvait apercevoir à courte distance les ruines des murs fortifiés de Smolensk.

Le sol de cette clairière était recouvert d'une herbe épaisse, parsemée de petites feuilles jaunes triangulaires. Des troncs blancs de bouleaux formaient la limite du bois, et on y voyait accrochés, dans des postures dégingandées, les corps des cuirassiers. On les aurait pris pour des marionnettes ! Les uns avaient la tête penchée sur la poitrine, les autres étaient affaissés sur leurs genoux, les bras rejoignant la terre. Tous étaient éclaboussés de sang. La clairière était silencieuse. Un coucou chantait dans le bois.

« Où est Flahault ? demanda le général Beille.

— C'est le dernier, répondit Arrighi.

— Comment l'as-tu reconnu ?

— Je le connaissais bien : nous avons été ensemble à l'école de cavalerie. Et je savais que c'était lui que l'Empereur devait nous envoyer comme émissaire. »

Beille s'était rapproché du corps qui était étendu le visage contre terre. À la différence des autres, il n'était pas attaché.

« Peux-tu m'aider à le retourner ? » demanda-t-il à Arrighi.

Ils s'appliquèrent maladroitement à le mettre sur le dos. Son visage était intact sous la déchirure du crâne, et ses yeux fixes regardaient le ciel. Son gilet était troué de balles, au-dessous du cœur. « Ils ont tiré trop bas, pensa Beille, il leur a fallu l'achever. »

Les deux hommes se redressèrent. Les cavaliers qui les avaient accompagnés restaient immobiles sur leurs montures. Celles-ci, les oreilles dressées, participaient instinctivement à l'émotion du moment. Le coucou continuait de chanter.

« Où sont passés leurs chevaux ? interrogea Beille.

— Les cosaques ont dû les emmener, pour récupérer aussi leurs équipements. »

En faisant le tour de la clairière, ils découvrirent un endroit où l'herbe avait été piétinée. Sur le sol ils ramassèrent des débris de carton provenant de cartouches. Puis la piste se prolongeait, et partait en direction du sud.

François Beille s'interrogeait sur le sort du message que lui avait adressé l'Empereur. Le commandant de Flahault l'avait sans doute placé dans les fontes de sa selle. Dans ce cas, il avait disparu avec son cheval. À moins qu'il ne l'ait porté sur lui. Beille retourna sur ses pas, et plia un genou à côté du corps de Flahault, qu'il commença de palper. Il était encore tiède. L'acidité de l'estomac de Beille remontait dans sa gorge, mais il continua de chercher. Il sentit sous ses doigts, du côté droit, un froissement de papier, et déboutonna le gilet. À l'intérieur on avait cousu une poche de toile, qui contenait une enveloppe : c'étaient les ordres de l'Empereur.

François Beille reboutonna soigneusement le gilet, et referma du doigt les paupières de Flahault, puis il se releva et fit lentement un signe de croix.

« Nous allons repartir, dit-il à Arrighi. Il faudrait que tu envoies une équipe pour enterrer les corps. Ils n'auront qu'à ramasser quelques Russes pour creuser les tombes. Concernant Flahault, j'aimerais qu'on emporte sa dépouille à l'hôpital de Smolensk, et qu'on prépare un cercueil pour essayer de le ramener avec nous dans une de nos charrettes. Qu'on recueille aussi ses objets personnels. »

Il s'aperçut que dans son trouble, il n'avait même pas pris connaissance du message de l'Empereur. Il arrêta son cheval, s'appuya sur ses étriers, et tira l'enveloppe qu'il avait placée dans sa poche. Elle ne portait pas de trace de sang. Il déplia le feuillet qu'elle contenait, et en entreprit la lecture. C'était un papier à en-tête du prince de Neuchâtel, major général de l'armée. Celui-ci indiquait que la Grande Armée étant arrivée sur les lieux où elle s'apprêtait à livrer bataille, la division Beille devait quitter Smolensk et prendre la direction de l'ouest. Elle traverserait la rivière Berezina à Barysau, et avancerait vers Vilna pour attaquer les débris de l'armée russe qui seraient en fuite après les prochains combats. L'Empereur avait apposé sa signature au bas de la feuille.

« Tiens, Arrighi, lui dit-il en lui tendant le document, tu devrais lire cela. L'Empereur nous invite à quitter Smolensk. »

Le général et le colonel mirent leurs chevaux au pas, et reprirent côte à côte la direction de la ville, où ils arrivèrent après une demi-heure. Ils regagnèrent la résidence de François Beille, où la carte de la forêt de Katyn était encore étalée sur la table.

« Quels sont tes ordres, général Beille ? l'interrogea Arrighi, qui gardait une mine sombre.

— C'est de partir au plus vite, répondit Beille, en se méprenant sur le sens de sa question. Cet affreux événement nous démontre que les Russes sont infiltrés dans les environs proches de la ville. Nous n'avons rien à gagner à les attendre. Il faut avancer le départ d'un jour, et le fixer à demain matin. Tu peux prévenir les commandants d'unités pour qu'ils accélèrent leurs préparatifs. Je les réunirai ce soir à 18 heures au palais du gouverneur pour leur préciser le déroulement de la manœuvre.

— Ce n'était pas exactement ma question, répliqua Arrighi. Je pensais à Flahault et à ses cavaliers. Que m'ordonnes-tu de faire pour les venger ? »

Beille fut pris par surprise. Il n'avait pas réfléchi à ce problème. Les Russes s'étaient enfuis. Il n'y avait plus rien à faire pour les châtier.

« À quelle vengeance penses-tu ? interrogea-t-il.

— Je ne crois pas que tu puisses laisser un tel crime impuni, et d'ailleurs nos soldats ne nous le pardonneraient pas. Ils seront informés du détail de ce qui s'est passé dès que l'équipe chargée d'enterrer les corps et de ramener Flahault rentrera dans la ville, et ils crieront vengeance. Tu te déshonorerais à leurs yeux en ne leur répondant pas !

— Que proposes-tu exactement ?

— De nous saisir d'un certain nombre de soldats russes, et de les fusiller.

— Ce ne seront pas les mêmes !

— Évidemment, ce ne seront pas les mêmes, mais s'ils avaient été à leur place, ils auraient fait la même chose !

— Quel ordre attends-tu que je te donne ?

— Celui de prendre la tête d'un peloton de lanciers polonais, de parcourir la plaine au sud, et de ramasser une douzaine de Russes, dont un officier, puis de les faire fusiller par nos voltigeurs à la porte de la ville, au vu de tout le monde. »

Le général Beille reprit sa réflexion. Ce n'était pas conforme à la justice, car on ne châtierait pas les coupables, mais dans ce désert isolé de tout, pouvait-il laisser croire à ses soldats qu'on pouvait leur infliger des traitements odieux sans qu'il y ait de réaction de sa part, qu'on pouvait leur crever les yeux et leur fendre le crâne, sans qu'il agisse pour les venger ? Il revit le visage du commandant de Flahault, à demi recouvert par la molle écume de sa cervelle.

« Colonel Arrighi, dit-il, je te donne l'ordre de faire ce que tu me proposes. »

Le colonel Arrighi le salua, marqua un temps d'arrêt, et sortit de la pièce.

*
* *

Lorsque le général Beille arriva dans le bureau du gouverneur, un peu avant 6 heures, il trouva les commandants d'unités en pleine effervescence. Ils entouraient debout le colonel Arrighi qui leur faisait le récit de son opération, qu'ils approuvèrent bruyamment. D'après les bribes qu'il put saisir, Beille comprit qu'Arrighi et ses hommes étaient tombés sur une section d'infanterie russe, conduite par un capitaine. Ils avaient décapité d'un coup de sabre le capitaine, puis avaient encadré entre leurs chevaux les hommes, qu'ils avaient ramenés vers la ville. Deux d'entre eux avaient cherché à s'échapper, et avaient été abattus. Les autres, au nombre d'une douzaine, avaient été conduits à mi-hauteur des murailles de la ville, auxquelles ils avaient été adossés. Un lancier polonais leur avait lu, en langue russe, la proclamation d'un jugement sommaire, et un lieutenant avait hurlé aux voltigeurs l'ordre d'ouvrir le feu. Ceux-ci avaient reçu la consigne de tirer pour les uns dans la tête, et pour les autres au cœur. Tous les Russes étaient tombés foudroyés au même moment.

Pendant ce temps, une partie de la population de la ville avait réussi à grimper sur le haut des murailles, et jetait des pierres en direction des soldats, sans pouvoir les atteindre. Arrighi avait donné l'ordre aux cavaliers de faire le tour des murs, et de disperser les manifestants.

Les hochements de tête des commandants d'unités exprimaient leur satisfaction. Le colonel Arrighi, qui avait recueilli la médaille de la Légion d'honneur sur le corps du commandant de Flahault, la tendit à François Beille.

Celui-ci, sans ajouter un mot, la saisit, la plaça soigneusement dans son portefeuille, et invita les participants à s'asseoir.

« J'ai reçu de l'Empereur, leur dit-il, l'ordre de quitter Smolensk. C'était la mission dont était chargé le commandant de Flahault, dont je salue le sacrifice. »

Après un instant de silence, il reprit : « Vous avez déjà reçu du colonel Arrighi la consigne de mettre vos unités en état de marche pour demain matin, y compris le personnel civil. Il n'y a pas lieu pour nous de profiter de la nuit, car il ne s'agit pas de faire croire à une fuite, mais à une manœuvre offensive. Aussi je fixe à 7 heures le début de l'opération.

« Elle débutera par la sortie, en direction du sud-ouest, de la totalité de l'escadron de lanciers polonais, et de la moitié des dragons de la Garde.

Ils seront appuyés par deux batteries d'artillerie. Leur déploiement devra être conduit de telle manière que l'ennemi puisse imaginer que c'est le début d'une offensive, et qu'il soit contraint de redéployer son dispositif face au nord, ce qui lui fera perdre une journée ou deux.

« Pendant ce temps le reste de la division quittera Smolensk en direction de l'ouest, et entrera directement dans la forêt de Katyn, où elle avancera jusqu'au grand carrefour central. »

Le général Beille pointa du doigt sur son plan qu'il avait apporté l'intersection des deux routes.

« Elle postera deux batteries d'artillerie en direction du sud, pendant que les bataillons d'infanterie se prépareront à prendre ensuite la direction du nord-ouest. C'est le colonel Arrighi qui assurera le commandement de cette colonne.

« Les cavaliers qui se seront avancés vers le sud longeront la lisière de la forêt de Katyn jusqu'à ce qu'ils trouvent l'entrée de cette piste... – Beille posa son index sur un point qu'il avait entouré d'un cercle épais sur la carte. Cette piste les ramènera jusqu'au carrefour central, où ils rejoindront le reste de la division, qui entamera alors sa marche vers le nord-ouest, la cavalerie couvrant l'arrière-garde. Tout cela est-il clair ? Avez-vous des questions à poser ? »

Les commandants d'unités avaient l'air concentré. On sentait leur satisfaction d'avoir à exercer à nouveau leurs capacités militaires.

Le colonel de Villefort prit le premier la parole.

« Je ne vois pas bien le sens, François, de la promenade que tu m'invites à faire vers le sud, avec mon camarade polonais, si c'est pour rentrer finalement dans la forêt ! »

Le colonel Verowski faisait de la tête des signes d'approbation.

« Je te rappelle, Aimery, lui répondit Beille, que notre mission est maintenant de quitter Smolensk en essayant de préserver nos forces. Si nous sortions en formation organisée, les Russes entreraient aussitôt dans la ville, et se lanceraient à notre poursuite. Ils réussiraient sans doute à nous rattraper. En leur faisant croire à une attaque de notre part en direction du sud, on complique leurs décisions, et ils hésiteront sur les mesures à prendre pendant toute la matinée. Leur quartier général doit se trouver à plusieurs dizaines de kilomètres. Quand ils auront fait leur choix, nous serons déjà loin, et il sera plus facile de leur barrer l'accès de la forêt.

« Il faut donc que Verowski et toi, vous vous donniez une grande visibilité, et que vous fassiez tonner vos canons ! Votre entrée ultérieure dans la piste de la forêt devra prendre les Russes par surprise, et apparaître comme une improvisation du dernier moment. Si vous le voulez bien, messieurs, nous allons essayer d'établir l'horaire de ces opérations. »

On se serait cru dans une salle d'université. Chacun avait sorti de sa poche un bout de papier et griffonnait des notes. La réunion se prolongea encore pendant une heure. À 7 h 30, le général Beille fixa le prochain rendez-vous : « À 6 heures, rassemblement sur la grand-place. À 6 h 30, départ de la cavalerie ; à 7 heures, mise en route de la division. Bonsoir, messieurs, dormez bien. Vous aurez besoin de toutes vos forces ! »

Les commandants d'unités sortirent sur la place où les attendaient leurs chevaux, et partirent en direction de leurs cantonnements respectifs pour s'assurer que les derniers préparatifs étaient bien en cours.

*
* *

Le colonel Arrighi se présenta le dernier. Il portait la redingote bleu marine des officiers d'état-major. Il mit le pied à l'étrier de son cheval, et se souleva lentement, puis il fit avancer sa monture au pas. Il était perplexe et préoccupé par l'attitude de son supérieur, le général François Beille, qui l'avait décontenancé pendant la matinée.

« C'est un excellent soldat, pensait-il. Il est courageux et sait organiser une manœuvre. Il fait régner la discipline, et s'occupe bien de ses hommes. On ne peut rien lui reprocher, mais il y a chez lui quelque chose qui m'embarrasse. Ce n'est pas de la facilité, mais plutôt une forme d'amateurisme. Il a désapprouvé visiblement ma demande de fusiller des otages, et s'est tenu à distance de leur exécution. Je suis plus ferme que lui, je ne m'amuse pas, comme il le fait avec cette sotte de Marie-Thérèse, et peut-être avec cette étrange comtesse Kalinitzy, quand il reste enfermé dans sa résidence. Cela tient sans doute à nos différences d'éducation. Il appartient à un milieu privilégié, qui a été à peine écorné par la Révolution. Il n'ignore pas ses devoirs, et il les exécute même avec scrupules, mais il mène sa vie comme si c'était un plaisir. Il n'a pas connu la dureté de l'enfance, qui a été la mienne. Rien ne m'a été donné. J'étais le fils d'un pauvre maréchal-ferrant, dans un pauvre village corse, un fils parmi cinq autres et une sœur. Mon village a pris position pour les Français, puis pour les Bonaparte, alors que nous étions entourés de partisans de Paoli. J'ai appris à lire difficilement, en allant garder dans la montagne le troupeau de chèvres du village. Je n'ai connu ma mère que vêtue de noir. Heureusement elle avait un cousin qui disposait d'une petite situation à Ajaccio. Quand il a su que je rêvais de devenir soldat, il s'est servi de ses relations pour me faire admettre dans l'école d'enfants de troupe de Bastia. J'y ai reçu les meilleures notes, et depuis je n'ai cessé de progresser dans l'armée. Un jour où l'Empereur inspectait le régiment où j'étais capitaine, il m'a dit familièrement : "On m'a rapporté du bien de toi, petit Corse ! Si tu continues je ferai de toi un général !"

« Je ne crois pas que François Beille me méprise, songeait-il, mais il sent instinctivement que nous appartenons à deux espèces différentes, et c'est d'ailleurs exact. Lui est un officier, et moi je suis un militaire. L'armée est toute ma vie. Je n'ai pratiquement jamais utilisé mon droit à permission, sauf pour assister aux mariages de mes frères. Il me croit insensible, parce que je suis rigoureux, mais j'aime la musique, j'aime chanter en chœur. Lorsque, avec tous les hommes de la famille, j'ai chanté l'adieu à mon oncle, dans l'église de Pietrosanto, j'étais bouleversé, bien plus que François Beille tout à l'heure devant ces malheureux fusillés ! »

Le colonel Arrighi était arrivé devant son logement. Les passants étaient étonnés de croiser cet officier sur son cheval, la tête penchée, qui semblait marmonner des mots inintelligibles.

En mettant pied à terre, il réfléchissait : « La manœuvre de François Beille me paraît bien compliquée ! Il eût été plus simple de foncer carrément vers le nord, où il semble qu'il n'y ait personne, mais, bien entendu, j'exécuterai scrupuleusement ses ordres. »

Et une idée lui vint encore : il allait faire préparer un bûcher gigantesque au pied de la tour survivante de Smolensk, dont la fumée leur servirait de point de repère pendant qu'ils galoperaient dans la plaine, et tant mieux si le feu faisait griller les corps des fusillés russes encore accrochés à la muraille !

*
* *

De son côté le général Beille rentra au palais Kalinitzy. Les événements de la journée l'avaient beaucoup secoué. Le commandant de Flahault était un de ses camarades de la Grande Armée. Il appartenait, comme lui-même, au groupe de jeunes officiers formés dans les écoles militaires de la royauté, qui avaient décidé de servir l'Empire. Beaucoup d'entre eux avaient déjà été tués dans des batailles sanglantes, à Eylau, à Wagram, à la Moskova. Combien seraient-ils à revenir de Russie ?

Son plan de départ de Smolensk le préoccupait aussi. Arrighi avait raison : il était un peu compliqué. Mais cette complication tenait au fait qu'il visait à la fois deux objectifs, évidemment contradictoires : l'un était d'entretenir la confusion du commandement russe dans la préparation de la grande bataille ; et l'autre était d'assurer la survie des hommes et des moyens de sa division. Pour réussir, ce plan devrait être réalisé ponctuellement, et cela dépendrait des manœuvres de la cavalerie : heureusement Villefort et Verowski étaient deux officiers exceptionnels.

En arrivant dans la salle à manger, où il avait l'intention de dîner sans attendre, il aperçut Marie-Thérèse. Il lui sembla qu'elle était seule.

« Il n'y a personne avec toi, Marie-Thérèse ?

— Non ! Je suis seule pour vous servir le dîner. Les autres sont partis ; la cuisinière russe, Anna, a filé après la fusillade, et Le Lorrain est en train de préparer votre voiture pour le départ de demain. Mais j'ai un souper prêt pour vous. Le voulez-vous maintenant ?

— Oui, s'il te plaît.

— Il est très simple : une soupe de pommes de terre, de la charcuterie aux choux, et une pomme que j'ai fait bouillir. Je vous servirai aussi la dernière bouteille de vin français que j'ai rapportée de la cave du comte Tzlykov.

— Ce sera parfait. »

Marie-Thérèse apporta la soupe, puis le plat de charcuterie à la russe. Elle portait toujours sa jupe polonaise. Quand elle passait près de lui, François Beille était tenté de lui saisir la taille, qu'il jugeait ravissante, souple et vigoureuse, mais il se l'interdit. Ce serait lui manquer de respect, la traiter comme une fille de salle, et ce n'était pas vraiment le jour.

Lorsqu'elle revint avec la pomme bouillie et la bouteille de vin français, François Beille avança une chaise près de la sienne et lui demanda d'apporter un second verre.

« Viens t'asseoir, lui dit-il. Nous allons trinquer au départ de Smolensk.

— Je n'ose pas, général. Ce n'est pas ma place », lui dit-elle. François Beille lui prit la main, et la força fermement à s'asseoir. Elle arrangea les plis de sa jupe polonaise sur ses genoux.

« Ce costume te va très bien, lui dit-il. Est-ce que tu vas l'emporter ?

— Non, je vais le laisser ici, je ne suis pas une voleuse ! Je le remettrai où je l'ai pris. Mais, ajouta-t-elle, avec un sourire malicieux, j'en rechercherai un plus joli quand nous serons arrivés à Varsovie ! »

François Beille s'empara de la bouteille et remplit les deux verres.

« Tu n'es pas trop malheureuse ici ? lui demanda-t-il.

— Non, je ne suis pas malheureuse. J'ai mon travail à faire, et je suis fière de vous servir.

— Et tu n'as pas trop peur ?

— Je n'ai pas peur, puisque vous êtes là pour me protéger. Je ne vais jamais dans la ville, mais méfiez-vous d'Anna. Elle ne sait pas que je comprends le russe, et je surprends des conversations avec des passants où elle donne des renseignements sur vous. Je ne serais pas surprise que ce soit une espionne...

— Elle n'aura plus grand-chose à espionner puisque nous partons demain matin ! Tu feras le trajet dans la voiture avec Le Lorrain, et emporte bien toutes tes provisions. Sois prudente parce que le parcours sera difficile. Et maintenant, si tu veux bien, buvons au succès du départ de Smolensk !

— Et à l'arrivée à Varsovie ! » chuchota Marie-Thérèse.

Ils trinquèrent tous les deux, et François Beille saisit la bouteille pour verser le reste du vin dans leurs verres.

*
*   *

En remontant l'escalier, François Beille avait l'idée d'aller faire une visite d'adieu à la comtesse Kalinitzy. Il attendit que Marie-Thérèse soit sortie de la maison pour regagner son logement à l'extrémité de la place, et il rentra dans sa chambre pour chercher la clé du passage. Il était habité, et agité, par deux sentiments associés et contraires. L'un était le bonheur de retrouver la comtesse Krystyna, et de reprendre leur dialogue amoureux là où ils l'avaient laissé. Ce désir le faisait griller d'impatience. Mais l'autre était la conscience que son départ matinal allait apporter une fin définitive à leur rencontre. Dans l'instant, c'était le désir qui était le plus fort.

Il retira la clé du livre, qu'il remit à sa place, car il n'aurait plus l'occasion de l'ouvrir. Puis il retira sa veste, et se plaça devant la glace pour ajuster son gilet. Il passa sa main dans ses cheveux et s'observa. « Je n'ai pas l'air trop hagard », pensa-t-il.

Il prit une bougie, traversa l'antichambre, et tenta d'enfoncer la clé dans la serrure. Il rencontra une résistance qui ne le surprit pas. « C'est une vieille serrure, qui n'a pas beaucoup servi, se dit-il, il est naturel qu'elle fonctionne mal. » Et il refit la manœuvre. La clé s'obstinait à ne pas avancer dans la serrure, et François Beille commença à s'inquiéter. Il retira la clé, et rapprocha la bougie pour observer l'intérieur de la serrure. Il découvrit que celle-ci était occupée par une autre clé, qu'une main avait introduite de l'autre côté. Il secoua violemment la porte, mais en vain.

Il resta stupéfait. La vérité lui apparut, aussi brutale qu'un coup de poing dans la région du cœur. C'était la comtesse Kalinitzy qui avait placé là sa clé, pour lui interdire le passage.

Il resta un long moment immobile, à écouter des bruits qui ne venaient pas, puis se décida à regagner sa chambre. Il ôta son gilet, et conserva sa chemise, trempée de sueur. Ainsi elle lui en voulait, et lui faisait sans doute le reproche de ne pas lui avoir annoncé son départ, qu'elle avait appris par Maria. Il ne pourrait pas lui dire au revoir, il ne la reverrait jamais. Son désespoir était un trou noir. La fatigue prit peu à peu le dessus. Son sommeil fut haché de cauchemars. Dans l'un d'entre eux, Flahault le provoquait en duel. Dans un autre, la comtesse Kalinitzy s'enfuyait à cheval, alors qu'il la poursuivait à pied, hors d'haleine, en butant contre des pierres.

C'est Le Lorrain qui vint le réveiller.

« Il est 4 h 30, lui dit-il. Il faut vous préparer au départ ! Je vous attends en bas. »

François Beille se leva lourdement. Il n'avait de cœur à rien.

*
* *

Chapitre XI

L'adieu à Smolensk

À 5 heures, lorsque François Beille descendit dans la salle à manger, après s'être rasé à l'eau froide et avoir rangé au carré ses couvertures, conformément aux règles de la Garde impériale, il n'y trouva que son ordonnance, Le Lorrain.

« Marie-Thérèse n'est pas ici ?

— Non, elle est en train de charger notre voiture, mais je vous ai préparé du café, lui dit Le Lorrain, en déposant sur la table un bol rempli d'un liquide noir, auprès duquel il plaça deux tranches de pain de seigle, et une minuscule noisette de beurre.

— Pendant que je boirai mon café, peux-tu monter dans ma chambre, et ramasser tout ce que j'ai laissé traîner. »

Le café bu, François Beille ouvrit la porte, et avança sur le trottoir de la place. Il faisait encore nuit. Ses yeux distinguèrent, devant le palais Kalinitzy, la silhouette d'une voiture et de deux chevaux, autour desquels des ombres s'agitaient. Il s'en approcha. Lorsqu'il fut plus près, il vit qu'il s'agissait de trois personnes. La plus élancée était la comtesse Kalinitzy. Elle avait revêtu ce qui était sans doute une tenue de voyage, un long manteau de fourrure rase, fermé par une ligne de boutons qui se prolongeait depuis le cou jusqu'à ses bottes basses, et elle portait sur la tête une toque ronde de la même fourrure. À côté d'elle on pouvait reconnaître la petite Olga, qu'elle tenait par la main, et qu'on aurait prise pour une réduction en miniature de la comtesse car elle était habillée du même manteau et de la même toque. Derrière elles se tenait une forme arrondie, enveloppée dans une houppelande de laine. C'était la cuisinière allemande, qui portait un chat dans ses bras, et murmurait :

« *Konnte ich meine Katze mitbringen*[1] *?* »

François Beille enleva son chapeau d'uniforme, et se rapprocha de la comtesse.

« Puis-je vous demander, madame, où vous avez l'intention de vous rendre ?

— Je compte me joindre à votre convoi, répondit-elle d'une voix que l'épaisseur de la nuit assourdissait.

— Mais c'est un convoi militaire, et vous n'avez pas demandé d'autorisation ! répliqua François Beille, piqué par cette désinvolture.

— Je n'imaginais pas que vous refuseriez ! »

Beille se rapprocha encore. Il voyait maintenant les détails de son visage, l'émail blanc de ses yeux, sa bouche, sa fossette. Il choisit de lui parler à voix basse, comme si l'obscurité pouvait suffire à étouffer les mots, qu'il ne voulait pas que Le Lorrain puisse saisir.

« J'ai cherché à venir chez vous hier soir, lui dit-il. Je voulais vous annoncer ce départ, et aussi vous dire adieu, mais j'ai trouvé la porte fermée.

---

1. « Puis-je emporter mon chat avec moi ? »

— C'est moi qui l'avais fermée. Je ne voulais pas vous revoir. Vous n'auriez jamais dû faire fusiller ces pauvres gens. Ils ne vous avaient fait aucun mal ! »

François Beille décida de se taire. Toute réponse serait inutile. Il attendit un instant avant de poser sa question :

« Pourquoi avez-vous décidé de partir ?

— Parce que après les fusillades d'hier, la violence a atteint dans la ville un niveau insupportable. Vous avez su qu'on jetait des pierres sur vos hommes. La cuisinière russe, Anna, s'est enfuie de la maison, et elle doit diffuser des racontars venimeux sur vous et sur moi, qu'elle déteste parce que je suis à moitié polonaise. Je voulais éviter à Olga d'être prise dans ces horreurs, aussi ai-je décidé de partir. Je vais essayer de rejoindre ma mère, qui vit à Varsovie. »

Pendant qu'elle parlait, le jour commençait à se lever. « C'est toujours la même féerie que ce passage de l'obscurité à la lumière, pensait François Beille, qui voyait surgir de minute en minute l'alignement blanc des façades des maisons de la place. Et c'est exactement le même effet que produit le lever du rideau sur la scène d'un grand Opéra ! »

L'attelage de la comtesse Kalinitzy était maintenant clairement visible. C'était une calèche noire, avec des malles à l'arrière. Elle était tirée par deux chevaux à la robe grise pommelée, harnachés de colliers de cuir noir et de cuivre.

« D'où vient cette voiture ? demanda Beille, surpris par son élégance.

— Elle était restée cachée dans une arrière-cour. C'est celle que j'utilisais pour me rendre dans notre maison de campagne. J'ai pu persuader notre cocher de l'entretenir, et de la préparer. Mais dès qu'il eut fini, il a disparu à son tour !

— Mais alors, qui va la conduire ?

— Ce sera moi ! J'en ai l'habitude. J'ai même suivi avec mon mari des chasses au loup dans la campagne !

— Il ne s'agit pas de chasses, mais d'un trajet qui va être long et éprouvant ! »

Le général Beille fit un signe de la main pour inviter Le Lorrain à se rapprocher.

« La voiture de la comtesse Kalinitzy accompagnera notre convoi, car elle souhaite se rendre à Varsovie, lui ordonna-t-il, mais elle n'a personne pour la conduire. Peux-tu l'emmener sur la grand-place, et voir avec le major polonais si, parmi les lanciers blessés que nous ramenons avec nous, il y en a un ou deux qui pourraient conduire la voiture de la comtesse. Quand vous prendrez la route, tu te mettras en tête avec ton fourgon, et tu te feras suivre par la voiture de la comtesse. »

Pendant qu'il donnait ses ordres, la comtesse Kalinitzy avait écouté sans bouger la conversation.

« Alors nous allons pouvoir partir ? » demanda-t-elle.

Son regard croisa celui du général Beille. Leurs yeux, quand ils se rencontrèrent, portaient la trace du trouble et du regret dé licieux des soirées et des nuits qu'ils avaient passées ensemble.

« Oui, madame », répondit-il.

Et il remit son chapeau, pendant que la cuisinière allemande et la petite Olga s'affairaient à bourrer les coffres de la voiture de sacs contenant les dernières provisions, et les souvenirs de la maison qu'elles souhaitaient soustraire à la destruction.

Un long rouleau de toile était appuyé contre une roue.

La comtesse Kalinitzy qui suivait son regard lui en fournit l'explication :

« C'est le portrait de ma mère qui était accroché dans le salon. Je l'ai détaché ce matin de son cadre. »

François Beille se souvint que c'est grâce à la ressemblance de ce portrait qu'il avait identifié la jeune comtesse.

*
*   *

La division Beille, qui se préparait au départ, suffisait à remplir la grand-place de Smolensk ; en dépit du brouhaha que faisaient les différentes unités, le spectacle était celui d'une organisation rigoureuse.

À l'extrémité sud de l'espace, les deux escadrons de cavalerie étaient alignés côte à côte. C'était eux qui devaient démarrer en premier. Les deux colonels, Verowski et Villefort, en uniforme de combat, placés en tête, attendaient de donner l'ordre de la mise en route. Leurs adjoints se tenaient en retrait derrière eux. Les pelotons étaient séparés par un espace dans lequel le lieutenant en charge et les deux sous-officiers formaient un triangle. La file des lanciers polonais était plus longue que celle des dragons de la Garde, dont le général Beille avait détaché un peloton pour fermer la marche des bataillons d'infanterie. Les chevaux des dragons avaient une robe brune, tandis que ceux des lanciers l'avaient presque noire. Tous ces animaux respectaient leur alignement, leurs yeux globuleux allumés de curiosité, mais ils grattaient les pavés de la place de leurs jambes avant, pour montrer leur impatience de partir.

Derrière les deux escadrons se tenaient les batteries d'artillerie, dont les canons étaient tirés par des chevaux plus lourds, tandis que les servants, en uniforme ardoise, étaient assis sur les caissons.

Au centre de la place, le colonel Arrighi se dépensait pour mettre en place la colonne d'infanterie. Il avait envoyé des gendarmes munis de fouets galoper sur les trottoirs pour éliminer la présence des observateurs civils. Le bataillon suisse partirait le premier en direction de la porte de l'Ouest, suivi par le bataillon savoyard. Derrière celui-ci s'avancerait la cohorte des véhicules civils, fourgons, calèches et charrettes, qui s'étaient regroupés au bout de la place, et dont l'aspect désordonné exaspérait Arrighi. Le troisième bataillon, celui des fantassins bavarois, avancerait après les voitures civiles, et les deux batteries d'artillerie ainsi que le peloton de dragons fermeraient la colonne.

Les fantassins recouvraient tout le côté gauche de la place. Le colonel Arrighi avait donné l'ordre qu'ils soient alignés par rang de six, pour tenir compte de l'étroitesse des routes qu'ils devraient emprunter. Ainsi chaque bataillon occupait une longueur d'un peu plus de cent mètres. Les colonels se tenaient en tête, montés sur leur cheval. Les sous-officiers étaient disposés suivant les règles, trois devant, et deux sur les côtés.

Arrighi trotta le long de la place. Tout lui paraissait être en ordre. Il salua au passage les colonels Grainberg, Frejoz et Schmidt, qui lui rendirent son salut. Il était 6 heures. Le soleil brillait à l'est, dans un ciel dégagé.

On entendit le son clair d'une trompette. C'était la cavalerie qui se mettait en marche en direction du sud.

*

*   *

François Beille voulut contempler le spectacle de l'arrivée de la cavalerie dans la plaine.

Suivi du lieutenant Villeneuve, il partit en direction de la porte, et chercha à monter sur la muraille. Il fut soudain enveloppé d'une fumée blanche qui jaillissait de l'immense brasier que le colonel Arrighi avait fait allumer, en rassemblant tout ce qu'on avait pu trouver de planches et de poutres, pour servir de point de repère aux unités qui manœuvreraient loin de la ville. Soudain le nuage de fumée se couronna de flammes qui montèrent droit dans le ciel, aspirées par la sécheresse car il n'y avait pas de vent, et elles faisaient apparaître le chaos désarticulé des murs de Smolensk.

Beille tourna la tête pour ne pas risquer d'apercevoir les cadavres pantelants des fusillés de la veille, et il arriva au sommet d'un monticule. De là il découvrit l'étendue de la plaine. C'était un spectacle magnifique.

Sur la gauche, les lanciers polonais avançaient en rang de douze, leurs lances dressées au-dessus de leurs uniformes à pantalon rouge. Le comte Verowski galopait devant eux.

À droite, c'était la masse sombre des dragons de la Garde. Leurs chevaux allaient au trot, et le colonel de Villefort s'appliquait à faire avancer le sien comme s'il s'agissait d'un carrousel à l'école de cavalerie.

Entre les deux, et en retrait, progressaient les batteries d'artillerie.

Le général Beille sortit son télescope pour observer la manœuvre. C'était donc cela la guerre, la guerre telle qu'il l'avait rêvée, un spectacle ordonné sous le soleil, où les mieux entraînés et les mieux commandés finiraient par l'emporter !

Un canon tira un coup dans la campagne, qui fut couronné d'un minuscule flocon de coton blanc. Les cavaliers avaient dû tomber sur une patrouille russe. Beille en avait assez vu. Il fit faire demi-tour à son cheval. Les flammes du brasier étaient maintenant gigantesques. Il rentra dans la ville éclairée par cette lueur sauvage. Il arriva sur la place au moment où la colonne Arrighi se mettait en mouvement. Il était exactement 7 heures. Le groupe bigarré des voitures civiles commençait à rouler. Beille distingua de loin le fourgon de Le Lorrain et la calèche de la comtesse Kalinitzy, et il décida de se joindre au peloton de dragons qui allait fermer la marche.

*
*   *

Chapitre XII

La traversée de la forêt de Katyn

Le trajet de la colonne d'infanterie se passa sans encombre. Elle ne rencontra personne jusqu'à son entrée dans la forêt de Katyn. La bordure de celle-ci était peuplée de bouleaux, mais très vite ceux-ci étaient remplacés par des sapins impénétrables. Il était impossible pour le regard de voir à plus d'une dizaine de mètres. Heureusement la route principale le long de laquelle avançait la division était large. Ses côtés avaient été déboisés, et étaient recouverts d'une herbe épaisse.

Le seul incident fut la rencontre d'une petite unité d'infanterie russe qui s'était sans doute égarée dans la forêt. Lorsqu'ils s'aperçurent qu'ils tombaient sur une colonne ennemie, ils s'enfuirent et s'égaillèrent dans les bois. Les Savoyards du 141e régiment de ligne se lancèrent à leur poursuite. Ils se faufilaient entre les troncs et sautaient par-dessus les branches, comme s'il s'était agi d'une chasse au chamois. Quant ils rattrapaient un Russe, on entendait le crépitement d'un coup de fusil. Un des fuyards qui avait enfoncé le pied dans un trou s'était cassé la jambe. Les Savoyards décidèrent de l'épargner. Ils l'abandonnèrent sur place et rejoignirent le convoi.

Le général Beille avait fixé à 4 heures de l'après-midi le rendez-vous au grand carrefour de la forêt entre les cavaliers arrivant de leur manœuvre de diversion au sud et la division venant de l'est. Les fantassins, marchant à marche forcée, étaient arrivés les premiers. Le colonel Arrighi, toujours infatigable, avait entrepris de fortifier le carrefour au cas où les unités de cavalerie auraient été poursuivies par des régiments cosaques. Il avait fait couper des arbres, dont les troncs barraient la route, et placé deux canons de chaque côté, pointés vers le sud.

Juste au moment où ces travaux s'achevaient, on vit s'élever au loin sur la piste un nuage de poussière. À l'aide de son télescope François Beille reconnut les cavaliers. C'étaient les dragons de la Garde. La manœuvre avait réussi. Le colonel de Villefort galopait en tête.

Quand il fut à portée de voix, Beille l'interpella :

« Tout s'est bien passé, Aimery ? lui demanda-t-il.

— Non, François, il y a eu un malheur.

— Qu'est-il arrivé ?

— Nos camarades polonais qui contournaient la forêt sont tombés sur le cantonnement d'un régiment d'infanterie russe, qui a été pris par surprise. En le découvrant, Verowski a donné à ses hommes l'ordre de charger. Ils ont traversé le camp au galop, en transperçant tout ceux qu'ils rencontraient. Par malchance il y avait un groupe dans un coin, qui faisait un exercice, ils étaient armés de fusils. Ils ont tiré sur les Polonais, et tué Verowski d'une balle dans la tête, ainsi que plusieurs de ses hommes. Les autres se sont regroupés, et

ont réussi à nous rejoindre. D'ailleurs, regarde !
Ils arrivent. »

En effet, loin dans l'allée, on apercevait une
nouvelle chevauchée. Une dizaine de minutes plus
tard, les lanciers polonais arrivèrent au carrefour.
Un jeune officier était à leur tête. Il arrêta son
cheval, et se présenta.

« Je suis le capitaine Zalisky, mon général ;
j'étais l'adjoint du colonel Verowski, qui vient
d'être tué courageusement au combat. J'ai pris
provisoirement le commandement de l'escadron.

— Vous avez perdu beaucoup de monde ?

— Je ne peux pas vous le dire exactement. Nos
hommes étaient dispersés après la charge. J'ai
compté moi-même sept tués. Peut-être y en a-t-il
d'autres, mais il y en a encore qui reviennent. »

Effectivement des cavaliers isolés galopaient à
l'extrémité de l'allée.

« Avez-vous ramené le corps du comte Verowski ?

— Malheureusement non. Il était encore dans le
campement des Russes, et il nous était impossible
de revenir en arrière et de descendre de cheval.

— C'est triste pour sa famille !

— Je le sais. Nous l'admirions beaucoup, mais
nous ne pouvions rien faire...

— Faites reposer vos hommes, et venez tout à
l'heure recevoir mes ordres. »

Le général Beille s'éloigna à cheval accompagné
du colonel de Villefort.

« C'est bien malheureux, lui dit-il, car Verowski
était un officier très courageux, et presque un ami.

— Un ami, oui, et même chaleureux, répliqua
Villefort, mais aussi un officier imprudent. Il
n'aurait jamais dû charger dans ce campement !
Il y avait trop d'obstacles, des tentes, des cordages,

des ustensiles en tout genre. On ne pouvait pas s'en sortir.

— Tu ne l'aurais pas fait, Aimery ?

— Non, je ne m'y serais pas risqué ! J'aurais épargné mes hommes.

— En même temps sa charge a crédibilisé notre manœuvre. Les Russes doivent redouter maintenant une attaque venue du nord.

— C'est vrai, mais ce n'était pas intentionnel », répondit froidement Villefort.

Derrière les derniers cavaliers débouchaient maintenant les deux batteries d'artillerie. Elles avaient dû effectuer un détour.

Comme le crépuscule approchait, le général Beille décida que la division resterait sur place, et passerait la nuit dans la forêt. Elle ne repartirait que le lendemain matin. Il demanda au colonel Arrighi de l'accompagner pour mettre au point le dispositif.

Ils commencèrent par le carrefour où les barrages seraient renforcés sur les allées, et où les batteries d'artillerie seraient positionnées en direction des deux axes venant de l'est et du sud.

À l'est, précisément, le brasier de Smolensk faisait rougeoyer le ciel.

Le reste de la division serait étiré le long de la piste du nord-ouest, la future route du départ. En avançant, Beille et Arrighi pouvaient vérifier la manière dont les unités s'organisaient. D'abord les Suisses, qui devraient assurer la veille au carrefour. Ils installaient leurs petites tentes sur l'herbe. Comme ils avaient enlevés leurs lourdes redingotes, ils étaient tous en bras de chemises, et leurs culottes étaient soutenues par de larges bretelles.

Certains d'entre eux commençaient à préparer des feux.

Plus loin, les cavaliers attachaient de longues cordes entre les troncs des arbres, sur lesquelles ils viendraient fixer les licols de leurs chevaux, qui s'aligneraient face au bois. En attendant, ils les emmenaient boire dans un petit étang qu'on avait découvert dans la forêt.

Au-delà, Beille et Arrighi longèrent les préparatifs du bataillon bavarois. Certains soldats reprenaient en chœur des chansons allemandes.

L'étape suivante était celle des accompagnateurs civils de la division. Ceux-ci restaient fidèles à leur image désordonnée. Ils témoignaient en même temps de leur capacité à s'organiser. Des cantinières aux manches relevées et aux bras vigoureux farfouillaient dans des bassines. De rares enfants jouaient à sauter dans les voitures en poussant des cris aigus. Les hommes étaient assis autour des feux et sculptaient avec leurs couteaux des morceaux de bois. Il régnait déjà une odeur de cuisine. Les réfugiés s'étaient regroupés en fonction de leur langue : des Françaises et des Français à l'allure plus bourgeoise, qui devaient être des commerçants moscovites ; des Polonais et des Russes enveloppés dans des monceaux d'étoffe, et quelques Allemandes qui se tenaient à l'écart, au pied de leur voiture. La variété des véhicules défiait la description, depuis le char bas à quatre roues, jusqu'aux charrettes et aux chariots bâchés de toile beige sur des arceaux circulaires. Les chevaux aux pattes entravées paissaient dans l'herbe. Et au bout de cet alignement disparate s'élevait la haute calèche de la comtesse Kalinitzy, qui dominait le groupe de sa carrosserie vernissée.

François Beille s'en rapprocha et vit que les rideaux étaient tirés aux fenêtres. La comtesse et Olga devaient se préparer à dormir. Il s'était juré de ne pas leur rendre visite pendant le trajet, mais seulement de les saluer lorsqu'il passerait à hauteur de leur voiture. Le cocher polonais s'était étendu sur la banquette avant, après avoir dételé les chevaux, qui étaient attachés à un arbre à quelques mètres de la calèche. Il avait ramené sa couverture sur son visage.

Un peu plus loin, se trouvait le fourgon de Le Lorrain. François Beille l'observa au passage. Tout était soigneusement rangé à l'intérieur, mais il semblait déserté.

Le dernier campement était celui des voltigeurs français. Le colonel Frejoz circulait à pied parmi ses hommes, en échangeant des observations avec eux, dans un français mâtiné de savoyard. On voyait que c'était des hommes habitués au grand air. Leur installation avait l'allure d'une implantation régulière.

Le colonel Frejoz interpella François Beille :

« Mon général, si vous avancez encore un peu, vous trouverez l'emplacement préparé pour vous. »

Effectivement, à quelques centaines de mètres plus loin, une clairière avait été aménagée. Le Lorrain y trônait, en compagnie de Marie-Thérèse et de quelques soldats savoyards qu'ils avaient embauchés. Deux tentes avaient été dressées sur la gauche, et une autre en face. Au milieu, des sièges pliants avaient été disposés autour d'un feu de bois.

« Cette tente est pour vous, lui indiqua Le Lorrain. Marie-Thérèse y a apporté vos affaires. Celle d'à

189

côté sera pour le colonel Arrighi, et celle d'en face pour les deux colonels de cavalerie. Nous avons prévu qu'ils dormiraient ensemble. »

« Il n'en reste plus qu'un seul », pensa François Beille.

« En ce qui concerne les officiers des fantassins, reprit Le Lorrain, ils nous ont dit qu'ils préféreraient camper avec leurs hommes. »

Marie-Thérèse ajoutait des bûches dans le feu, qui allait aussi servir de fourneau. François Beille lui fit signe de s'approcher. Elle était jolie à regarder, avec une jupe longue de laine verte, ourlée de noir, et une sorte de gilet ouvert sur un chemisier à fleurs jaunes. Elle portait des gants de travail.

« Tu es bien élégante dans ta tenue de voyage ! lui dit-il. Comment te débrouilles-tu ? Tu n'as pas trouvé cet ensemble dans un magasin de mode à Smolensk ?

— Je vous ai dit, général, que je ne suis pas sortie une seule fois dans la rue. J'avais trop peur. Mes vêtements viennent de Moscou. Avant votre arrivée il y avait beaucoup de magasins de mode, et d'ailleurs, parmi les réfugiés, il y a une dame qui tenait une boutique française. »

J'espère qu'elle a emporté la caisse, pensa François Beille, et il ajouta : « Tu vas nous préparer un bon dîner ? »

« Je ferai de mon mieux, répondit Marie-Thérèse, mais les provisions ne sont pas variées. J'ai apporté du vin, et du cognac. Ce sera prêt dans une demi-heure. Je suis aidée par des Savoyards.

— Où dormiras-tu ?

— Dans notre fourgon ! Nous avons disposé les caisses au milieu. Cela fait une sorte de cloison, et il y a une place pour dormir de chaque côté, une pour Le Lorrain, et une pour moi.

— Tu as pensé à tout, Marie-Thérèse », lui dit François Beille, sur un ton amusé.

En se retournant, il vit que le colonel de Villefort et le capitaine Zalisky les avaient rejoints. Les soldats du régiment savoyard avaient aménagé une table en rondins près du feu. Ils s'assirent tous les quatre autour d'elle dans les fauteuils pliants. Les deux cavaliers étendirent leurs jambes.

« Il n'y a rien de plus agréable au monde, se dit le colonel de Villefort, que d'étirer ses jambes le plus loin possible, y compris jusqu'à la plante et les doigts de pied, après une journée passée à galoper. C'est une sensation délicieuse. »

Il ferma les yeux. Il était chez lui dans le Périgord, étendu sur son lit, après avoir couru le chevreuil. La voix du général Beille le ramena à la réalité.

« Malgré les malheurs de nos amis polonais, dit-il, le bilan de la journée est positif. Nous avons semé la confusion sur le flanc de l'armée russe, et nous avons réussi à sortir de Smolensk sans trop de pertes. La ville doit être à feu et à sang, ajouta-t-il, en regardant la lumière sinistre qui se réverbérait dans la nuit. Nous sommes ici sur la grande piste de la forêt de Katyn qui conduit vers le nord-ouest. Nous traverserons le Dniepr demain, et je crois que nous ne rencontrerons personne, car les Russes font porter tous leurs efforts vers le sud, d'où ils attendent des renforts, et vers l'ouest où ils espèrent rattraper la Grande Armée. De l'autre côté du Dniepr, nous joindrons la route de Minsk, nous la suivrons, et selon l'ordre de l'Empereur, lorsque après quatre jours de marche nous aurons rejoint Barysau sur la Berezina, nous couperons directement vers l'ouest, en direction de Vilna. C'est là sans doute que se déroulera la grande bataille. »

Le Lorrain était venu discrètement apporter des verres à demi remplis de cognac. Le feu faisait craquer le bois sec, d'où jaillissaient des étincelles. Comme la route, depuis le carrefour, montait en pente légère, la vue portait sur plusieurs kilomètres. François Beille contemplait l'alignement des feux qui étaient maintenant tous allumés, et les ombres des silhouettes qui passaient au loin devant les flammes. Le ciel était pur, et la lune qui était à son premier quartier jetait une lumière blême sur le haut des arbres. Marie-Thérèse commençait son service avec une soupière remplie de potage aux choux rouges.

Est-ce vraiment la guerre, se demandait François Beille, devant ce scintillement de lumières minuscules, cette lueur opale qui tombait sur cette immense forêt silencieuse, et le froissement laineux de la robe de Marie-Thérèse ? Est-ce vraiment la guerre, ou une sorte de rêve dans la guerre ? Soudain il retrouva le regard lancinant du voltigeur de la Moskova, qui le poursuivait souvent la nuit, et il imagina le corps du colonel Verowski étendu sur le sol boueux du campement, auquel les soldats russes donnaient en passant des coups de pied. Oui, c'est la guerre, se dit-il, et il plongea la louche dans la soupière que lui tendait Marie-Thérèse.

*
* *

192

Le lendemain matin, samedi 17 octobre, la division Beille s'ébranla en direction du nord-ouest. Elle conservait le même ordre de route. Les batteries d'artillerie fermaient la marche, pour le cas où l'armée russe aurait tenté une improbable poursuite. Rien de tel ne se produisit. Les lanciers polonais cueillaient bien de temps en temps des gueux en haillons qui sortaient des bois. Selon leur humeur, ou les insultes qu'ils échangeaient, ils les décapitaient d'un coup de sabre, ou les laissaient s'enfoncer à nouveau dans la forêt. C'est seulement en fin de journée, après avoir traversé une plaine, que la division arriva au bord du Dniepr, où elle campa, en profitant des facilités que lui offrait le fleuve. Elle se trouvait alors à une cinquantaine de kilomètres à l'ouest de Smolensk, dont la fumée avait disparu du ciel.

Elle avait réussi sa sortie.

*

*　　*

Chapitre XIII

La grande plaine

Le trajet à travers la grande plaine fut sans histoire. Le pays était marécageux, mais la route que la division avait maintenant rejointe était sèche. L'armée russe restait invisible plus loin dans le sud. Le général Beille estimait que sa division et les forces de Koutouzov suivaient des trajectoires exactement parallèles, et que le général russe ne voyait aucun intérêt à tenter une diversion sur son flanc nord, tant il était impatient de rattraper la Grande Armée avant que celle-ci n'ait franchi le Niémen, et se soit proclamée victorieuse.

Il restait encore trois jours pleins avant d'atteindre la Berezina. François Beille aimait regarder la progression de sa division. Il lui arrivait de s'écarter de la route, suivi de quatre cavaliers, et de s'éloigner de deux ou trois kilomètres, à la recherche d'un petit monticule. Il s'y arrêtait, et tirait de ses fontes son télescope. Il observait sur l'horizon l'avancée de sa colonne. Chaque unité était bien regroupée. Les soldats ne marchaient pas au pas, mais ils étaient presque en ligne, et les officiers les précédaient, montés sur leurs chevaux. Au milieu du cortège il voyait passer le flot surprenant des voitures civiles, précédé de la silhouette hautaine de la calèche de la comtesse Kalinitzy, qu'il n'avait pas revue depuis Smolensk. Les batteries d'artillerie défilaient en dernier, entourées des lanciers polonais. Alors François Beille repliait son télescope, lançait son cheval au galop, et rejoignait la troupe. Le soir, avant de s'endormir, il lui arrivait de revoir la scène, la longue file des unités, profilées sur la grisaille du ciel, d'où jaillissaient les pointes noires des fusils. Il se sentait heureux de ramener sa division presque intacte, avec moins de quarante morts, et une trentaine de blessés graves qu'on transportait sous leur charpie rouge et soignait grossièrement dans les charrettes.

Il avait accompli jusqu'ici la première mission que lui avait confiée l'Empereur, en ralentissant la poursuite de Koutouzov, et en créant la confusion autour de Smolensk. Il lui restait à s'acquitter de la dernière, qui était d'intercepter les fuyards russes après la prochaine bataille. Il avait peu d'hommes pour cela, mais il ferait de son mieux. Il fallait seulement se hâter d'avancer.

Le jour de la pleine lune, le mardi 20 octobre, il fit progresser sa division jusqu'à 11 heures du soir, pour gagner du temps. Les soldats et lui-même couchèrent à même le sol, en grappillant quelques brins de paille, et en s'enroulant dans leurs redingotes.

Le troisième jour, quand il arriva à la hauteur de la calèche de la comtesse Kalinitzy, il vit que la vitre de la portière était baissée pour lui permettre de se pencher et d'observer le paysage. Elle fit un signe de la main au général Beille en l'invitant à se rapprocher. Celui-ci fit avancer son cheval le long de la voiture. Il remarqua la finesse de la main de la comtesse qui pendait maintenant à la portière.

« Les choses vont-elles comme vous le souhaitez, général ? » lui demanda-t-elle.

Ils n'avaient pas échangé une parole depuis leur entretien, le matin du départ, devant le palais, à Smolensk.

« Oui, à peu près ! répondit Beille. Le départ a été difficile, mais après cela s'est arrangé. Votre trajet n'est-il pas trop éprouvant, et vous reste-t-il encore des provisions ?

— Suffisamment ! dit-elle. Le roulement de la calèche hachait sa voix. Et quand nous manquons de quelque chose, votre personnel nous dépanne. Mais j'ai une question à vous poser. Allons-nous être mêlés à une bataille ?

— Pas directement, madame. Il y a assurément une bataille qui se prépare. Koutouzov voudrait empêcher l'Empereur de franchir le Niémen avec son armée. Mais c'est encore loin devant nous. J'ai reçu l'ordre de me tenir en arrière. Dans deux jours, nous arriverons, je pense, à Barysau, et vous devriez y trouver des conditions d'hébergement moins rustiques. Si j'ai de nouveaux renseignements, je vous les donnerai.

— Une dernière question, si vous me le permettez. Pourquoi ne m'appelez-vous pas Krystyna ? »

François Beille réfléchit avant de répondre. « Parce que nous sommes en guerre ! Parce que j'ai la mission de conduire cette division à bon port ! Et aussi, ajouta-t-il en souriant, et aussi parce que j'ai tort, Krystyna ! »

Il s'écarta de la calèche, mit son cheval au trot, et rejoignit la tête du convoi.

Chaque matin François Beille scrutait le ciel avec inquiétude. Il redoutait la pluie. L'automne avançait, et l'horizon était plombé de nuages gris, mais jusqu'ici la route était restée sèche. Un seul jour, celui de la pleine lune, la campagne avait été recouverte, au réveil, de gelée blanche. Le soleil l'avait fait fondre dans la matinée.

Le soir du 22 octobre, la division aperçut la Berezina, tel un serpent argenté dans la plaine. La route conduisait directement au pont jeté sur la rivière. Le colonel Arrighi se plaça juste derrière les lanciers polonais, auxquels il ordonna de se déployer sur la rive d'en face, et la division entama sa traversée du fleuve. L'eau s'écoulait en grosses vagues grises, charriant quelques branches mortes. On voyait que le pont avait été récemment consolidé, sans doute par les sapeurs du général Eblé, qui avaient dû passer par là. Un peu plus loin s'élevaient les toits de Barysau.

Le général Beille attendit que le dernier dragon de la division ait franchi le fleuve, puis il se tourna dans la direction inverse, saisit son chapeau dans sa main, et, dans un geste théâtral qui le surprit lui-même, il salua la grande plaine qu'il venait de traverser, avant de s'engager à son tour sur le pont.

Chapitre XIV

Le repos à Barysau, 22 octobre

Pour les soldats de la division Beille, l'entrée dans la petite ville de Barysau, sur le bord de la Berezina, marquait en quelque sorte la fin de la campagne de Russie. Certes, la guerre continuait, certes, une grande bataille se préparait, mais ils étaient revenus près de leur point de départ, et avaient achevé l'interminable aller et retour dans la plaine russe. Le cauchemar de Moscou était derrière eux, à près de mille kilomètres, et ils marcheraient désormais en direction de l'Europe, de ses vertes prairies, de ses champs soigneusement cultivés, et de ses villages aux fenêtres décorées de géraniums.

En flânant dans les rues de Barysau, pendant leur après-midi de détente, ils découvrirent une curieuse mise en scène. La ville n'avait pas été détruite, mais seulement traversée à trois reprises : par l'armée russe lorsqu'elle s'était dérobée devant Napoléon. Or elle n'avait pas encore mis en œuvre la tactique de la « terre brûlée » qu'elle adopterait entre Smolensk et Moscou. Elle s'était contentée de vider les granges et les garde-manger des maisons. La Grande Armée avait poursuivi ce travail. Comme Napoléon la pressait d'avancer, elle avait exercé une occupation brutale, mais sans destruction ni incendie. Seule la longue rue centrale gardait les marques de ces passages. Les portes restaient ouvertes, les volets avaient été arrachés de leurs gonds pour alimenter les feux de bois. Les boutiques conservaient des inscriptions sur leurs façades, peintes en grosses lettres noires ou rouges, que les soldats n'arrivaient pas à déchiffrer. À l'intérieur, les restes des étalages étaient éparpillés sur le sol. De gros rats gris dérangés dans leur activité de rongeurs couraient à la recherche d'un orifice où se réfugier.

En s'éloignant de quelques dizaines de mètres de la grand-rue, le spectacle changeait du tout au tout. Les habitants s'affairaient en portant des sacs, et en poussant des brouettes ou de petites charrettes. On aurait dit qu'ils cherchaient à retrouver leurs habitudes de vie à l'arrière du décor. À la différence de Smolensk, ils ne prêtaient aucune attention aux soldats, et ne leur jetaient aucun regard de haine, aspirant seulement à ne pas être dérangés.

Le Lorrain, accompagné de Marie-Thérèse qui lui servait d'interprète, parcourait la ville à la recherche d'un logement pour le général Beille et le colonel Arrighi. Son attention fut attirée par une tête de cerf en bois peint qui pendait de travers sur une façade. Elle devait indiquer une auberge. En entrant dans la maison, ils découvrirent une pièce sombre, dont les murs étaient noircis par la fumée. Le parquet craquait sous leurs pas. Au fond de la salle, derrière un comptoir, se tenait un vieillard au regard de fouine. « Je n'ai jamais connu quelqu'un qui porte à ce point extrême la trahison sur sa figure ! » pensa Le Lorrain.

La négociation fut brève. Alors que l'aubergiste poussait de petits gémissements, Marie-Thérèse était chargée de l'informer que son auberge était réquisitionnée pour deux jours, qu'il devait se sentir honoré, et qu'il était sommé de déguerpir. Le Lorrain, qui n'était pas sûr que sa pensée fût fidèlement traduite, esquissa un geste éloquent de sa botte pour la confirmer.

La ville bruissait des allées et venues des soldats, qui paraissaient renouer avec les agréments de la vie. Les Polonais semblaient particulièrement à l'aise, et négociaient de petits achats, comme dans une braderie. On devait vendre des boutons d'uniforme, et des calots de la Grande Armée, en échange d'icônes bariolées et de statuettes en forme d'œufs.

Le Lorrain aperçut la haute stature de François Beille sur son cheval, au-dessus de la foule. Il lui fit de grands signes pour s'approcher.

« Voici votre logement, lui dit-il. Je vais demander une garde devant la maison. Il y a deux belles chambres que vous pourrez occuper avec le colonel Arrighi. Marie-Thérèse et moi nous logerons à l'arrière, au-dessus des écuries, où vous allez pouvoir faire reposer vos chevaux. »

Le général Beille le remercia, et ajouta :

« Tu devrais t'occuper aussi du logement de la comtesse Kalinitzy et de sa fille.

— Ce n'est pas la peine, mon général, c'est déjà fait. On dirait qu'elle est ici chez elle. Elle donne des ordres à tout le monde. Elle s'est installée dans une belle maison, sur la place de l'église. J'ai compris qu'elle appartenait à un parent de son mari.

— Peux-tu la prévenir que je viendrai la saluer avant son souper, pour lui parler de la suite de son voyage. »

*

* *

Un peu avant 6 heures, le général Beille se présenta à l'entrée de la maison. Il y fut accueilli par la cuisinière Maria, rajeunie de dix ans, qui avait revêtu une tenue de service.

« Si Votre Excellence veut bien me suivre », déclara-t-elle pompeusement.

François Beille fut stupéfait par l'état de la maison. C'était une belle demeure, construite en pierre, dans le style du siècle précédent, mais elle était totalement vide, comme si elle avait été passée au racloir : pas un meuble, pas un objet, pas un tableau. Tout avait été déménagé ou volé, et se trouvait désormais dans des charrettes russes ou françaises.

Maria conduisit François Beille dans ce qui avait dû être un salon. La pièce était entièrement dépouillée. Il y avait des crochets sur les murs vides, et on y avait installé trois chaises rustiques, provenant sans doute d'un office, et qu'avaient dédaignées les pillards.

Sur l'une d'elles était assise la comtesse Kalinitzy, et sur une autre sa fille Olga, qui portait des chaussettes blanches et appuyait ses pieds sur la barre transversale de la chaise.

« Venez vous asseoir, général, dit-elle, c'est tout ce que je peux vous offrir, mais je crois que ce siège est solide. Je l'ai essayé pour m'en assurer. Je suis venue ici parce que je me souvenais que cette maison appartenait à un cousin de mon mari, et que nous nous y étions arrêtés une fois, sur la route de Varsovie. Elle était alors décemment meublée. Aujourd'hui, comme vous le voyez, il ne reste rien. Cela me fait penser à un crâne d'un trophée de chasse ! J'aurais aimé vous convier à souper, mais il n'y a pas une seule assiette...

— Je n'aurais pas pu accepter, madame. » Il l'appelait « madame » en raison de la présence d'Olga. « Nous sommes en opération, et je dois rester au milieu de mes hommes. C'est d'ailleurs pour vous en parler que je suis venu vous rendre visite. Quand nous avons échangé quelques propos à la portière de votre voiture, vous m'avez demandé avec inquiétude si nous allions être mêlés à la bataille. Je vais essayer de vous répondre. Je peux vous parler librement car nous sommes loin désormais des espions russes. Une grande bataille se prépare. Elle aura lieu devant nous. Nous en sommes encore éloignés d'une centaine de kilomètres. Nous prendrons position à l'arrière de l'armée russe, alors que la Grande Armée sera en face de nous. Le plan de l'Empereur est de détruire l'armée de Koutouzov, et pour cela de l'encercler. Contrairement à sa tactique habituelle, il va la laisser avancer vers le centre, et j'imagine qu'il a envoyé les corps d'armée de Murat et de Davout au nord, et du prince Eugène et de Junot au sud, pour fermer les ailes. Comme il veut éviter l'erreur de la Moskova, où il a laissé s'échapper l'armée russe battue, il m'a envoyé l'ordre de lui couper la route, mais je n'ai pas d'effectifs suffisants pour le faire. Aussi je vais essayer de m'installer sur une hauteur d'où je pourrai canonner les unités en retraite.

— Je vous remercie, général, pour ce cours de l'École de guerre, répondit la comtesse Kalinitzy, qui ne dissimulait pas son impatience et dont le pied se balançait nerveusement sous l'ourlet de sa robe. Mais pouvez-vous me dire ce que je deviendrai, et si je devrai moi aussi monter sur cette hauteur ?

— J'imagine votre souhait de pouvoir rejoindre la route de Varsovie le plus tôt possible, mais il faut éviter à tout prix que vous traversiez le champ de bataille. Si j'étais assuré que Murat ne fût pas trop loin au nord, vous pourriez essayer de le rejoindre, mais je ne connais pas sa position exacte. La meilleure solution est que vous restiez avec nous. Dès que nous apercevrons des unités de la Grande Armée, vous partirez pour les rejoindre. Je vous donnerai une petite escorte de dragons.

— Je préférerais des lanciers polonais ! répondit la comtesse, qui se tourna vers sa fille, pour lui dire : Il est déjà tard, Olga. Tu devrais monter dans la grande chambre pour dormir. Demande à Maria d'étaler par terre les couvertures de la voiture. Je viendrai tout à l'heure te rejoindre. N'oublie pas de te brosser les cheveux ! »

Olga embrassa sa mère, et sortit de la pièce. Il y avait désormais une chaise vide. La comtesse se tourna vers François Beille, et ajusta sa position.

« Je crois que j'ai compris votre raisonnement, François, et je suivrai vos conseils, mais je trouve que vous manquez un peu d'affection ! J'attendais qu'Olga soit sortie pour vous le dire. Rapprochez votre chaise. J'aimerais que vous me preniez la main. »

François Beille déplaça son siège, et prit la main de la comtesse. Il s'émerveilla à nouveau de la finesse de ses doigts et de la douceur soyeuse de leur peau. Ils lui rappelaient les dessins des mains fuselées qu'il avait aperçus sur des estampes japonaises.

« Il est vrai, Krystyna, que je ne vous montre pas beaucoup d'affection, mais ce n'est pas possible. Ce n'est pas seulement la contrainte des convenances, dans la situation extravagante où nous sommes. Cela tient aussi à ce que mon caractère ne me permet pas de faire deux choses à la fois, je veux dire deux choses fortes. Je suis absorbé ici par mon commandement. J'ai la charge de ces quatre mille hommes, arrachés à leur vie quotidienne, que je veux pouvoir ramener chez eux. Et en même temps je ne peux pas décevoir l'Empereur, en échouant dans la mission qu'il m'a confiée ! Il ne me reste qu'un petit espace pour accueillir la passion. »

Krystyna le regarda. Elle avait des larmes au bord de ses yeux dont le regard restait limpide.

« J'aurais aimé que vous m'aimiez, lui dit-elle, que vous me désiriez follement. J'ai tellement été privée de tout ! »

François Beille se leva et se rapprocha d'elle. Il prit ses deux mains et la fit se redresser à son tour. Puis il conduisit les bras de Krystyna jusqu'à ce qu'il les sente encercler ses épaules, et il fit de même avec les siens. Ainsi enlacés ils se serrèrent l'un contre l'autre de toutes leurs forces. Il ne l'embrassa pas. Il préférait sentir le battement aigu de son cœur contre sa poitrine.

Quand François Beille se retrouva étendu sur son grabat de l'auberge du Cerf, il laissa son esprit divaguer avant de s'endormir.

La pièce qui l'entourait était faite de bois, du plancher au plafond. Il y avait des rayonnages fixés aux murs sur lesquels il avait déposé son chapeau et sa cravache. Une peau de bête sauvage, sans doute un loup, faisait fonction de tapis. Au bout de la pièce, une fenêtre à petits carreaux de couleur donnait sur la rue, où l'on entendait résonner à intervalles réguliers les pas cadencés des patrouilles. Il se réchauffait sous les couvertures que Le Lorrain avait détachées de sa selle.

Il se remémorait les plans qu'il aurait à suivre. Il fallait se rapprocher d'abord du champ de bataille, à une quinzaine de kilomètres environ. Il se dirigerait au son de la canonnade. Puis il lui faudrait trouver le petit relief au sommet duquel il organiserait son barrage. Que faire si la plaine était désespérément plate ? De là, son esprit glissa en direction de l'Empereur.

C'était surtout le sort de l'Empereur qui le pré-occupait. Sa santé était-elle rétablie ? Avait-il retrouvé sa vitalité ? Il ne pouvait pas se permettre de perdre cette bataille ! S'il était défait, ce serait la fin de l'Empire. Les principautés allemandes se soulèveraient lors de son passage. Et comment serait-il accueilli à Paris, où les manœuvres et les intrigues de Fouché et de Talleyrand avaient dû se multiplier ? Dans un premier temps, l'Empereur les écraserait, mais c'étaient des hydres à plusieurs têtes. Ils finiraient par le perdre. D'après ses propres évaluations, l'armée russe, qui avait reçu des renforts, serait plus nombreuse que la Grande Armée : 180 000 combattants d'un côté contre environ 130 000 de l'autre. La qualité et l'entraînement des soldats étaient supérieurs chez les Français et leurs alliés, mais, pour les mettre en œuvre, il fallait pouvoir compter sur le génie militaire de Napoléon. Celui-ci l'avait-il récupéré ?

Sans transition, il se mit à rêver. Il se trouvait dans une immense plaine, grouillante de soldats. Ceux-ci marchaient dans toutes les directions. Ils portaient des uniformes disparates, russes, saxons, italiens, grenadiers de la Grande Armée. Ils avançaient vers lui, se croisaient, et au dernier moment l'évitaient. Beille s'interrogeait avec angoisse sur la direction qu'il devait prendre, jusqu'à ce qu'il aperçoive dans cette foule le regard d'un voltigeur qui se fixait sur lui, et ne le lâchait pas. Il avait perdu ses jambes, et était réduit à un buste posé sur une caisse, avec des roulettes de bois qu'il faisait avancer avec ses mains. Beille voulut le rejoindre, mais ses forces ne répondaient plus.

*
* *

Chapitre XV

La bataille de Russie,
29 octobre

Le général Beille suivit la route qu'il s'était fixée. Partie de Barysau le 23 octobre au matin, sa division prit la direction de Vilna, en contournant Minsk par le nord. Le surlendemain elle longea le rivage d'un lac immense. La contrée était marécageuse mais la route restait sèche. Aucun flocon ne tombait du ciel. C'était un spectacle surprenant que ce cortège bien ordonné parcourant un paysage où il ne rencontrait personne, sauf quelques isbas désertes, aux volets fermés. Les véhicules civils accompagnaient la marche, et François Beille, dans son aller et retour quotidien, apercevait de loin la calèche de la comtesse Kalinitzy. Au frémissement que sa vue déclenchait, il réalisait que son désespoir l'avait touché, plus encore que sa beauté.

Après des cantonnements provisoires dans la campagne, où chacun dressait sa tente, la division entra le 27 octobre dans la petite ville de Smarhov où elle s'installa pour la nuit. Elle ne se trouvait désormais qu'à une soixantaine de kilomètres de Vilna, et chacun pressentait que la bataille était

imminente. Des morceaux de ferraille et des détri-
tus devant les portes attestaient qu'une partie de
la Grande Armée avait suivi le même parcours.
Dans l'après-midi, Beille crut apercevoir, à l'extrémité de l'horizon, une file de cavaliers marchant
dans une direction parallèle à la sienne. Si c'était
le cas, il s'agissait sans doute de l'aile gauche du
corps d'armée de Murat qui avançait vers Vilna.

Le lendemain matin, la division partit à la
recherche de l'emplacement où elle pourrait installer son retranchement. Le chemin qu'elle avait
suivi jusque-là débouchait maintenant sur la route
principale reliant Minsk à Vilna. C'est probablement par cette route, estima Beille, que l'armée
russe, actuellement positionnée au sud-est, tente-
rait d'effectuer sa retraite. Il aperçut un relief,
une sorte de falaise, qui se situait sur la droite de
la plaine, perpendiculairement à la route. Cette
butte longeait un ruisseau, qui constituerait par
lui-même un premier obstacle. Elle se prolongeait
sur une longueur de plus d'un kilomètre, et s'élevait à une hauteur d'une trentaine de mètres environ. C'est la Providence, jugea-t-il, qui l'a déposée
au milieu de la plaine ! Et il partit au galop pour
mieux l'observer. En montant à son sommet il put
vérifier qu'il s'agissait effectivement d'un plateau
dont une rivière avait creusé le côté. Il allait pouvoir installer son artillerie en bordure de la faille,
d'où elle découvrirait l'ensemble de la plaine, au
milieu de laquelle serpentait la route de Vilna.
C'est une situation inespérée, exultait le général
Beille, qui fit appeler les commandants d'unités,
pour mettre en place le dispositif.

Les quatre batteries d'artillerie seraient placées
côte à côte sur une distance de huit cents mètres.

Les compagnies du bataillon bavarois rempliraient les intervalles, et les soldats suisses couvriraient l'aile gauche, pour en protéger l'accès depuis la plaine. Quant au bataillon de voltigeurs savoyards, il se tiendrait en réserve, hors de la vue de l'ennemi, et assurerait provisoirement la sécurité des réfugiés civils.

Le général Beille s'interrogea longuement sur l'emplacement où installer les deux escadrons de cavalerie. Fallait-il les séparer, et, dans ce cas, les placer aux deux ailes ? Valait-il mieux en constituer une masse unique de huit cents chevaux, qui pourraient dévaler ensemble dans la plaine ? Il demanda leur avis au colonel de Villefort et au capitaine Zalisky qui furent unanimes pour recommander le regroupement de leurs forces. Beille retint leur opinion, et décida que tous les cavaliers seraient massés sur l'aile droite, et placés sous le commandement de Villefort. Puis il donna une ultime directive :

« Nous ne savons pas ce qui va se produire. Il peut se faire qu'après la bataille l'armée russe conserve des unités organisées, telles que, par exemple, le régiment des chevaliers-gardes, et qu'à la vue de notre redoute, au lieu de s'enfuir, ils décident de l'attaquer. Ce sera évidemment le rôle de notre artillerie de les repousser, mais il faudra aussi les empêcher de monter à l'assaut des canons, en multipliant les obstacles. Pour cela donnez l'ordre à vos hommes, dit-il au colonel Schmidt, de creuser des fossés et de dresser des barricades, en abattant des arbres. »

Au moment où il finissait de parler, un grondement sourd éclata à l'ouest. Ce n'était pas le tonnerre, mais le début d'une lourde canonnade. Sans rien dire, les participants eurent un haut-le-corps. Ainsi, pensaient-ils, la prévision était juste ! La grande bataille sera livrée demain, et ce sont ses préparatifs que nous entendons.

Le général Beille interpréta leurs réactions en s'adressant à eux :

« Il est temps de nous préparer nous aussi, messieurs. Je vous demande de rejoindre vos unités, et de veiller à ce qu'elles soient disponibles pour agir demain dès le lever du jour. La journée risque d'être rude ! »

*
*   *

La canonnade s'était poursuivie par périodes jusqu'à la tombée de la nuit. Dès l'aurore elle recommença, avec une intensité accrue, et de manière continue. Le vent qui soufflait de l'ouest permettait de distinguer deux tonalités : un bruit sourd qui devait être celui de l'artillerie française, et un son plus clair, qui était sans doute celui des canons russes tirant contre le vent.

Ce bruit ne cessait pas d'enfler, et se concentrait maintenant aux deux extrémités de la plaine, là où les corps d'armée venus du nord et du sud devaient engager leur manœuvre d'encerclement.

Les nerfs des soldats de la division Beille étaient tendus à l'extrême. Personne ne soufflait mot. Les canons avaient reçu leurs charges de poudre, et leurs six serveurs se tenaient debout à côté d'eux, leur goupillon à la main, derrière le sous-officier qui commanderait le tir. Les chevaux restaient attelés par paires aux caissons, et étaient maintenus par un artilleur qui tenait leur bride, à quelques mètres de là, la tête tournée vers l'arrière. Chacun scrutait la plaine. Vers 10 heures, une longue colonne de soldats russes commença de la traverser, en venant du sud-est et en marchant en direction du lieu où on entendait tonner la canonnade. « Ce sont des réserves que Koutouzov envoie pour soutenir son aile droite », estima le général Beille. Par un calcul rapide, il évalua leur nombre entre huit mille et dix mille hommes. Les fantassins étaient suivis d'une double file de canons, traînés par des chevaux qui soulevaient un brouillard de poussière. La distance, estimée au télescope, était d'au moins deux kilomètres. À aucun moment cette troupe n'esquissa de mouvement en direction de la falaise, et elle finit par disparaître à l'extrémité de la plaine.

Le bruit de la bataille était maintenant terrifiant. L'Empereur avait dû y jeter toutes ses forces, y compris la Garde impériale, pour compenser son infériorité numérique, pensa Beille, mais il disposait de l'avantage d'avoir pu choisir lui-même son terrain, et de pouvoir prendre les forces de Koutouzov en tenaille, grâce à la manœuvre de ses corps d'armée du nord et du sud, si du moins il avait pu les faire arriver à temps.

Beille pensait à ses camarades de la Garde, exaltés par la pensée de combattre enfin, et pour la première fois, sur le sol de la Russie. Son régiment de chasseurs serait sans nul doute appelé à charger. Il croyait entendre le grondement du galop frappant le sol, et imaginait la chute des cavaliers désarçonnés par les boulets russes. Combien de ses officiers et de ses chasseurs survivraient-ils à cette charge ?

Il lui était impossible de suivre le déroulement de la bataille. Elle se poursuivait hors de la vue, à une quinzaine de kilomètres de distance. Les canons continuaient de tonner, et un nuage de fumée blanche s'élevait tout au long de la ligne d'horizon.

François Beille parcourait, pour la troisième fois, la longueur de son dispositif. Son cheval trottait, et il encourageait d'un salut de la main tous les commandants d'unités, y compris maintenant les capitaines des compagnies d'infanterie, et les lieutenants des batteries d'artillerie. « Tout va bien ? Êtes-vous prêts ? » criait-il aux uns et aux autres. Il les connaissait un par un, et ils partageaient la même attente, faite d'excitation et d'angoisse.

Ce n'est que vers 3 heures de l'après-midi qu'un changement se produisit. Le grondement des canons diminua soudain de moitié. « Le sort de la bataille a dû se décider, pensa François Beille. C'est l'heure où l'Empereur emporte d'habitude un succès décisif. Puisse cela être le cas aujourd'hui ! »

C'est seulement une heure plus tard qu'il reçut la réponse à sa question.

L'extrémité de la plaine commença à se recouvrir d'un grouillement sombre, comme l'avancée d'une marée de fourmis. Malgré le recours à son télescope, François Beille ne réussissait pas à identifier la nature de ce mouvement. Comme il était assis sur son cheval, il ne parvenait pas à éliminer le léger tremblement de son instrument.

« Tu vois quelque chose ? demanda-t-il à Arrighi, qui se tenait à côté de lui, et observait de son côté.

— Pas nettement ! On dirait une foule, ou peut-être une armée. »

Les canons continuaient de tirer, mais seulement pas saccades. Toujours d'après le vent, il semblait que les détonations venaient de l'artillerie de la Grande Armée, pensait François Beille, qui avait stabilisé sa jumelle en appuyant son coude sur le pommeau de sa selle. L'image devenait plus nette. Il distinguait maintenant des groupes, qui avançaient dans un certain ordre, et, à côté, une multitude inorganisée qui s'égaillait dans la plaine. C'était bien l'armée russe qui, vaincue, battait en retraite.

Le général Beille attendit encore quelques minutes pour que se confirme son impression, puis, lorsqu'il eut acquis la certitude qu'il s'agissait effectivement du recul d'unités défaites, il se dressa sur ses étriers et agita son chapeau au bout de son sabre en criant à pleine voix : « La Grande Armée est victorieuse ! Vive l'Empereur ! » Le long de la crête où les bataillons étaient alignés, une clameur lui répondit : « Vive l'Empereur ! Vive l'Empereur ! »

La marée humaine s'étendait dans la plaine. On commençait à pouvoir identifier des uniformes : c'était l'armée de Koutouzov qui abandonnait le champ de bataille. Au milieu de ceux qui fuyaient en désordre, quelques régiments et quelques escadrons donnaient l'image d'unités survivantes. Une file de cavaliers, précédée d'un officier, s'avançait en direction de la crête qu'occupait la division Beille.

« Laissez-les s'approcher ! » hurla le colonel Arrighi.

Quand ils furent à deux cents mètres du bas de la colline, il donna aux batteries l'ordre d'ouvrir le feu. La surprise fut foudroyante. À côté des cavaliers démontés, les autres tournèrent bride, et s'enfuirent au galop. Le désarroi gagna les fantassins qui firent des mouvements désordonnés dans la plaine. Cet obstacle inattendu, dont on ne pouvait pas deviner ce qu'il cachait, créait une ambiance de déroute. Le colonel Arrighi invita les artilleurs à tirer par roulement.

François Beille surveillait attentivement la scène. Il guettait l'arrivée à l'horizon des premiers cavaliers de la Grande Armée. Une scène étrange attira soudain son attention. Venant de la droite, deux voitures découvertes, chacune attelée de quatre chevaux, cherchaient à se frayer un passage. Elles étaient protégées par une escorte d'une vingtaine de cosaques, et longeaient la route en direction de l'est. Sans doute cherchaient-elles à gagner Minsk.

Qui cela peut-il être ? se demanda le général François Beille. Il réussit à prendre la banquette de la première voiture dans le cercle lumineux que formait l'extrémité de sa lunette. Il sursauta, et plissa encore les yeux. Ce n'était pas croyable : ce visage boursouflé, cet œil à demi fermé, ce corps épais enchâssé dans une panoplie de décorations, c'était bien Koutouzov, le grand Koutouzov !

Dans la demi-seconde, François Beille lança son cheval et galopa jusqu'à l'extrémité du plateau où se tenaient les escadrons de cavalerie. Apercevant Villefort, il l'interpella sur un ton haletant :

214

« Aimery, Koutouzov est en train de passer devant nous dans une calèche découverte ! Précipite-toi avec tout ton monde, et essaie de l'intercepter !

— Il a une escorte ?

— Pas grand-chose ! Tu n'en feras qu'une bouchée. Dépêche-toi ! » Les dragons étaient déjà en selle. Les lanciers polonais se tenaient prêts juste derrière.

Le colonel de Villefort se retourna, et leva son sabre. « En avant ! On charge ! » cria-t-il.

François Beille s'avança jusqu'à la crête, où il vit les cavaliers dévaler la pente. Les deux calèches étaient à mi-chemin de la redoute. Alertés par le bruit, leurs cochers lancèrent leurs chevaux au galop. Cette précaution était insuffisante, car les dragons et lanciers rattrapaient déjà le convoi. Les cosaques essayaient courageusement de se défendre, mais ils étaient jetés à terre, ou transpercés d'un coup de lance. Un Polonais, d'un saut acrobatique, réussit à se saisir du mors du cheval de tête. La calèche stoppa.

Koutouzov, car c'était bien lui, était en proie à la plus vive agitation. Ses mains se nouaient et se dénouaient dans des mouvements convulsifs. Et il adressait en français un torrent de paroles à l'homme assis à côté de lui sur la banquette, qui paraissait être un général de rang inférieur.

Le colonel de Villefort s'approcha de la voiture.

« Je salue Votre Excellence », lui dit-il, pendant que les cavaliers se regroupaient par pelotons à distance de la voiture. « Mon chef, le général de division François Beille, va venir vous rejoindre.

— Je n'ai aucune raison de l'attendre ! grommela Koutouzov. Laissez-moi partir ! »

Villefort aperçut Beille qui descendait de son repaire, et il alla à sa rencontre.

« C'est bien Koutouzov, lui dit-il, et il est de très mauvaise humeur.

— On peut le comprendre ! Sais-tu qui se trouve dans la deuxième voiture ?

— Je n'en suis pas sûr. Je crois que c'est le général Platov. Je vais demander aux Polonais de faire parler son cocher.

— Tu t'occupes de lui. Je vais voir Koutouzov. »

Le général Beille s'approcha de la première calèche. Il aperçut Koutouzov qui essuyait son œil droit avec un large mouchoir blanc.

« Excellence, je suis le général Beille, qui commande cette division détachée de la Grande Armée.

— Pas Excellence, prince ! Je suis le général prince Koutouzov, commandant en chef de l'armée russe, répliqua-t-il en français, avec une sorte de bougonnement qui roulait dans sa voix. Nous sommes ici en Russie ! Je vous donne l'ordre de me laisser passer !

— Nous sommes peut-être en Russie, général, mais nous sommes surtout en guerre ! Au nom de l'empereur Napoléon Ier, je vous fais prisonnier de guerre, ainsi que le général Platov, et aussitôt que la plaine sera débarrassée de cette horde, je vous ferai conduire chez le prince de Neuchâtel, major général de l'armée, qui ne doit pas être loin d'ici, et qui vous informera sur votre sort. »

Koutouzov jeta un regard circulaire autour de lui. Les dragons avaient désarmé les cosaques survivants de son escorte, et les tenaient sous surveillance à une centaine de mètres. L'artillerie de la division Beille continuait ses tirs sur les soldats en retraite, et on entendait le sifflement des boulets qui passaient au-dessus des têtes.

« J'ai une question à vous poser, général Boueille. Excusez-moi si je ne réussis pas à prononcer votre nom. Que faites-vous ici ? Je pensais que l'arrière-garde de l'armée de Napoléon se situait beaucoup plus près de Vilna !

— Je ne fais pas partie de cette arrière-garde, répliqua Beille, je viens directement de Smolensk que j'ai quittée il y a dix jours.

— C'est vous qui étiez à Smolensk ! s'exclama Koutouzov. Vous nous avez compliqué la vie. Je croyais que vous étiez plus nombreux. J'imaginais que c'était le corps d'armée de Davout, mais nous ne réussissions pas à faire des prisonniers pour nous renseigner. Si j'avais su qu'il s'agissait seulement d'une division, nous l'aurions écrasée !

— Je ne pense pas que nous nous serions laissé faire ! »

Puis Beille s'adressa au colonel de Villefort :

« Aimery, lui dit-il – car il était excédé de ces appellations d'Excellence et de prince –, demande au capitaine Zalisky de détacher deux pelotons de lanciers pour entourer les voitures de ces messieurs, et pour les accompagner jusqu'au poste de commandement du maréchal Berthier, aussitôt après que les régiments de la Grande Armée auront commencé à déboucher dans cette plaine, ce qui ne devrait pas tarder. »

Il observait en effet des mouvements parmi les fuyards qui prouvaient qu'ils se sentaient poursuivis.

« Jusque-là, tu restes ici », lui ordonna-t-il.

Le général Beille remontait vers la crête quand une idée lui vint. Il partit au trot vers le campement des voitures civiles, situé à deux cents mètres derrière l'alignement des batteries. Il repéra facilement la calèche de la comtesse Kalinitzy. Les rideaux de la portière étaient fermés. Il s'en approcha et frappa du doigt sur la vitre. Personne ne répondit. Les chevaux étaient dételés. Peut-être que la voiture était vide. Il frappa à nouveau, et insista. Il décela un mouvement du rideau et appela : « Krystyna, c'est moi, François ! » Le rideau s'écarta, et la vitre s'abaissa. Le visage de la jeune femme s'encadra dans la portière :

« Excusez-moi, François, de ne pas vous avoir répondu. Je ne savais pas qui c'était. Olga et Maria sont terrifiées par les coups de canon qu'on tire si près de nous. Elles sont couchées sur le plancher. Est-ce que cela va durer encore longtemps ?

— Je vous apporte une bonne nouvelle, Krystyna. La bataille a été gagnée, et elle est en train de se terminer. Je sais que ce n'est pas notre victoire qui vous intéresse, ajouta-t-il avec remords, mais la possibilité pour vous de rejoindre Varsovie. Cela va pouvoir être envisagé bientôt. Mais il faut que je vous raconte un incident extravagant... »

La comtesse Kalinitzy se pencha sur le rebord de la portière. Son visage était pâli par le manque de sommeil, et ses traits tirés par l'inquiétude. À chaque départ de coup de canon, elle tressautait de frayeur. Elle réussit à sourire.

« Alors les choses commencent à s'arranger, dit-elle, mais qu'est-ce que cet incident extraordinaire ?

— Nous venons de faire prisonnier le maréchal Koutouzov, ainsi que aussi le général Platov. Ils cherchaient à repartir en direction de Smolensk, après que leur armée eut été battue par l'Empereur. Dès que la Grande Armée nous aura rejoints je les enverrai sous bonne escorte gagner le quartier général du maréchal Berthier, qui doit se trouver à Vilna. Vous pourrez vous joindre à leur convoi, qui sera conduit par le capitaine Zalisky, et une fois arrivée à Vilna, vous serez libre de rejoindre Varsovie. Je pense que la route sera sûre, et tenue par la Grande Armée. Avez-vous toujours votre cocher ? »

Les lèvres de la comtesse Kalinitzy palpitaient de bonheur.

« Comment ? C'est incroyable, François, je vais pouvoir partir ! Nous serons sauvées ! Oui, j'ai toujours mon cocher polonais. J'en ai même deux, car il a réussi à recruter un camarade parmi les réfugiés civils. Ils sont couchés dans le petit bois d'à côté, où ils gardent les chevaux.

— Il faudra attendre encore un peu, Krystyna, que nos camarades arrivent. Mais n'ayez pas peur des coups de canons : ce sont nos batteries qui tirent. »

La portière encadrait le visage de la comtesse. Elle commençait à retrouver ses couleurs. Une sombre pensée vint ternir la luminosité de ses yeux :

« Mais quand vous reverrai-je, François ? Passerez-vous par Varsovie ?

— Je ne connais pas l'affectation que l'Empereur voudra me donner, mais j'espère de tout mon cœur vous rendre visite à Varsovie. Je reviendrai vous chercher tout à l'heure. Pouvez-vous faire atteler votre voiture ? »

Le général Beille repartit vers la crête. Un spectacle nouveau se déroulait dans la plaine. Des unités de cavalerie galopaient en encerclant les fuyards, qu'ils cherchaient à faire prisonniers. Ceux-ci, qui s'étaient débarrassés de leurs armes, levaient les bras en l'air. D'une manière inexplicable, la course des cavaliers paraissait joyeuse, comme s'ils chevauchaient la victoire. Les officiers galopaient en tête, le sabre à la main. L'un d'eux arrêta son cheval, et sortit une lunette pour observer la crête. Il donna un ordre à ses hommes qui se mirent en file, et avancèrent au trot vers l'endroit où stationnait Villefort. Puis ils s'arrêtèrent pour observer.

Le colonel de Villefort reconnut les uniformes. C'étaient des chevau-légers du corps de cavalerie du maréchal Poniatowski. Il étendit son bras droit vers le sol, qu'il prolongea par la tenue de son sabre, et avança au pas de son cheval vers le commandant des chevau-légers. Celui-ci fit de même. Lorsqu'ils furent à une centaine de mètres l'un de l'autre, ils se reconnurent.

« Salut, Aimery ! s'exclama l'officier des chevau-légers.

— C'est toi, Michel ! » lui répondit celui des dragons.

Le nouvel arrivant était le commandant Michel Chavane, du 2e régiment de chevau-légers de la Garde.

« J'ai entendu dire que Beille avait été nommé général ! C'est sa division qui est installée sur cette hauteur ?

— Tu es bien renseigné ! Et toi, d'où viens-tu ? lui demanda Villefort.

— Nous arrivons directement du terrain où s'est déroulée à vingt kilomètres devant Vilna la bataille où l'Empereur a écrasé l'armée russe.

— Comment les choses se sont-elles passées ?

— L'Empereur avait tendu un véritable piège où Koutouzov est tombé. Il avait choisi une plaine bordée par deux escarpements de chaque côté. Il s'est installé bien en vue dans cette plaine, comme si elle allait être l'enjeu de la bataille. De 9 heures à 11 heures, le maréchal Ney qui nous commandait nous a fait battre en retraite, pour faire croire que nous cédions devant la pression des Russes qui avançaient vers nous. Et, à 11 heures, l'Empereur a engagé les réserves qui attendaient derrière les escarpements, d'un côté Murat et Davout, et de l'autre le prince Eugène et Junot. Les Russes se sont sentis encerclés et, à la différence de la Moskova, ils ont cessé de combattre. Parmi eux il y avait des soldats très jeunes, à peine formés. Pendant une heure la lutte est restée indécise, jusqu'à ce que l'Empereur fasse engager la Garde, et aussi les meilleures divisions de notre armée, celles de Friant, de Gudin, de Coutard et de Compans. Notre artillerie tirait à la fois devant elle dans la plaine, et à partir des deux escarpements, tandis que l'artillerie russe avait de la peine à se déployer, car une partie importante était restée à l'arrière du corps principal. Quand les Russes ont commencé à perdre pied, cela a été une boucherie. Nous n'avons pas à en être fiers ! Les tirs de notre artillerie ouvraient de véritables boulevards dans les rangs de l'infanterie russe. Vers 3 heures, Koutouzov a donné l'ordre de battre en retraite. Ce qui restait comme unités organisées s'est replié en direction du sud, et les autres se sont débandés vers l'est, à la recherche de la route de Minsk. Ce sont eux que tu as vus arriver. »

Le général Beille avait rejoint les deux officiers, et se mêla à la conversation.

« Avez-vous fait de nombreux prisonniers ? demanda-t-il au commandant Chavane.

— Le maréchal Ney nous a donné l'ordre d'en ramasser le plus grand nombre possible. D'après ce que j'ai pu voir, il y en a des milliers, et sans doute des dizaines de milliers. Je ne sais pas ce qu'on va en faire. Pour commencer, ils vont enterrer les morts. Ensuite, on devra les acheminer sur Vilna.

— Vous pouvez ajouter deux noms à votre liste de prisonniers, ceux du maréchal Koutouzov et du général Platov ! Ils étaient en voiture, et cherchaient à prendre la direction de Minsk. Nous les avons arrêtés et capturés. Ils sont retenus à quelques centaines de mètres d'ici, près de ces arbres », ajouta Beille, en indiquant la direction.

Le commandant Chavane tourna la tête.

« Le maréchal Koutouzov, c'est incroyable ! Incroyable, répéta-t-il.

— Je vais vous conduire près de lui, mais il n'est pas gracieux ! Il faudrait, je pense, l'amener au maréchal Berthier. Je serais surpris que l'Empereur accepte de le recevoir. Pouvez-vous vous charger de le convoyer ?

— Je n'en ai pas reçu l'ordre, répondit Chavane, mais la situation est tellement extraordinaire que je crois pouvoir le faire.

— Il est actuellement entouré d'une escorte rapprochée formée par des lanciers polonais de la Garde, commandée par le capitaine Zalisky, qui a remplacé le colonel Verowski, malheureusement tué près de la forêt de Katyn. Je peux les laisser à votre disposition, et je vous demanderai aussi d'accepter de joindre à votre convoi la calèche de deux personnalités polonaises, la comtesse Kalinitzy et sa fille, qui vont chercher refuge dans leur famille à Varsovie. »

Le commandant Chavane fronça les sourcils.

« Ce n'est pas très régulier, dit-il, mais puisque nous vivons dans l'extraordinaire, allons jusqu'au bout ! Je n'y ferai pas d'objection. »

François Beille conduisit le commandant Chavane, suivi à distance par ses chevau-légers, jusqu'à la voiture où le maréchal Koutouzov feignait de dormir.

« Voici, monsieur le maréchal, le commandant Chavane, des chevau-légers de la Garde, qui va vous conduire chez le maréchal Berthier. »

Koutouzov affecta de ne rien entendre, et ne répondit pas.

Beille fit signe au capitaine Zalisky de le rejoindre, et, pendant qu'ils montaient tous les deux en direction de la crête, il lui donna ses instructions.

« Vous allez prendre deux de vos pelotons de lanciers avec vous, et vous servirez d'escorte rapprochée aux deux voitures de Koutouzov et de Platov jusqu'à leur réception au quartier général du maréchal Berthier. Je tiens en effet à ce que l'on sache que c'est notre division qui les a faits prisonniers ! Puis vous nous rejoindrez à notre cantonnement de Vilna. Je voudrais vous demander aussi de porter assistance à la comtesse Kalinitzy, dont la calèche va se joindre à votre convoi. Elle a fui Smolensk pour rejoindre sa mère à Varsovie. C'est une dame polonaise...

— Il me semble que ma mère m'a parlé d'une de ses amies qui avait épousé un général russe.

— Ce doit être sa mère. Il faudrait assurer sa sécurité jusqu'à Vilna, lui trouver un logement, et la mettre ensuite sur la route de Varsovie.

— J'y veillerai, mon général.

— D'ailleurs sa voiture est la calèche que vous apercevez là-bas ! »

La voiture haute sur ses roues apparaissait dégingandée sur la nudité du plateau. François Beille s'en approcha. La fenêtre de la portière était restée ouverte, et la comtesse l'observait.

Lorsqu'il fut tout près, il lui parla à voix basse :

« Tout est arrangé. Le capitaine Zalisky va vous conduire à Vilna, où il s'occupera de votre logement.

— Ce ne sera pas la peine, François, j'ai une cousine qui possède une maison là-bas.

— Ensuite il vous accompagnera jusqu'au départ de la route de Varsovie.

— Merci pour tout ce que vous avez fait pour nous, François. Sans votre aide nous serions mortes, déchiquetées. Pour moi cela n'aurait pas eu beaucoup d'importance, mais pour Olga cela aurait été horrible ! D'ailleurs, elle vous remercie. »

Dans le coin gauche de la fenêtre, Beille voyait une petite main blanche qui s'agitait.

Les deux cochers avaient pris place sur leur banquette, et tenaient les rênes serrées. Le visage de la comtesse sortait à demi de la fenêtre. François Beille s'approcha plus près, et lui dit à voix basse :

« Je ne peux pas vous embrasser, Krystyna. Vous allez suivre maintenant le capitaine Zalisky qui vous montrera le chemin. Prenez bien soin de vous. Je vous remercie pour ce que m'avez offert. Bonne route ! »

Il dut faire un effort pour se détacher. La comtesse Kalinitzy le regardait dans les yeux. Les siens gardaient leur couleur pâle, mais il semblait que l'angoisse s'en était retirée.

« J'espère vous revoir bientôt », lui dit-elle. Puis en allongeant le bras, elle lui toucha la main.

Le cocher fit claquer son fouet, et François Beille resta immobile à regarder l'arrière de la voiture dans son vernis vert foncé, qui s'éloignait en cahotant sur les mottes irrégulières du plateau.

*
* *

Chapitre XVI

Vilna, 31 octobre-4 novembre

Rien ne change autant le moral d'une armée qu'une seule victoire, pensait François Beille en parcourant les rues de Vilna à la recherche du poste de commandement du maréchal Ney.

Les places grouillaient d'allées et venues d'officiers et de soldats qui marchaient la tête haute coiffés de calots à glands et de shakos, et s'interpellaient. On se serait cru dans une ville du Midi de la France, un jour de marché. Les voix résonnaient dans l'air vif, en français pour la plupart, mais aussi en allemand, en polonais et en italien. De temps à autre, un personnage haut gradé, monté sur son cheval et suivi d'un aide de camp, traversait la foule. Certains soldats le reconnaissaient, et citaient entre eux son nom en le montrant du doigt.

Les prisonniers russes restaient parqués en dehors de la ville, gardés par des voltigeurs qui conservaient leurs fusils chargés entre leurs bras croisés. Ils étaient assis sur la terre nue. Personne ne paraissait se soucier de leur nourriture.

Les innombrables blessés étaient transportés dans des charrettes en direction de l'hôpital de Vilna, où les chirurgiens français multipliaient les amputations, au milieu des membres arrachés, et des corps inertes qui encombraient les couloirs. Quand on les apercevait dans leurs véhicules, les blessés étaient hirsutes et leurs visages livides. Ils étaient emmaillotés dans des pansements tachés de sang. Parmi eux, on reconnaissait aux lambeaux de leurs uniformes quelques soldats russes, qui avaient dû être ramassés par erreur. Ce spectacle affreux n'altérait pas la bonne humeur de la foule, qui gardait seulement un moment de silence pendant qu'elle voyait passer ces convois. Après tout, les survivants avaient échappé à ces horreurs...

Le général Beille était perdu dans cette multitude. Il marchait accompagné de son aide de camp, le lieutenant Villeneuve, auquel il avait demandé de se renseigner pour savoir où trouver le maréchal Ney. Villeneuve avait rapporté l'information que Ney stationnait sur une place, vers le centre de la ville. Beille avait choisi de s'y rendre à pied.

Vilna était pratiquement intacte. Tous les bâtiments étaient debout, car aucun combat n'avait eu lieu dans la ville. Le tsar Alexandre y avait donné une brillante réception moins de cinq mois auparavant. Certes, les maisons avaient été pillées, mais peu détruites, si bien que les soldats de la Grande Armée menaient une vie à peu près normale.

Un officier de la Garde qui passait à cheval reconnut le général Beille et s'approcha de lui. Il lui demanda s'il avait besoin d'aide, et lorsque celui-ci lui eut indiqué qu'il cherchait à se rendre chez le maréchal Ney, il lui proposa de l'y conduire. Ils débouchèrent sur une place encombrée de chevaux et de voitures. L'officier désigna à Beille deux bâtiments administratifs devant lesquels siégeait une garde militaire. Le premier, lui dit-il, est le quartier général du maréchal Ney, le second celui du maréchal Berthier. François Beille se dirigea vers le poste de commandement de Ney.

Le grenadier de la Garde qui était en faction le reconnut, et lui présenta les armes. Entré dans l'antichambre, le général Beille exprima à un aide de camp son souhait d'être reçu par le maréchal. Après quelques minutes, l'aide de camp revint, et lui dit que le maréchal tenait une réunion, qu'il lui demandait de bien vouloir attendre, et qu'il le recevrait dans trois quarts d'heure. Beille se réjouit de la courtoisie habituelle de Ney, et s'installa dans un fauteuil où il lutta pour ne pas s'assoupir. Trois quarts d'heure plus tard, exactement, l'aide de camp revint le chercher, et il l'introduisit dans le bureau du maréchal Ney.

Celui-ci se leva pour lui tendre la main, puis il le fit asseoir devant lui. François Beille l'observa. Il était heureux de revoir sa tête ronde, et son visage bienveillant et attentif. Sa bravoure, célèbre depuis la Moskova, n'avait pas ajouté de raideur à sa personnalité.

« Il paraît que tu as été formidable, lui dit Ney. Ton retard volontaire et tes contre-manœuvres à Smolensk nous ont aidés à bien préparer la victoire triomphale de Vilna, car tu sais que c'est un triomphe ! Tu as réussi à faire prisonniers Koutouzov et Platov, que nous allons envoyer sous bonne escorte à Königsberg. L'armée russe est décapitée. L'Empereur a atteint son objectif. Il m'a chargé de t'exprimer sa satisfaction. Il faudrait maintenant que tu voies le maréchal Berthier, pour qu'il te précise ta nouvelle affectation. Dans les prochains jours, je te demande de dissoudre ta division, c'est-à-dire de restituer les différentes unités à leur corps d'origine, à la Garde bien sûr, mais aussi aux corps d'armée auxquels tu as emprunté les fantassins et les artilleurs. Je te félicite aussi pour avoir limité les pertes : moins de deux cents tués, m'a-t-on dit.

— Pourrai-je vous demander, monsieur le maréchal, de m'autoriser à vous faire des propositions pour récompenser les officiers et les soldats, car ils le méritent bien, en particulier mon adjoint, le colonel Antoine Arrighi.

— Bien entendu, et ils seront largement servis ! L'Empereur m'a rappelé son intention de te recevoir aux Tuileries, quand tu seras de retour.

— Est-il encore parmi nous ? interrogea François Beille.

— Non, il est parti hier après-midi. Dans la matinée, il s'est rendu, selon son habitude, sur le champ de bataille qu'il a parcouru de long en large. À son retour, je l'ai trouvé plus ému qu'à l'ordinaire. Puis, vers le soir, il est monté dans sa voiture, celle que tu as vue à Moscou, et a pris la direction de Varsovie. Reste encore un instant, je vais te faire part de ses intentions, puisqu'il n'y a pas d'indiscrétion à craindre. L'empereur Napoléon m'a paru ressuscité. Il avait besoin de cette victoire pour reprendre confiance en lui-même. En même temps, j'ai pu saisir, à des bribes de phrases, son intention de prendre des initiatives politiques. Il parlait de changer le cours de l'histoire ! Je ne peux pas t'en dire plus, car il ne m'a pas mis dans la confidence. Sa première étape sera Varsovie, où il a une annonce à faire. Sur le plan militaire, il veut régler leur compte aux princes allemands qui s'apprêtaient à le trahir. Pour le roi de Prusse, Frédéric-Guillaume III, il est décidé à s'en charger lui-même. Il a l'intention de se rendre à Berlin avec les corps d'armée de Murat, de Davout et d'Oudinot. Il s'attend que les Prussiens offrent peu de résistance. De là il irait à Weimar, puis il prendrait le chemin de Paris. Quant au roi de Saxe, Frédéric-Auguste, il sait pouvoir compter sur sa loyauté, mais beaucoup de renseignements nous indiquent que la plupart de ses généraux s'apprêtaient à changer de camp ! Aussi me demande-t-il de régler le problème en me rendant sans délai à Dresde à la tête des corps d'armée du prince Eugène et de Poniatowski. Il estime que, s'il devait y avoir bataille, nous n'aurions pas de peine à battre les Saxons, démoralisés depuis notre victoire à Vilna. Nous allons octroyer un temps de repos bien gagné à nos troupes, et dans une semaine nous nous mettrons en route. L'Empereur souhaite que ces deux situations, en Prusse et en Saxe, soient réglées d'ici la fin de l'année. »

François Beille était enthousiasmé par ces perspectives, mais il s'interrogeait sur le rôle qu'il serait appelé à jouer. Le maréchal Ney lui fournit la réponse :

« Pour toi, l'Empereur a une idée sur la mission qu'il veut te confier. Il ne me l'a pas précisé. Tu devrais aller voir le maréchal Berthier, qui est à deux pas d'ici. Il te donnera les consignes de l'Empereur. »

Le maréchal Ney se leva. L'entretien avait duré exactement vingt minutes. On entendait dans l'antichambre les rumeurs de ceux qui se préparaient à entrer pour le rendez-vous suivant.

Il prit la main de François Beille, et la serra entre ses doigts vigoureux.

« Merci encore pour ce que tu as fait, et bonne chance ! lui dit-il.

— Belles victoires à venir, monsieur le maréchal ! » lui répondit Beille, qui le salua avant de faire demi-tour et de sortir du bureau.

*

*   *

L'antichambre du maréchal Berthier ressemblait à une ruche bourdonnante, que des officiers de grades variés parcouraient en tous sens. Le contraste était saisissant avec le calme qui régnait chez Ney. Beille se fit reconnaître par un aide de camp, et lui demanda s'il pouvait être reçu par le maréchal. L'aide de camp s'éclipsa, et revint une demi-heure plus tard.

« Le prince de Neuchâtel s'excuse auprès de vous, lui dit-il, mais il est surchargé de travail. Il doit organiser le départ prochain des unités pour l'Allemagne. Il vous propose de venir le voir après-demain à 4 heures de l'après-midi. Il attend votre réponse. »

François Beille, légèrement irrité par le délai, lui répondit : « Faites savoir au maréchal que je serai au rendez-vous. »

Il sortit sur la place, et flâna au milieu de la foule des uniformes bariolés, en direction du logement que lui avait affecté l'intendance et qu'il eut un peu de mal à retrouver.

Il occupa la journée du lendemain à faire le tour des commandants d'unités de sa division, tous stationnés à Vilna, ou dans les proches environs. Le colonel Arrighi l'accompagnait. Les officiers qu'il rencontra lui parurent soulagés et quelque peu désœuvrés. La disparition du danger creusait un vide dans leurs cerveaux. Chacun d'entre eux était rentré en contact avec son ancien corps, et les bataillons d'infanterie comme les batteries d'artillerie rejoindraient leurs régiments d'origine dans les trois jours à venir. L'accueil le plus chaleureux fut celui des artilleurs. Ils lui exprimèrent leur reconnaissance de leur avoir fait vivre une aventure où il leur avait laissé un degré d'initiative et de responsabilité qu'ils n'avaient jamais connu jusquelà. Le plus âgé des capitaines avait trente ans.

Le surlendemain, il se rendit à la convocation du maréchal Berthier. Cette fois, il était attendu à l'entrée, où les sentinelles le saluèrent, et il fut introduit sans attendre dans le bureau de Berthier, assis derrière une table gigantesque recouverte de cartes, et entouré de cinq ou six généraux qui se tenaient debout autour de lui. François Beille reconnut parmi eux le maréchal Oudinot, qui portait son bras en écharpe, et le général de cavalerie de Latour-Maubourg.

Pendant que Berthier s'appuyait d'une main sur la table, en écartant les papiers, pour lui tendre l'autre, François Beille l'observait attentivement. Sa tête était étirée en longueur et s'achevait comme la courbure d'un œuf, couronnée par une chevelure d'Ancien Régime. S'agissait-il d'une perruque, s'interrogea-t-il ? Au-dessous de ses yeux s'étalaient deux poches sombres, qui donnaient à son regard un caractère d'insistance lasse. Beille y apercevait une lueur étrange, comme une flamme indécise. Elle lui rappelait la scène qu'on lui avait rapportée et qui s'était déroulée à Vitebsk, où le major général avait insisté auprès de l'Empereur pour qu'il décidât d'arrêter la campagne, et où celui-ci l'avait violemment rabroué, en l'invitant à aller rejoindre sa maîtresse à Paris. Aujourd'hui, entouré des maréchaux, il se comportait en vainqueur de la guerre.

« Venez un moment avec moi, général Beille, lui dit-il d'une voix emphatique, j'ai un message à vous communiquer de la part de l'Empereur. Et se tournant vers son entourage : Excusez-moi, messieurs, je n'en ai pas pour longtemps, et je reviens pour poursuivre nos préparatifs ! »

Il se dirigea vers une porte qui s'ouvrait sur un petit cabinet, où il invita François Beille à le précéder. La pièce était meublée d'un bureau, et d'un rang de chaises adossées au mur. Le maréchal Berthier s'assit dans un fauteuil, derrière le bureau, et croisa ses bottes noires sous la table.

« Prenez une chaise, général Beille, et asseyez-vous. Voici la communication dont l'Empereur m'a chargé pour vous. Il vous exprime d'abord sa satisfaction pour la manière dont vous vous êtes acquitté de la mission qu'il vous avait confiée. Vous avez ralenti et compliqué sans nul doute la marche de l'armée russe, et facilité le départ de la Grande Armée. Ce délai lui a permis de se préparer pour le combat final, qui a scellé pour longtemps le sort de l'armée ennemie. En particulier, on peut affirmer aujourd'hui que son artillerie est anéantie. Je fais dénombrer les canons détruits ou abandonnés sur le champ de bataille. L'Empereur a précisé qu'il vous récompenserait lorsqu'il vous recevrait à Paris.

« Quant à votre mission actuelle, après la dissolution de votre division, il vous invite à regagner Paris.

— Je ne participerai pas à la campagne de Prusse et de Saxe ? l'interrompit François Beille, d'un ton qui ne dissimulait pas son désappointement.

— Je vois que vous êtes bien renscigné, répliqua le major général d'une voix aigre. On doit beaucoup bavarder dans la ville ! La tâche que vous confie Sa Majesté Impériale est de prendre le commandement de la cavalerie de la Garde, et de la réorganiser au fur et à mesure du retour de ses régiments dans la capitale. Ils sont en partie dispersés aujourd'hui. L'Empereur veut rendre à la Garde une solidité exemplaire. Il vous donnera lui-même ses instructions. Il souhaite, m'a-t-il dit, que vous preniez le plus vite possible la route de Paris, et que vous installiez votre poste de commandement à l'École militaire. Je donnerai les instructions nécessaires pour faciliter votre trajet. »

Berthier se leva. Il conservait dans les yeux cette lueur trouble que François Beille renonça à analyser. Elle annonçait, pensa-t-il, des lendemains imprévisibles. Il remit son chapeau, et salua le maréchal, puis quitta la pièce. Il eut du mal à se frayer un chemin parmi les va-et-vient incessants de l'antichambre, et sortit sur la place. L'air était vif, mais le froid ne décourageait pas les promeneurs.

En marchant en direction de sa résidence, accompagné du lieutenant Villeneuve, François Beille réfléchissait aux conséquences des instructions que lui avait données Berthier. Il était déçu de ne pas participer aux campagnes que la Grande Armée allait mener sur son chemin de retour. Il aurait aimé y exercer un commandement. Il fallait donc qu'il reparte tout de suite pour Paris, où personne, sauf sa mère, ne l'attendait. Le trajet de mille neuf cents kilomètres en calèche, avec les chevaux des relais militaires, prendrait une vingtaine de jours. Il passerait par Varsovie, puis par Weimar, en se faufilant entre la Prusse et la Saxe, et rejoindrait la vallée du Rhin. Une arrière-pensée le saisit comme une morsure : il ne pourrait pas s'arrêter à Varsovie, où il s'était habitué inconsciemment à l'idée de rendre visite à Krystyna Kalinitzy. Mais on ne lui laissait pas le choix ! Il fallait donc qu'il parte le plus vite possible, pour pouvoir y faire étape au moins une journée ! Quant à son commandement à Paris, il était évidemment flatteur, mais après les péripéties grandioses de la campagne de Russie, il lui paraissait fade. Aussi, malgré l'ambiance de fête, se sentait-il déçu et tourmenté.

Il arriva devant sa résidence. Les fenêtres étaient ouvertes et Marie-Thérèse observait, depuis le premier étage, l'animation de la rue. Certains soldats la sifflaient pour attirer son attention.

Le Lorrain se tenait devant la porte, qu'il ouvrit pour le laisser entrer. Le général lui remit son chapeau, ses gants, et la veste verte d'uniforme qu'il avait revêtue pour sa visite au maréchal Berthier, et lui demanda de réunir le lieutenant Villeneuve, le palefrenier Bonjean et Marie-Thérèse dans la salle du rez-de-chaussée pour leur indiquer la suite des événements.

Lorsqu'ils furent rassemblés tous les quatre, François Beille leur expliqua la consigne de retour en France que lui avait adressée l'Empereur, et il leur demanda de se joindre à lui pour le trajet vers Paris. Leurs yeux brillaient de bonheur et d'impatience.

« Nous partirons dans deux jours. J'ai encore besoin de ce délai pour achever le retour de nos bataillons dans leurs régiments d'origine. Demain soir, j'inviterai le colonel Arrighi et les neuf officiers commandant nos unités pour un repas de fin de campagne. Il faudra que tu te surpasses, dit-il en se tournant vers Marie-Thérèse, dont le visage était illuminé par un sourire radieux, et arrange-toi, poursuivit-il en s'adressant à Le Lorrain, pour dénicher les meilleures bouteilles disponibles à Vilna. Tout le monde devra être saoul quand nous chanterons à la fin de la soirée ! Fais venir trois ou quatre violoneux lituaniens pour nous tenir compagnie. Quant à toi, Villeneuve, tu souperas avec nous, mais il faut que tu t'occupes avec l'état-major du maréchal de nous procurer le moyen de transport qu'il m'a promis ! Nous prendrons la route après-demain matin. Notre première destination sera Varsovie. Il nous faudra environ cinq jours pour l'atteindre. »

L'après-midi était avancé. François Beille avait hâte de se retrouver seul pour mettre de l'ordre dans ses idées. Il demanda à Marie-Thérèse de lui servir son souper.

Il s'assit à table. Les mouvements de la foule militaire se poursuivaient dans la rue, et il en apercevait les silhouettes à travers les vitres couvertes de graisse et de poussière. Marie-Thérèse pénétra dans la pièce en tenant à deux mains une grande assiette où fumait un potage de haricots blancs.

« Je n'ai pas trouvé de soupière, dit-elle, mais je pourrai vous resservir. » Elle portait une jupe bleue et un corsage de toile blanche à manches bouffantes. Elle souriait encore. François Beille se rendit compte qu'il ne l'avait même pas regardée.

« J'ai compris que vous acceptiez de me ramener en France, reprit-elle. Je suis folle de bonheur. Je ne sais plus comment vous remercier !

— Tu m'avais dit que tu me remercierais à Varsovie ! répondit Beille. Nous y arriverons dans cinq jours.

— C'est encore trop loin. J'avais peur de me retrouver seule dans ce pays de sauvages !

— Ce ne sont plus exactement des sauvages ici, mais des Polonais et des Lituaniens.

— Vous dites cela parce que vous êtes un homme, et un général. Pour une femme seule, cela ne fait pas beaucoup de différence ! »

Marie-Thérèse se rapprocha et se pencha. François Beille passa son bras autour de sa taille, où il sentait le haut de ses hanches, et l'attira vers lui. Ses yeux bleus brillaient de bonheur. Elle appuya ses lèvres sur les siennes, et se dégagea.

« Je suis heureux que tu sois délivrée de tes terreurs, lui dit-il. C'est vrai que nous risquions le pire ! J'y ai pensé pour toi. Maintenant c'est fini ! »

Alors qu'elle s'était éloignée, elle fit demi-tour et revint vers lui. Il prit ses mains dans les siennes. Elles restaient fraîches, malgré la chaleur de l'assiette. Il les garda un moment, puis il attaqua le potage.

*
* *

Le général Beille avait imaginé d'organiser une parade pour faire ses adieux à sa division, mais il renonça à ce projet : la mise au point en aurait été trop compliquée car les unités étaient dispersées en plusieurs points de la ville et des environs, et il redoutait une interprétation malveillante d'une manifestation jugée prétentieuse, puisque sa promotion rapide avait dû susciter de nombreuses jalousies. Il en avait perçu les signes pendant la traversée de l'antichambre du maréchal Berthier. Aussi avait-il décidé d'assister successivement aux prises d'armes qui se dérouleraient dans chacune des unités de la division, avant sa dislocation. Leur déroulement serait identique. Le bataillon, ou l'escadron, serait divisé en pelotons, précédés de leur capitaine et de ses lieutenants. François Beille saluerait le drapeau, ou l'étendard, au son de la musique, puis il s'adresserait aux soldats pour les remercier et leur annoncer les décorations qu'il proposerait pour eux. Après quoi les soldats défileraient devant lui, et il s'efforcerait de rencontrer le regard des officiers et des sous-officiers lorsqu'ils passeraient devant lui, et qu'ils tourneraient la tête pour le saluer.

Ces prises d'armes remplirent la journée. Le général Beille se rendit de l'une à l'autre accompagné du colonel Arrighi et de son aide de camp. Ce dernier avait été détaché en avant pour repérer les cantonnements successifs. Chaque fois Beille était surpris de la bonne présentation du bataillon. Les uniformes avaient été rapiécés, et les alignements étaient impeccables, aussi rigoureux que dans la cour des Tuileries. Il eut le sentiment que l'arrêt des combats avait fait renaître la diversité des corps de la Grande Armée : les Bavarois obéissaient à des ordres criés d'une voix rugueuse et semblaient heureux de resserrer les rangs ; les Suisses se montraient des professionnels lents et méthodiques ; quant aux Français du 141e régiment de ligne, ils conservaient leur allure guerrière derrière leur encadrement, aux gestes précis, et rappelaient les combats auxquels ils avaient participé. Le général Beille sentait monter en lui une émotion nouvelle, chaque fois qu'il faisait son adieu à un colonel. Ainsi, pensait-il, c'est cela la paix ! Il n'y a plus à redouter le lendemain. Chacun est assuré de vivre sa vie. Cette immense machine militaire si coûteuse en hommes, si difficile à commander, est frappée d'un seul coup d'un éclair d'inutilité. Il répugnait à voir disparaître ces liens qui avaient été si fortement ressentis autour de Smolensk, et cette solidarité sans contrainte dans les campements improvisés.

Le plus beau spectacle fut celui offert par la cavalerie. Le colonel de Villefort avait déniché une prairie close de murs, et avait disposé l'escadron des dragons de la Garde d'un côté, et les chevau-légers polonais de l'autre. Le général Beille était placé au milieu, au bout de cette prairie. À la fin de la cérémonie, Villefort eut l'idée de faire avancer les deux escadrons face à face jusqu'à ce qu'ils se rejoignent, puis de les faire pivoter en alignant leurs chevaux sur les mêmes rangs, pour qu'ils avancent et sortent côte à côte par la grille ouverte dans les murs. Le colonel de Villefort et le capitaine Zalisky restèrent seuls, et vinrent saluer le général Beille.

La division avait cessé d'exister.

*

* *

Chapitre XVII

La première chute de neige

Pour faciliter le retour du général Beille à Paris, l'état-major du maréchal Berthier fit bien les choses : il lui affecta une superbe calèche à quatre roues qui avait été abandonnée à Vilna par un fournisseur aux armées rentré précipitamment en France pour répondre à une enquête prescrite par le ministère de l'Administration de la Guerre sur des approvisionnements de qualité douteuse.

C'était une calèche fermée, tirée par quatre chevaux. L'intérieur comportait deux banquettes en vis-à-vis, matelassées de fourrure. Chacune était aménagée pour accueillir deux voyageurs, avec un accoudoir au milieu. En se serrant, estima le lieutenant Villeneuve, lorsqu'on lui présenta la voiture, on devrait réussir à se tenir à trois. À l'avant, et en hauteur, se trouvaient les sièges des deux cochers, et à l'arrière un emplacement destiné aux postillons. Le lieutenant avait obtenu qu'on détache jusqu'à Varsovie un chevau-léger polonais qui servirait d'interprète, et relaierait Le Lorrain et Bonjean dans le rôle de cocher. Ceux-ci, habitués à monter les chevaux de la Garde, se déclaraient aptes à conduire les petits chevaux lituaniens qui mèneraient la voiture.

Pendant que le général Beille assistait aux prises d'armes, Le Lorrain avait parcouru les magasins de la ville pour acheter des houppelandes, et des sacs de fourrure pour les cochers. L'équipage était paré pour le grand froid qu'annonçaient les habitants de la ville. Le ciel était désormais chargé de nuages gris foncé, qui se tenaient immobiles, à faible hauteur. Un frisson parcourait les rues.

Le départ de la calèche eut lieu le 5 novembre à 10 heures du matin. François Beille et le lieutenant Villeneuve étaient assis côte à côte. Ils portaient l'uniforme de campagne des chasseurs de la Garde. Marie-Thérèse s'était installée en face d'eux, vêtue d'un manteau de laine beige, dont elle avait relevé le col. Elle était coiffée d'une toque d'astrakan noir, et ses pieds, qui dépassaient à peine du long manteau, étaient chaussés de bottes. « Elle est capable de s'adapter à toutes les circonstances ! » se dit Beille. Un panier d'osier rempli de victuailles était posé sur la banquette, d'où émergeaient les cols de bouteilles de vin.

Le Lorrain et Bonjean grimpèrent sur leurs sièges, et prirent les longues rênes en main. Ils avaient glissé derrière eux leurs fusils, des cornes de poudre, et leurs sabres, pour affronter les mauvaises rencontres. Le cavalier polonais s'était installé en postillon sur le cheval de tête pour guider la voiture pendant la traversée de la ville.

À la sortie de Vilna, la voiture eut à monter le long d'une pente assez raide. Il n'y avait pas de neige, mais la chaussée était recouverte d'une mince couche de verglas. Les chevaux peinaient à tirer la calèche, aussi Beille et Villeneuve en descendirent pour réduire la charge. Marie-Thérèse sauta légèrement du marchepied. Arrivé sur le plateau, à une fourche de chemin, Beille s'interrogea sur la route à suivre. La route la plus directe pour rejoindre Varsovie, selon la carte que lui avait fournie l'état-major, se dirigeait vers le sudouest : en direction de Bialystok. Il aperçut, au bas de la montagne, une belle route qui s'orientait dans cette direction. Il l'indiqua au postillon, et ils remontèrent tous les trois dans la calèche.

La campagne était déserte et lugubre. De temps à autre on apercevait une isba, couronnée d'une fumée blanche. La calèche vit venir à sa rencontre une escouade de cavaliers. Le Lorrain et Bonjean posèrent leur main droite sur le canon de leur fusil, sans lâcher les rênes. À leur uniforme ils reconnurent des hussards de la Grande Armée. C'étaient des estafettes qui allaient porter du courrier au maréchal Berthier.

La route se poursuivit dans la monotonie, sans incident. Vers 3 heures, ils traversèrent un village minuscule où des poules, qui avaient échappé au pillage, picoraient dans les cours. Beille avait fixé à quarante, ou cinquante kilomètres, la longueur de cette première étape. Ils devraient s'arrêter à la prochaine bourgade.

Quand le jour commença à baisser, ils aperçurent les lumières d'un gros village.

« Sommes-nous encore en Russie, demanda François Beille au postillon.

— Non ! Non ! Vous êtes en Lituanie. Ce ne sont pas des ennemis ! »

La calèche roula dans la rue principale. Le village paraissait frigorifié. Tous les volets étaient fermés. L'air était rempli de minuscules flocons glacés qui piquetaient le visage. Les nuages semblaient être descendus à la hauteur des toits.

Une large porte entourée de deux lanternes indiquait l'entrée d'une auberge. Le bâtiment était précédé d'une cour dallée, où la calèche s'arrêta. Il s'agissait vraisemblablement d'un relais de poste. François Beille décida d'y passer la nuit.

Le rez-de-chaussée était occupé par une vaste salle, au plafond bas. En se dressant sur les pieds et en étendant le bras on pouvait toucher le plafond. Plusieurs lanternes posées sur des tables diffusaient une lumière jaune. L'aubergiste et son épouse s'avancèrent pour prononcer des paroles obséquieuses de bienvenue, que le Polonais traduisit approximativement. Ils étaient visiblement terrorisés par les uniformes.

Il ressortait de leurs propos que l'auberge était vide, qu'il y avait suffisamment de chambres, et qu'ils allaient faire chauffer un dîner.

La petite troupe monta au premier étage, par un escalier de bois, pour s'installer. La femme de l'aubergiste ouvrit la porte d'une grande chambre pour le général Beille, puis, en suivant le corridor, montra la pièce où pourrait dormir le lieutenant Villeneuve, et ensuite une chambre à deux lits pour les cochers, une autre pour le postillon, et enfin la dernière pour Marie-Thérèse. Beille fit rectifier l'ordre. Marie-Thérèse occuperait une chambre au centre pour ne pas être effrayée de se trouver isolée, à l'extrémité de ce possible coupe-gorge.

Le dîner fut servi rapidement. Il était constitué des produits du village, porc, pommes de terre, betteraves rouges et choux, fortement assaisonnés, et bien cuits. François Beille, Villeneuve et Marie-Thérèse soupèrent à la même table. Comme Marie-Thérèse hésitait à s'asseoir, le général lui indiqua sa chaise. Elle prit sa jupe dans ses mains, et s'installa.

Pendant ce temps, les deux cochers et le postillon s'occupaient des chevaux, qu'ils placèrent dans des stalles avec un seau d'eau et une botte de foin. Quand ils rentrèrent dans la salle pour souper à leur tour, ils se frappaient les mains l'une contre l'autre pour les réchauffer.

« Il fait diablement froid ! s'exclama Le Lorrain. Tout commence à geler, même l'eau dans les seaux. D'après le fameux thermomètre républicain, on doit en être à plus de dix degrés au-dessous de zéro ! »

*
* *

François Beille remonta dans la chambre que lui avait indiquée l'aubergiste. Il se sentait la tête vide. Il n'avait plus rien à penser, en dehors de ces étapes qui, l'une après l'autre, allaient le ramener en France. Il lui semblait qu'il se détachait de ce qui était volontaire et construit, pour avancer sur une trajectoire où tout effort était inutile. Il n'avait pas la force de se déshabiller. Il enleva sa veste d'uniforme et arracha ses bottes, puis il s'étendit sous la couverture de fourrure, et s'enfonça dans le sommeil.

*
* *

Quand il se réveilla à l'aube du 6 novembre, il prit conscience qu'un événement s'était produit pendant la nuit. Les sons, les chocs étaient devenus doux et mous. Il se rapprocha de la fenêtre, et il vit que tout était blanc. Une couche de neige déjà épaisse recouvrait le sol et les toits. Cette neige continuait de tomber en stries parallèles qu'inclinait le vent. Elle se déposait sur la vitre où elle commençait par fondre, puis s'étalait en plaques. Il enfila à la hâte sa vareuse, et chaussa ses bottes, puis il descendit l'escalier dont les marches craquaient sous ses pas.

Il découvrit que les murs de la salle basse étaient décorés de trophées de chasse. Il reconnut des têtes de loup, et de longs bois de chevreuil. Les tables étaient recouvertes de nappes à carreaux rouges et blancs. Il alla vers la porte dont il tira les verrous, puis il ouvrit le battant et s'avança sur le seuil.

La neige le fouetta en plein visage. Il aperçut Bonjean et le postillon polonais qui s'affairaient autour de la calèche dont les roues s'enfonçaient presque jusqu'aux moyeux dans la couche molle. Le ciel était noir, au-delà des flocons, et la température avait encore baissé. « Moins quinze », estima-t-il, en sentant la coupure du vent sur sa peau.

« Ainsi c'est cela l'hiver russe, pensa-t-il, le fameux hiver russe qu'on m'avait annoncé. Il n'y a pas d'automne, il arrive d'un seul coup. »

Il resta immobile à la porte, à s'imprégner du spectacle. Il pouvait voir gesticuler les silhouettes des personnages, dessinées à l'encre de Chine, qu'avaient rejointes Le Lorrain et l'aubergiste. Les bruits étaient feutrés, le haut des murs de la cour était revêtu d'une crête blanche, et l'ensevelissement par la neige se poursuivait.

« Mon Dieu, mon Dieu, se dit François Beille, heureusement que cela ne nous est pas arrivé dans la grande plaine, avant ou après Smolensk. Nous aurions été harcelés par les cosaques, et aurions été mal équipés pour nous défendre ! Les fantassins auraient trébuché sur les routes glacées pendant que la neige aurait rempli leurs chaussures, et coulé dans leur cou. L'acier des canons de fusil aurait gelé sous leurs doigts. Heureusement que l'Empereur a eu la prescience de nous faire repartir au plus vite ! »

Beille, qui contemplait toujours la cour, se souvint de la petite terrasse du Kremlin où l'Empereur lui avait donné ses consignes : « Tout de suite ! Il faut repartir tout de suite », avait-il répété. Comme il avait raison ! Au lieu de rester engluée dans les marécages et la neige de la grande plaine russe, la Grande Armée avançait désormais entre Vilna et le Niémen, qu'elle allait bientôt franchir. L'Empereur avait raison : « Il fallait repartir tout de suite ! » se répétait François Beille, tellement absorbé dans ses pensées qu'il restait immobile sur le seuil, comme enveloppé dans le rideau que formait la neige.

Il entendit des pas derrière lui. C'était l'aubergiste qui venait en trottant aux nouvelles. Beille appela Le Lorrain, qui continuait à balayer autour de la voiture. Il lui demanda de le rejoindre, ainsi que l'interprète polonais. Sa voix ne portait pas ; à une dizaine de mètres elle devenait sourde, engloutie par le velours de la neige. Le Lorrain aperçut son geste et se rapprocha. Ils se réunirent dans l'entrée.

« Peux-tu demander à cet aubergiste si la neige va nous empêcher de repartir ce matin ? »

L'interprète s'interposa.

« Il nous dit que non ! Si vous voulez attendre la disparition de la neige, il faudrait rester ici cinq à six mois ! La chaussée de la route est bonne jusqu'à Bialystok. Il peut vous vendre des pelles pour dégager la route si le vent forme des congères. Il vous recommande de charger vos fusils pour faire fuir les loups, autrement la peur peut saisir vos chevaux, qui briseraient leurs traits.

— Nous allons continuer », ordonna Beille à sa petite équipe, qu'avait rejointe Marie-Thérèse dont on apercevait le nez et une boucle de cheveux entre sa houppelande et sa toque. « Apporte-nous des pelles, et prépare un vin chaud que nous boirons avant de partir », ordonna-t-il à l'aubergiste, qui disparut dans la cuisine.

Une demi-heure plus tard, la calèche était chargée. L'aubergiste avait apporté dans un broc d'étain une liqueur chaude à base d'alcool et de fruits, qu'il versa dans des gobelets. Puis il tendit la main pour se faire payer. Le général Beille, comme tous les soldats de la Grande Armée, n'avait pas touché de solde depuis Moscou. Il conservait une bourse dans son gilet, dont il extraya un napoléon. L'or de la pièce faisait un contraste saisissant avec la pauvreté de la salle. Le général Beille déposa le napoléon dans la paume de la main de l'aubergiste, dont il referma les doigts.

« Tu pourras le garder en souvenir », lui dit-il.

L'autre, qui tenait ses doigts serrés, ne répondit rien, et partit dans la cour. Il glissa la pièce dans une poche, et saisit un long balai avec lequel il dégagea un chemin depuis la voiture jusqu'au portail. Chacun avait regagné sa place. Marie-Thérèse était assise en face du général. Le postillon trônait au-dessus des malles, auxquelles on avait attaché les pelles. Le Lorrain secoua les rênes, et les quatre chevaux se mirent en mouvement, avec de petites glissades.

La neige continuait de tomber.

*
*   *

Le trajet pour Varsovie dura deux jours de plus que prévu. Tous les soirs la calèche s'arrêta dans un village où l'on trouvait une auberge misérable, ou un relais de poste démuni de chevaux. À Bialystok, la voiture fut rejointe par un régiment de cavalerie polonais qui suivait la même route. François Beille soupa avec les officiers dont plusieurs l'avaient reconnu. On lui proposa de lui fournir une escorte. Il déclina l'offre, préférant rester seul, maintenant qu'il n'était plus qu'à trois jours de Varsovie. Il demanda simplement qu'on prévienne le commandement local de son arrivée. Les Polonais avaient emporté avec eux une ample provision de vodka. Les toasts s'échangèrent tard dans la nuit, et les cavaliers repartirent au petit jour.

Pendant l'avant-dernière étape, la voiture longeait une forêt. Les chevaux donnèrent des signes de nervosité, et se mirent à hennir. « Ils doivent sentir des loups », pensa Beille. Il se saisit d'un fusil, le chargea, et abaissa la vitre de la portière. Il voyait défiler les troncs noirs des sapins, et les taches claires des bouleaux, et cherchait à distinguer entre les branches basses la silhouette d'un animal. Cela lui rappelait les merveilleux souvenirs de ses expéditions de chasse dans le Gévaudan. Il y recherchait également un loup. Malgré les innombrables témoignages des paysans, il n'avait pas réussi à en trouver. Une seule fois il avait cru apercevoir la silhouette d'un loup qui courait dans un pâturage. Il l'avait tiré, et, surpris, l'animal s'était arrêté. Beille avait reconnu alors un chien de berger à poils noirs. Heureusement il l'avait manqué.

Dans un tournant les chevaux s'arrêtèrent brusquement. L'un d'entre eux esquissa une ruade. François Beille plongea son regard dans la forêt sur sa gauche. Effectivement il aperçut un animal qui se tenait immobile et regardait les chevaux. Son corps était trop vigoureux pour être celui d'un chevreuil, et ses yeux étaient trop lumineux pour appartenir au regard mat d'un sanglier. C'était bien un loup. Il décida de le tirer, et visa longuement la poitrine de l'animal en appuyant son fusil de guerre sur la portière. Marie-Thérèse appliqua ses deux mains sur ses oreilles, pour les protéger de l'onde sonore. Le coup partit, et Beille entendit distinctement l'impact de la balle sur le corps du loup. Celui-ci fit un saut brusque, puis s'élança en galopant entre les arbres.

Beille demanda au postillon polonais d'aller juger le résultat sur place. On le vit faire des allers et retours dans les bois, la tête penchée, et tenant une baguette à la main.

Il revint. « Le loup est blessé, dit-il, il perd beaucoup de sang. C'est du sang clair qui vient des poumons. Il court très vite d'après les traces, et il nous faudrait le suivre pendant une heure ou deux pour le retrouver. »

François Beille le remercia, et renonça à la poursuite. Marie-Thérèse lui adressa un sourire admiratif pour son habileté au tir. Le postillon regagna sa place à l'arrière de la voiture, et celle-ci repartit en direction de Varsovie.

Quand ils s'approchèrent de la grande ville, la circulation devint intense. Le bord de la route était encombré de charrettes basses, tirées par un cheval ou un mulet, où les paysans transportaient les produits qu'ils allaient vendre sur les marchés. Les hommes étaient assis à l'avant, vêtus de pelisses de lapin, et leurs pieds, chaussés de bottes basses, touchaient pratiquement la neige. La calèche était dépassée de temps à autre par des unités de cavalerie qui avançaient au trot. François Beille identifiait les uniformes et pensait qu'il devait compter des camarades parmi les officiers, mais il évitait de se faire reconnaître, tant il se sentait ridicule dans son équipage. Marie-Thérèse, qui n'était pas habitée des mêmes scrupules, observait par la portière les cavaliers qui lui adressaient des gestes complices.

Parallèlement à la route, des bataillons d'infanterie avançaient sur un chemin de terre. Les hommes portaient leur lourd équipement sur le dos, et leur fusil à la bretelle. Les officiers à cheval se tenaient sur le côté, absorbés dans leurs pensées, et indifférents à un environnement devenu pacifique. Les villages se succédaient, avec des maisons coquettes, et des auberges devant la porte desquelles se tenaient des groupes de serveuses, en boléro de couleur vive et en jupe longue, fascinées par le défilé d'une armée victorieuse. François Beille avait le sentiment de rencontrer une population heureuse, mais il ignorait le motif de sa joie.

Après un dernier tournant, au loin, il aperçut, de l'autre côté de la Vistule, une falaise couronnée par les clochers de Varsovie.

L'entrée dans la ville se faisait par un pont de bateaux. Le chemin d'accès était saturé sur plusieurs kilomètres par les unités d'infanterie qui attendaient leur tour, et par la cohorte ininterrompue des charrettes des paysans. Un poste militaire réglait le trafic à l'entrée du pont. Le Lorrain n'hésita pas à se frayer un passage, et la foule s'écarta à la vue d'un véhicule aussi imposant, tiré par quatre chevaux. Lorsqu'ils arrivèrent devant le poste, le lieutenant Villeneuve descendit pour faire reconnaître l'identité du général. La petite garnison était composée d'un mélange de militaires polonais et français, sous commandement français. Lorsque le lieutenant Villeneuve revint vers la calèche, il tenait à la main une large enveloppe, qu'il tendit à François Beille.

« C'est de la part du maréchal ou du roi Poniatowski. Je ne comprends rien à ce qu'il raconte. Il a l'air de tout mélanger ! »

François Beille ouvrit l'enveloppe et lut la lettre qu'il avait posée sur ses genoux.

« Mon cher camarade, je te souhaite la bienvenue à Varsovie, où je sais que tu vas arriver. Peut-être as-tu appris qu'avant de quitter notre capitale, l'empereur Napoléon a annoncé qu'il allait reconnaître le royaume de Pologne. C'est une grande nouvelle pour nous ! J'aimerais t'en parler. Peux-tu venir au palais du Belvédère demain à 9 heures ? Une estafette t'y conduira. C'est la même qui va t'accompagner ce soir au logement que je t'ai réservé. À demain !

Ton ami

Josef Alexandre Poniatowski. »

Beille plia la feuille et la plaça dans la poche intérieure de sa vareuse. Il était heureux du ton amical qu'avait adopté Poniatowski.

L'estafette prit les devants et avança à cheval sur le pont. La calèche le suivit, en ballottant sur les jointures des planches. Arrivés sur l'autre rive, ils gravirent une pente raide, puis s'engagèrent dans une avenue bordée de jardins. Ils passèrent devant le palais du Belvédère, bâti en pierres blanches, puis tournèrent dans une rue latérale. Le logement affecté au général Beille se trouvait deux cents mètres plus loin. C'était un beau bâtiment, aux hautes fenêtres, construit sur deux étages. Dans le petit parc à la française qui le précédait se trouvaient, sur la droite, des écuries, et, en face, un pavillon de bois où pouvait loger le personnel.

François Beille pénétra dans l'entrée d'où partait un escalier à larges marches. Il l'emprunta jusqu'au premier étage où un examen rapide lui montra qu'il y avait une grande chambre, un salon au milieu, et un bureau. Il déposa la lettre du maréchal Poniatowski sur la table du bureau, et retourna dans la chambre. Il était épuisé par les cahots de la voiture, aussi, sans même attendre le repas du soir, il s'étendit sur le lit et s'endormit.

*
* *

Chapitre XVIII

Le royaume de Pologne-Lituanie

Lorsque le général Beille se réveilla, il faisait grand jour. Le palefrenier Bonjean tenait par la bride, devant le perron, un beau cheval alezan qu'il s'était procuré au service de la remonte. Beille l'enfourcha d'un saut léger et suivi l'estafette jusqu'au palais du Belvédère.

La neige recouvrait les pelouses, mais les allées de graviers avaient été balayées. Beille descendit de cheval au pied des marches, où deux sentinelles lui présentèrent les armes. Il reconnut l'uniforme des lanciers de la Garde impériale de la Grande Armée.

Le maréchal Poniatowski l'attendait dans l'entrée, toute blanche et sans le moindre mobilier. Il le prit dans ses bras et l'étreignit chaleureusement. Ils étaient de taille voisine, mais Poniatowski était plus corpulent, et chamarré de médailles et d'aiguillettes.

« Quel bonheur de te revoir, lui dit-il. Quand nous nous sommes séparés à Moscou, j'ai pensé que je ne te retrouverais jamais. Il paraît que tu t'es conduit en héros ! Ney m'a confié que ta manœuvre à Smolensk a été décisive pour préparer la victoire de Vilna. Mais viens t'asseoir. Je vais te raconter ce qui se passe ici. »

Ils traversèrent une pièce qui faisait fonction de salle d'attente, remplie d'aides de camp qui se mirent au garde-à-vous en claquant les talons de leurs bottes chaussées d'éperons argentés, puis, en empruntant un passage sur leur gauche ils pénétrèrent dans le bureau du maréchal.

C'était une belle pièce, décorée sans ostentation d'un mobilier français en acajou. Un canapé était entouré de deux fauteuils. Poniatowski fit asseoir Beille dans l'angle du canapé, et s'installa dans un fauteuil.

« Tu n'as pas encore eu l'occasion, commença-t-il, de mesurer la liesse populaire qui règne ici. Les gens ont perdu la tête ! C'est vrai qu'il ne leur en reste pas beaucoup après tous leurs malheurs ! ajouta-t-il philosophiquement. La raison en est qu'avant de partir d'ici, il y a six jours, l'Empereur a annoncé solennellement qu'il rétablissait le royaume de Pologne, en effaçant tous les partages. Il l'a baptisé pour le moment "Pologne-Lituanie" pour montrer qu'il s'agit de la Grande Pologne, et il a ajouté dans une conversation qu'il souhaitait que je sois proclamé roi.

— Il a entièrement raison, répliqua Beille. Je ne comprends pas pourquoi il a attendu si longtemps pour le faire !

— C'était à cause du tsar Alexandre. Il était fasciné par le contexte de l'amitié trouble qui l'unissait à lui depuis la paix de Tilsit, et il se rendait compte, à juste titre, qu'Alexandre ne lui pardonnerait jamais l'offense qui consisterait à rétablir l'indépendance de la Pologne. Mais le plus curieux, ajouta Poniatowski, c'est qu'avant le début de la campagne, Alexandre, sans doute conseillé par Bernadotte, m'avait fait des propositions secrètes qui visaient à établir un royaume de Pologne sur lequel je régnerais. Je les avais évidemment refusées !

— Tu as bien fait, car il n'aurait pas tenu parole.

— Le projet de Napoléon est beaucoup mieux construit, reprit Poniatowski. Il veut une Grande Pologne, qui s'étende du Niémen à l'Oder, pour contrarier les ambitions du roi de Prusse. À l'est, il souhaite que Vilna appartienne à notre royaume, ce qui pose un problème car la ville est aujourd'hui russe, or Napoléon ne veut pas humilier Alexandre. Il va lui faire porter par Caulaincourt des propositions de paix qui seraient honorables pour lui, m'a-t-il confié. La Russie conserverait sa frontière de l'ouest, à l'exception de Vilna, et les généraux russes seraient libérés. Ceux que tu as capturés ! De son côté, la France renoncerait à son alliance avec la Turquie, qui l'a trahie, et permettrait à la Russie de poursuivre son expansion vers le sud.

— Tout cela paraît raisonnable, jugea Beille, légèrement accablé par ces développements stratégiques. Mais que va-t-il se passer en Pologne ?

— L'Empereur souhaite la réunion d'une Diète, qui proclame l'existence du royaume de Pologne-Lituanie, et qui en fasse une monarchie héréditaire. Il veut mettre fin au système électif qui offre, selon lui, trop d'espace pour les manipulations étrangères.

— Et alors, qui sera roi ?

— Tu m'embarrasses, répliqua Poniatowski, en lui appliquant une claque sur la cuisse. Je crois que tu as le roi devant toi. Évidemment il restera à me faire élire par la Diète. Cela ne devrait pas être trop difficile.

— Je ne pense pas que tu y trouves beaucoup de difficultés. Je me prépare à te féliciter ! »

L'atmosphère de cet échange était devenue joyeuse. La liesse de Varsovie pénétrait par les fenêtres. Deux amis s'entendaient pour refaire une partie de la carte de l'Europe.

« Écoute, François, poursuivit Poniatowski, j'aimerais te proposer une haute fonction, une fonction digne de toi ! Je n'ai pas une confiance absolue dans les hommes qui m'entourent. Je ne parle pas des militaires, mais de tous ceux qui ont vécu les avanies que nous avons subies, les partages successifs du pays, et le grand-duché de Varsovie ! Il faut que je puisse m'appuyer en toute confiance sur quelques collaborateurs. Tu pourrais prendre, par exemple, le commandement de la Garde royale, qu'il va falloir créer sur le modèle de la Garde napoléonienne.

— Je te remercie, Joseph, mais ce n'est pas possible ! Je suis attaché à l'Empereur, auquel je dois tout. C'est lui qui m'a nommé général, en dépit de mon âge. Il m'a donné rendez-vous à Paris. Je ne vais pas lui faire défaut.

— Comme tu l'entends, mais ma proposition te restera ouverte. Tu seras peut-être tenté de revenir à Varsovie pour revoir la belle comtesse Kalinitzy, dont tout le monde raconte que tu lui as sauvé la vie ! Elle est une grande amie de ma nièce, la princesse Alexandre Potocka !

— C'est exagéré ! Je n'ai sauvé la vie de personne ! Je l'ai simplement autorisée à se joindre à notre convoi. Elle ne pouvait plus rester à Smolensk.

— Ce qui lui a sauvé la vie ! J'espère que ton installation te convient ? On me dit que tu dois repartir demain matin.

— C'est la consigne que m'a donnée l'Empereur. Il veut que je rentre le plus vite possible à l'École militaire pour réorganiser la Garde à cheval.

— J'ai un petit souvenir de Pologne pour toi, François. Je voudrais que tu continues à aimer notre pays ! »

Le maréchal sonna. À l'aide de camp qui ouvrit la porte, il demanda d'apporter le paquet préparé pour le général Beille. C'était un petit coffret en marqueterie. Quand François Beille l'ouvrit, il trouva huit petits casiers recouverts de feutre vert. Chacun d'eux contenait un gobelet d'argent, dont l'anse finement travaillée évoquait une ramure de cerf. Une plaque gravée rappelait l'origine du cadeau.

« Ce sera utile pour que tu boives de la vodka à la santé de la Pologne », lui dit le maréchal Poniatowski. Puis, en le raccompagnant, il lui donna une tape dans le dos et ajouta : « Bonne chance, François ! Et reviens nous voir ! »

François Beille chercha ses mots avant de lui répondre :

« Merci pour votre accueil, monsieur le maréchal. Et au revoir, sire ! »

*
* *

En sortant du palais du Belvédère, le général Beille remonta sur son cheval. Il était suivi de son aide de camp. L'air était vif, et le ciel dégagé. En laissant aller sa monture dans les rues de Varsovie,

Beille se sentait mal à l'aise en pensant à Krystyna Kalinitzy. Il aurait aimé lui rendre visite, comme il avait plus ou moins promis de le faire, mais son séjour était trop court pour qu'il la retrouve, et qu'il puisse se faire inviter.

Il gardait la tête penchée en arrivant à sa résidence, et trébucha sur une marche en montant l'escalier du perron. Le Lorrain l'attendait en haut :

« Mon Général, il est arrivé une correspondance pour vous ! »

François Beille reconnut tout de suite sur l'enveloppe la haute écriture penchée qu'il avait observée sur l'invitation de Smolensk. Il lut la lettre :

« Mon cher François, écrivait Krystyna, j'ai appris, par la comtesse Tyskiewicz, sœur du maréchal Poniatowski, que vous seriez de passage à Varsovie aujourd'hui. Elle donne une soirée au palais de Wilanow pour célébrer la renaissance du royaume de Pologne. Elle m'a demandé de vous y inviter. Je serais heureuse de cette occasion de vous revoir. La réception est à 7 heures, en habit ou en uniforme. Je vous y attendrai. Votre Krystyna. »

François Beille se sentit soudain libéré. Il n'aurait pas le remords d'escamoter la visite promise à Varsovie et il recevrait des nouvelles fraîches du voyage de Krystyna.

Une fois dans ses appartements, il fit appeler Marie-Thérèse.

« Je dois me rendre ce soir à une réception, lui dit-il. Aurais-tu la gentillesse de remettre en état mon uniforme de parade qui doit se trouver quelque part dans un sac, à l'arrière de la voiture ? »

Marie-Thérèse le regarda d'un air soupçonneux :

« Je vais m'en occuper, mais j'espère que ce n'est pas pour retrouver cette princesse russe que vous avez ramenée de Smolensk ! »

François Beille choisit de faire un demi-mensonge :

« C'est pour célébrer la renaissance du royaume de Pologne que l'Empereur a décidé de rétablir ! »

Marie-Thérèse sortit de la pièce à moitié convaincue.

*
* *

Le général Beille décida de visiter la ville. Elle était en pleine fête. Il se rendit sur la grand-place, dont il admira l'alignement des façades coloriées. Malgré le froid, on servait des boissons brûlantes sur les terrasses, et l'air résonnait des interpellations joyeuses qu'échangeaient les groupes qui se croisaient. « La guerre paraît loin », se dit Beille en se souvenant de l'arrivée des chevau-légers venus lui annoncer dans la forêt de Katyn la mort tragique du colonel Verowski. Il choisit de faire un détour pour passer devant le palais royal, où siégerait un jour prochain le prince Poniatowski, et regagna enfin sa résidence.

Il trouva son uniforme étalé sur le lit, et soigneusement repassé. C'était une tenue de colonel, mais il n'avait pas les moyens d'y ajouter les insignes et les épaulettes à franges de général. Il enfila la culotte blanche et la chemise, puis il réfléchit qu'il devrait se rendre à Wilanow en voiture, puisqu'il ne pouvait pas y arriver botté.

Heureusement, Marie-Thérèse avait retrouvé ses escarpins noirs.

Il partit à 6 h 30, car il avait la moitié de la ville à traverser.

La grande cour du palais de Wilanow était encombrée de voitures aux carrosseries scintillantes, et de chevaux à la crinière nouée. La calèche de François Beille finit par s'approcher de la grande porte, au milieu d'une file de carrosses dont descendaient des femmes recouvertes de fourrure et des hommes en uniforme. François Beille, qui se sentait seul, attendit patiemment son tour. La comtesse Tyskiewicz recevait ses invités dans un premier salon, où un huissier en perruque épelait les noms et les titres. Une jeune femme de petite taille au visage animé et souriant se tenait à côté d'elle. Elle avait les épaules nues et portait un collier de diamants. « Ce doit être sa nièce, la princesse Alexandre Potocka », estima Beille. Celle-ci reconnut son uniforme et lui tendit la main.

« Vous êtes le fameux général français, qui avez arrêté Koutouzov, lui dit-elle, sans le moindre accent. Je vais vous introduire auprès de ma tante. » Celle-ci était enveloppée de châles de dentelles qui lui conféraient un aspect monumental. Après des propos conventionnels, elle demanda à sa nièce de conduire le général Beille auprès de « la personne qu'il avait sauvée de la mort à Smolensk », et qui était quelque part dans la salle de bal. « Décidément cette légende est tenace », murmura François Beille.

Ils suivirent une longue galerie, décorée de bustes d'empereurs romains, et débouchèrent dans l'immense pièce qui occupait deux niveaux du palais. Les murs étaient uniformément blancs, avec des entrelacs de boiseries baroques décorées à l'or. La salle était illuminée par de grands lustres de cristal, chargés de bougies, suspendus au plafond par de longues chaînes. En face de lui, Beille aperçut une sorte de loge incrustée à mi-hauteur de la pièce. Des musiciens en costumes locaux y jouaient sur des violons de la musique polonaise. Personne ne dansait encore. La salle était remplie d'un bourdonnement de conversations, compact comme une marée sonore qui s'élevait vers le plafond.

Des tables étaient disposées par grappes autour de la pièce. François Beille remarqua que les sièges étaient occupés par les femmes, les hommes se tenant debout derrière elles, à l'exception de quelques personnages âgés qui s'étaient assis en tenant une canne entre leurs jambes sur laquelle ils appuyaient leur menton pour observer le public.

La princesse Potocka prit la main de François Beille et l'entraîna vers une table où avaient pris place plusieurs invitées. Parmi elles, il aperçut la comtesse Kalinitzy. Elle portait une robe gris clair, dont le décolleté était retenu par deux agrafes en émeraudes. Ses cheveux, noués en chignon, étaient surmontés d'un diadème de la même pierre. Elle était pâle et ses traits, en dépit du maquillage, semblaient tirés.

Le général Beille s'approcha de la table et s'inclina devant Krystyna.

« Venez, François ! Venez plus près, lui dit-elle. Il faut que je vous présente à une de mes amies, Marie Walewska. On dit que c'est à elle que nous devons le rétablissement du royaume de Pologne, parce que Napoléon a fait le détour par Varsovie pour la revoir.

— Cesse de dire des sottises, Krystyna ! répliqua vivement la jeune femme assise à côté d'elle, et qui paraissait avoir le même âge. Et en se tournant vers François Beille, elle ajouta : Vous, monsieur le militaire qui connaissez bien l'Empereur puisque vous assurez sa garde, vous savez que ses actions ne répondent jamais à de petits motifs, mais à des considérations tirées de l'histoire !

— Vous avez entièrement raison, madame, répondit François Beille, qui ajouta, commençant à se sentir en verve, mais je ne me résignerai pas à vous qualifier de "petit motif". Les convives l'applaudirent, et les invités des tables voisines se retournèrent pour rechercher la cause du bruit.

— Excusez-moi, Marie, pour avoir fait une remarque déplacée, dit Krystyna en boutonnant et déboutonnant nerveusement le gant qui remontait au-dessus de son coude gauche, mais nous vivons de tels événements que nous en avons tous la tête tournée.

— Ce serait pourtant le moment de garder la tête froide, si nous voulons que tout se passe bien, répondit calmement Marie Walewska. Mais excusez-moi s'il faut que je vous quitte. Je dois rejoindre mon mari qui, ce soir, ne se sentait pas bien... »

Elle se leva d'un mouvement gracieux, salua François Beille d'une inclinaison de la tête, et disparut dans la foule.

« J'aurais mieux fait de me taire, dit Krystyna sur un ton irrité contre elle-même, mais je pensais que personne ne m'entendrait, et ce que j'ai dit, tout le monde le répète à Varsovie ! »

François Beille garda le silence car il ne se sentait pas concerné par cette querelle où Marie Walewska avait été offensée.

Après un moment, il interrogea Krystyna pour savoir comment s'était déroulé son retour.

« Nous n'avons pas eu de problème ! Au début c'était surprenant car ma calèche roulait derrière la voiture ouverte de Koutouzov. Les soldats que nous croisions s'arrêtaient, stupéfaits. Koutouzov se démenait comme un diable. Il ressemblait à un gros sanglier blessé. De temps en temps, il insultait les cochers en russe. Nous nous sommes séparés à Vilna, où je me suis rendue chez ma cousine. Sa maison était occupée par des officiers italiens de l'armée du prince Eugène. Elle m'a déniché une chambre au dernier étage. Les Italiens poussaient des chansonnettes quand ils me croisaient dans l'escalier. Olga était terrorisée, aussi nous sommes reparties le lendemain. Nous avons été très ralenties par la neige, et j'ai commencé à me sentir malade, c'est pourquoi j'ai cette mine affreuse ! Nous sommes arrivées il y a trois jours seulement chez ma mère. Elle est ici ce soir et, si vous le permettez, je vous présenterai à elle tout à l'heure. »

Krystyna avait rapproché son fauteuil, et posé son sac, décoré de perles, sur le siège abandonné par la comtesse Walewska pour éviter l'arrivée d'amies indiscrètes. Elle baissa la voix :

« Et pour vous, François, demanda-t-elle, comment les choses se sont-elles passées ?

— Presque de la même manière. Je suis resté quelques jours de plus à Vilna, où j'ai été reçu par le maréchal Ney et le maréchal Berthier. Celui-ci m'a transmis les ordres de l'Empereur, qui m'invitait à rejoindre aussitôt Paris pour prendre le commandement de la Garde à cheval. C'est la raison pour laquelle je fais un si court passage à Varsovie, où je suis arrivé seulement hier.

— S'il n'y avait pas eu cette réception, je n'aurais pas eu l'occasion de vous revoir !

— Je vous aurais cherchée, Krystyna, mais je ne savais pas comment m'y prendre, dans cette ville où je ne connais personne.

— Sauf le roi, ou plutôt le futur roi ! Il aurait pu faciliter vos recherches. »

Le visage de Krystyna était devenu plus grave.

« Avez-vous de la mémoire, François ?

— Suffisamment, je crois !

— Vous souvenez-vous de ce que je vous ai dit lors de notre séparation à Barysau, à propos de ce que j'aimerais ?

— Je m'en souviens mot à mot.

— Eh bien, c'est toujours vrai ! »

Krystyna tourna la tête pour cacher l'émotion de son regard ! Le bruit de la foule et des conversations grandissait encore. Les musiciens s'épuisaient à faire entendre des mazurkas et des danses polonaises. Quelques rythmes sonores réussissaient à se faufiler dans les interstices du tumulte.

« Venez, François, je vais vous présenter à ma mère. Elle rêve de vous connaître. »

Krystyna se leva, et François Beille reçut le choc que provoquait chez lui, depuis l'église de Smolensk, sa longue taille et l'élégance de ses mouvements.

« Vous pouvez me donner le bras, ajouta-t-elle, cela se fait en Pologne ! »

Ils arrivèrent devant un guéridon autour duquel étaient assises trois dames âgées, qui s'aéraient

264

avec des éventails. « Cette image ferait penser davantage à une caricature qu'à un portrait », se dit François Beille, en observant que les couches de poudre sur leurs visages ne réussissaient à dissimuler ni le creux des rides, ni la mollesse de la peau. Seul le haut des épaules échappait au naufrage. Elles portaient toutes les trois d'étincelants diadèmes.

Krystyna se rapprocha de la femme la moins poudrée, qui gardait une certaine fraîcheur d'expression.

« Mère, lui dit-elle, je vous ai amené le général François Beille, de la Garde impériale, que j'aimerais vous présenter.

— C'est celui qui t'a sauvé la vie, Krisha ? » demanda la vieille dame. Puis, sans attendre la réponse, elle se tourna vers lui, en arborant un sourire de politesse convenue. « Je vous remercie, général, d'avoir permis le retour de ma fille et de ma petite-fille de cet horrible carnage de Smolensk. Depuis la mort de mon mari et de mon gendre, ce sont les seuls êtres qui me restent dans la vie. Mais j'ai mal entendu votre nom. Pourriez-vous me le répéter ?

— François Beille.

— C'est difficile à prononcer, et quel est votre titre ?

— Général, madame.

— Celui-là je le connais, mais votre titre de noblesse ?

— Je n'en ai pas, madame.

— Comment ! Un officier aussi distingué que vous, qui sert dans la Garde impériale, et qui ne porte pas de titre ! Mais à quoi pense donc l'Empereur ? »

François Beille sentait son irritation monter devant le ton adopté par cette coquette défraîchie, et l'accumulation des pierres précieuses qu'elle portait, arrachées à la sueur des paysans polonais. Il décida de se montrer insolent :

« Ma famille a renoncé à porter un titre de noblesse bien longtemps avant que vous ne vous soyez habituée à porter celui qui vous a été conféré !

— Comme cela est bien dit ! s'exclama la comtesse Souvarovski. L'Empereur y mettra bon ordre ! Ma fille Krisha est arrivée très fatiguée par son voyage. Elle va se reposer ici quelques semaines, ou peut-être quelques mois. Quand elle sera rétablie, et surtout quand la route sera redevenue praticable, elle ira s'installer dans la maison de son père, à Saint-Pétersbourg. Ce sera la meilleure solution pour l'éducation de sa fille, qui pourra aussi apprendre à danser »

Pendant que sa mère parlait bruyamment, Krystyna s'était éclipsée pour rejoindre le cercle de ses amies.

François Beille sentit une main tapoter son épaule. Il se retourna et aperçut le capitaine Zalisky, revêtu de l'uniforme étincelant des chevau-légers de la Garde. « D'où peuvent bien lui venir toutes ces décorations et ses fourragères ? » se demanda-t-il.

« Comme je suis heureux de vous revoir, mon Général ! lui dit Zalisky. Je n'imaginais pas vous retrouver dans cette soirée, mais je viens d'entendre dire que vous étiez présent. Vous me feriez un grand honneur si vous me permettiez de vous présenter ma fiancée. »

Avec l'assentiment de François Beille, il se dirigea vers un groupe de jeunes filles et de jeunes gens qui se préparaient à danser. Il fit signe à l'une d'elles qui avait des yeux très clairs et une chevelure ébouriffée.

« Approche-toi, Anne, lui dit-il. J'aimerais que tu fasses la connaissance du général Beille, qui commandait notre division, et qui a permis la capture du maréchal Koutouzov.

— Je suis très honorée de vous être présentée », répondit la jeune fille. Elle était extrêmement mince, avec des membres fins, et portait une robe blanche, sans bijoux, qui avait pour seul ornement une large ceinture de soie bleue. François Beille fut touché par sa fraîcheur et sa simplicité, que soulignait le désordre de ses cheveux.

« Je vous félicite, mademoiselle, et vous souhaite de connaître beaucoup de bonheur. Faites attention à bien garder le capitaine car vous avez failli le perdre. C'est un officier très courageux !

— J'obéirai le mieux possible à vos ordres, général ! », répondit-elle avec un sourire qui découvrit des dents bien rangées et d'une blancheur étincelante.

François Beille estima que le capitaine Zalisky avait beaucoup de chance, et espéra que ses vœux seraient satisfaits, en imaginant une forêt de petites têtes blondes polonaises, aux yeux innocents et aux cheveux décoiffés.

Puis il se lança à la recherche de la comtesse Kalinitzy. Il eut de la peine à se frayer un passage parmi les invités qui ouvraient les danses, en direction de l'endroit où il l'avait aperçue. Il commença par se tromper de table et dut s'en excuser, puis il finit par retrouver la place exacte où elle avait été assise. Le fauteuil qu'elle avait occupé était vide, et ses amies bavardaient entre elles avec animation, sans doute dans l'attente de cavaliers. Elles ne prêtèrent pas la moindre attention au retour auprès d'elles de François Beille.

Krystyna était partie.

*
*   *

Lorsque le général Beille sortit dans la cour du château de Wilanow, il pensa ne jamais pouvoir retrouver sa voiture. Des dizaines de berlines, de calèches, d'élégants cabriolets à deux places étaient alignés en longues files. La plupart des cochers dormaient sur leurs sièges. Il parcourut la scène du regard, sans réussir à distinguer son équipage.

Une voix l'interpella. C'était celle de Le Lorrain, qui se détacha du mur où il était adossé.

« Je suis venu vous attendre, mon Général. Bonjean garde les chevaux et la calèche à l'extérieur. Je vais aller le chercher, et nous devrions revenir dans une vingtaine de minutes. »

Après une longue attente sur les marches du perron, François Beille vit déboucher sa voiture, dont les lanternes étaient allumées. Malgré son origine équivoque, elle avait grande allure. Les quatre chevaux avaient été vigoureusement étrillés, leurs crinières et leurs queues tressées. Le Lorrain et Bonjean avaient revêtu leurs uniformes de chasseurs de la Garde, impressionnant ainsi les cochers polonais qui se redressaient à moitié pour les voir passer. La voiture s'arrêta. Le général Beille s'y installa, et elle quitta le palais.

Ils traversèrent les quartiers qui longent la Vistule. Les rues étaient sombres, mais des lumières brillaient aux fenêtres, et se reflétaient sur la neige. François Beille conservait une impression équivoque de sa rencontre avec Krystyna, agréable mais trop rapide, et sans conclusion. Quand et où la reverrait-il, s'il devait la revoir un jour ? D'après sa mère, elle irait s'installer à Saint-Pétersbourg. Il n'avait aucune idée de son adresse. La calèche entra dans le jardin de sa résidence. Il congédia Le Lorrain et Bonjean, en leur donnant ses instructions pour le départ du lendemain, puis il monta les marches du perron.

Il poussa la porte et avança dans l'antichambre, qui était éclairée. Quelqu'un avait allumé les bougies du lustre, et celles des appliques de l'escalier. Sur la première marche de l'escalier, assise de côté, il découvrit Marie-Thérèse. Elle était coiffée d'un chignon qui rassemblait ses cheveux blonds, et portait la longue robe de laine verte, qui l'enveloppait jusqu'aux chevilles, et que Beille avait déjà remarquée. Ses mains étaient nouées autour de ses genoux. Elle lui sourit.

« Bonsoir, général, lui dit-elle.

— Bonsoir, Marie-Thérèse, mais que fais-tu ici ? lui répondit-il d'une voix bienveillante.

— Je veux vous dire merci ! Vous ne vous en souvenez peut-être pas, mais je suis venue vous voir dans la première petite ville que nous avons traversée après Moscou. Je voulais vous remercier. Vous m'avez fait comprendre que c'était impossible, que vous étiez trop absorbé par vos responsabilités, mais que je pourrais vous dire merci à Varsovie ! Nous sommes à Varsovie. J'ai trouvé cette attente un peu longue, surtout pendant le dernier trajet, mais ce soir je peux tenir ma promesse ! »

Marie-Thérèse se leva en s'appuyant sur une main, puis se retourna pour commencer à gravir l'escalier. François Beille la regarda de dos, et sentit un torrent de désir l'envahir. Ce désir, il l'éprouvait depuis le premier jour de leur rencontre. Il était fasciné par sa beauté simple, sans apprêt, et attiré, à en avoir la bouche sèche, par la souplesse vigoureuse de ses gestes. Il aurait voulu s'approcher d'elle, la caresser, la rendre captive de ses bras. Il n'en avait rien fait. Les risques que couraient les hommes de sa division pendant leur long parcours en Russie lui avaient interdit de se permettre toute diversion personnelle. Il avait accepté cette contrainte presque sans effort, tant l'obligation lui paraissait évidente, mais la présence constante de Marie-Thérèse, ses sourires qui ressemblaient à des baisers avaient accumulé en lui un désir et une tendresse qui allaient le faire exploser. Il la regardait monter devant lui, dans son fourreau de laine, avec le déhanchement que lui imposait le franchissement de chaque marche. Il aurait voulu la prendre dans ses bras, la porter jusqu'en haut, jusqu'au palier, jusqu'au lit de sa chambre, où il l'aurait brutalement jetée.

Marie-Thérèse avait gravi l'escalier. Elle souriait. François Beille sentit sa tension se dissoudre au profit d'un délicieux bien-être. Elle le prit par la main.

« Venez, lui dit-elle, n'oubliez pas que c'est moi qui veut vous remercier ! »

Elle ouvrit la porte de la chambre, où ils entrèrent, et elle la referma derrière eux. Elle commença par lui enlever sa vareuse d'uniforme, puis son gilet, qu'elle déposa sur le dos d'une chaise. Pendant ce temps, elle lui demandait si sa soirée s'était bien passée. Il crut discerner un soupçon d'ironie dans sa question. Puis elle reprit sa main et le conduisit vers le lit. Il vit que la couverture avait été faite, et que les draps étaient ouverts. Cela ne pouvait être que l'œuvre de Marie-Thérèse ! Quand elle fut arrivée au bord du lit, qui était à une certaine hauteur, elle se défit de ses souliers par un claquement sec des talons, puis grimpa et s'étendit sur le dos.

« Venez maintenant près de moi, et aidez-moi à me déshabiller, dit-elle. Je devrais le faire toute seule, mais cela m'est agréable que vous m'aidiez ! »

Son visage n'était qu'un immense sourire.

François Beille était stupéfait de la transformation qui s'était effectuée en lui. Tout à l'heure, il était habité par un désir furieux, violent, accumulé depuis des semaines. Sa respiration était haletante, et sa salive acide. Et maintenant, grâce à la manière de faire de Marie-Thérèse, tout était devenu facile. La chambre avait une lumière douce due à la flamme dansante des bougies. Marie-Thérèse était couchée devant lui, avec un radieux sourire, le même que celui qu'il avait aperçu si souvent, hors d'atteinte, dans la calèche, et il allait pouvoir commencer à la déshabiller.

Sa robe de laine portait des boutons du haut en bas. Il avait remarqué lorsqu'elle s'était déchaussée que ses chevilles étaient nues. Marie-Thérèse ouvrit le bouton situé près du col, puis ses doigts commencèrent à descendre. La main de François Beille les accompagnait. Au fur et à mesure que sa robe s'ouvrait sur sa peau, Beille pensa que son corps était exactement tel qu'il l'avait imaginé et désiré : souple et vigoureux. Le dessin de ses muscles apparaissait sous la transparence de la chair, et celle-ci était soyeuse, prête à accueillir la caresse des mains. François Beille était stupéfait de constater, à travers cette robe défaite, que Marie-Thérèse était étonnamment semblable à celle qu'il avait observée, assise devant lui, pendant les cahots du voyage, ou lorsqu'elle accomplissait son service de table. Le corps de Marie-Thérèse était identique à elle-même !

La jeune femme se tourna de côté pour que son visage soit face au sien. Leurs doigts et leurs mains se touchaient dans l'espace étroit des boutonnières qu'ils ouvrirent de plus en plus lentement, jusqu'à ce que leurs corps, à la fin, soient noués.

*
* *

Chapitre XIX

Weimar et la déclaration de paix à l'Europe

La traversée de l'est de la Pologne et l'entrée dans les principautés allemandes ressemblèrent davantage à un voyage d'agrément qu'à une campagne militaire. Non seulement l'angoisse, et l'obsession de la rencontre des forces ennemies, avaient disparu, mais le paysage avait changé.

La neige était toujours présente, mais les routes étaient bien empierrées, et les rues des villages traversés avaient été balayées. La nature elle-même s'était adoucie. On voyait apparaître progressivement une mosaïque de petites propriétés, cultivées avec soin. Certes, la population restait pauvre, engoncée dans ses vêtements d'hiver souillés par la boue, mais on apercevait quelques signes démontrant l'existence d'une petite bourgeoisie rurale. Les magasins étaient plus nombreux, et, semblait-il, mieux achalandés. Le soir, les cafés et les tavernes étaient remplis de clients, agglutinés autour de tables surchargées de bouteilles et de verres. Les auberges devenaient de plus en plus propres et accueillantes. C'était même un plaisir de choisir celle où l'on passerait la nuit.

L'équipage s'était réduit à cinq personnes : le général, son aide de camp, la cuisinière devenue lingère, Marie-Thérèse, et les deux soldats qui cumulaient les fonctions d'ordonnance et de cocher. Le postillon polonais avait été abandonné à Varsovie, où résidait sa famille, et où il pourrait retrouver son régiment. Le général Beille s'était délesté en sa faveur de deux napoléons d'or.

Le problème linguistique tendait à se simplifier. Comme on se rapprochait d'une région frontalière, on pouvait espérer se faire entendre soit en russe, soit en allemand. Marie-Thérèse se chargeait des traductions en russe, et Le Lorrain se targuait du fait qu'il tenait de sa province d'origine une pratique suffisante de l'allemand.

Le soir, une fois l'auberge choisie, le général se réservait le rôle d'attribuer les chambres. Il faisait en sorte que celle de Marie-Thérèse soit la plus proche de la sienne.

Le petit groupe prenait ses repas à la même table. Au début, les deux soldats avaient manifesté quelque embarras, mais le général leur avait rappelé avec gaieté qu'on sortait à peine d'une période révolutionnaire ! Marie-Thérèse renouvelait des prodiges d'élégance qui impressionnaient la clientèle de l'auberge. Elle apparaissait tous les soirs, après s'être changée en quelques minutes, revêtue d'une robe ou d'une jupe de couleur différente. François Beille la complimentait, ce qui paraissait lui faire plaisir.

Rien dans leurs propos et dans leurs gestes ne révélait durant la journée l'intimité qui s'était établie entre eux. Mais ils savouraient le bien-être de cette proximité, inconnue des autres, et qui était pour eux, dans la voiture ou pendant les repas, une source continuelle de plaisir.

La nuit venue, le lieutenant Villeneuve et les deux cavaliers s'installaient à une table pour d'interminables parties de tarot. Le Lorrain avait apporté avec lui les grandes cartes à jouer, en usage dans la cavalerie de la Garde.

François Beille montait le premier, se déshabillait pour la nuit, et s'étendait sur son lit. Marie-Thérèse restait un peu plus longtemps en paraissant s'intéresser à la partie de cartes, puis prenait l'escalier à son tour, et gagnait sa chambre. Elle attendait un moment, dévorée d'impatience, puis, lorsque les voix des joueurs lui paraissaient suffisamment fortes pour étouffer ses déplacements, elle empruntait le couloir, en évitant de faire craquer les lames du parquet, et rejoignait la chambre de François Beille.

Elle enlevait ses vêtements, en les rangeant soigneusement sur une chaise pour pouvoir les retrouver dans l'obscurité, et venait s'étendre sur le lit à côté de François Beille. Elle prenait sa tête entre ses deux mains pour appliquer ses lèvres sur les siennes.

Ils se parlaient peu, et seulement à voix basse, pour ne pas éveiller la suspicion des joueurs, et cependant leur entente était parfaite.

François Beille n'aurait jamais pu imaginer que l'amour puisse être une chose aussi naturelle, où les gestes s'enchaînaient spontanément, et avec autant de plaisir, l'un vers l'autre. Ce qu'il avait aperçu dans le mode de vie de la bourgeoisie noble de sa province d'origine, à forte tradition janséniste, lui avait laissé la notion que l'amour était enserré dans des complications et des contraintes telles qu'il fallait se débattre pour essayer de l'atteindre, et que, de toute manière, il en resterait frustré. Puis étaient arrivées les années de campagne qui avaient absorbé son énergie.

Maintenant, avec Marie-Thérèse, tout était limpide. Il aimait son corps, elle aimait le sien. Cette relation physique était totale, car Beille ne faisait pas de différence entre leurs étreintes et la tendresse qu'il éprouvait pour elle : il aimait sa gaieté, qui fleurait l'insouciance, l'honnêteté avec laquelle elle évitait les manœuvres et les pièges, et surtout sa fraîcheur de cœur qui n'avait été atteinte ni par les violences de la guerre, ni par les grossièretés des campements. Il aimait la tenir nue contre lui car il aspirait cette même fraîcheur sur sa peau.

Que tout cela deviendrait-il ? Il n'y pensait guère. Les combats, et surtout la campagne de Russie, l'avaient fait vivre dans l'ignorance de l'avenir. Pourquoi s'en préoccuper davantage ? Le lendemain, et les jours suivants, elle ouvrirait discrètement la porte, et se précipiterait dans ses bras.

Marie-Thérèse partageait la même vision. Elle se disait qu'elle ne retrouverait jamais un homme aussi courageux et aussi séduisant que François Beille, et qu'il lui fallait goûter intensément les moments présents. Elle s'émerveillait qu'il n'existât aucun obstacle entre eux, de grade ou d'origine, et qu'elle pût se déshabiller aussi facilement sous ses yeux, sans coquetterie ni pudeur, avant de s'avancer pour se donner à lui. Elle était très sensible à la courtoisie qu'il lui montrait pendant les trajets et les repas, sans verser dans la familiarité.

Pour le contenu de l'avenir, elle préférait l'ignorer. Elle choisissait, comme Beille, de se contenter du lendemain, mais elle espérait intensément que ce retour vers Paris serait interminable, rempli d'une suite infinie de lendemains.

Le plus étrange c'est qu'ils n'utilisaient jamais, ni l'un ni l'autre, le vocabulaire de l'amour. Sans doute leur paraissait-il inutile ! Lorsqu'il la caressait longuement pour éveiller sa sensualité, lorsqu'il faisait alterner la douceur et une étreinte plus vigoureuse, pour laquelle Marie-Thérèse marquait une préférence, jamais ils n'échangèrent la banalité des mots d'amour.

*
* *

Le général Beille avait recherché un itinéraire qui le tînt suffisamment à distance des deux campagnes en Allemagne, l'une en Saxe et l'autre en Prusse, que la Grande Armée s'apprêtait à conduire pendant son retour, et que le maréchal Ney lui avait annoncées.

C'est ainsi que sa calèche fit étape à Lodz et à Breslau, avant de contourner Dresde par le sud, en direction de Weimar, où il comptait s'arrêter quelques jours, sur la trace de l'Empereur.

L'adjudant Le Lorrain assurait l'information du petit groupe, grâce aux séjours prolongés qu'il faisait dans les cafés, où il recueillait les rumeurs qui circulaient dans le pays. C'est ainsi qu'il apprit la débandade de l'armée saxonne devant Leipzig à l'annonce de l'arrivée des corps d'armée de Ney, du prince Eugène et de Poniatowski. Les généraux saxons, spéculant sur une défaite de la Grande Armée en Russie, s'étaient préparés à l'attaquer à son retour. Mal informés du résultat de la bataille de Vilna, et contre l'avis du roi Frédéric-Auguste, fidèle à Napoléon, ils avaient massé leurs forces sur un champ de bataille situé au sud de Leipzig. Lorsque le bruit se répandit dans les rangs de l'armée saxonne de la venue prochaine du maréchal Ney, des troubles gagnèrent les unités. Les généraux qui passaient en revue des régiments qui avaient combattu aux côtés de l'armée française furent accueillis par des huées, et des cris de « Vive l'Empereur ! ». Le tumulte s'étendit à toute l'armée. Le roi Frédéric-Auguste, arrivé de Dresde pour rétablir l'ordre, avait été acclamé. Les généraux félons avaient été arrêtés, et le maréchal Ney marchait vers Leipzig à la tête de ses trois corps d'armée, auxquels s'étaient jointes des divisions saxonnes. On ajoutait, sans pouvoir le vérifier, que le maréchal Ney, originaire de la Sarre, serait désigné comme vice-roi de Saxe.

Les nouvelles venant du nord étaient plus imprécises. L'empereur Napoléon, exaspéré par l'hostilité sournoise du roi Frédéric-Guillaume III, avait refusé de le rencontrer. Il lui avait notifié le tracé de la nouvelle frontière de la Prusse avec le royaume de Pologne-Lituanie, et chargé le roi Murat, et les maréchaux Davout et Oudinot, d'entrer à Berlin, et d'assurer la soumission du pays. Quant à lui, l'Empereur, il était arrivé à Weimar où il avait fait une importante déclaration, qui mettait le peuple en joie. Sur le contenu de celle-ci, les informations de Le Lorrain restaient vagues : il s'agissait, semble-t-il, d'une déclaration de paix. Puis Napoléon était reparti pour la France.

Dans les tout derniers jours du mois de novembre, leur calèche traversa le sud de la Saxe.

Elle croisa des unités du corps d'armée du maréchal Ney qui, après la déroute de la manipulation saxonne, repartaient allègrement pour la France, et des régiments de l'armée d'Italie qui faisaient route, ou plutôt volaient de toutes leurs ailes, en direction de leur pays. Le général Beille se délectait à la vue de cette après-campagne victorieuse.

Ils croisèrent la grande route de Bayreuth à Leipzig, et le mardi 1er décembre, ils arrivèrent en vue de la petite ville de Weimar, entourée d'arbres et de jardins. François Beille souhaitait s'y arrêter pour essayer de comprendre le sens de la « déclaration de paix à l'Europe » qu'y avait prononcée l'Empereur, et saisir les raisons qui l'avaient poussé à choisir Goethe pour en être le porte-parole. Son séjour serait facilité par la présence, comme ministre de France à Weimar, de son cousin Antoine de Saint-Julien, avec lequel il avait partagé de nombreuses vacances pendant son enfance.

Il s'installa avec sa petite troupe dans le meilleur hôtel de la ville, l'hôtel de l'Éléphant, situé en haut de la place du Marché. L'hôtelier lui proposa la plus belle chambre, située au premier étage. On y accédait à partir du palier par un petit couloir le long duquel une porte latérale ouvrait sur une autre chambre. C'est là, décida François Beille, que résiderait Marie-Thérèse.

À peine avait-il commencé à mettre en ordre ses vêtements que l'hôtelier revint lui annoncer que le ministre de France, informé de son arrivée, l'attendait dans l'entrée. Le général Beille descendit l'escalier et retrouva son cousin, qu'il étreignit chaleureusement. Ils s'observèrent attentivement pour vérifier s'ils avaient beaucoup changé depuis leur adolescence. Cet examen terminé, Saint-Julien s'exclama :

« Comme cela me fait plaisir de te revoir, François, mais que viens-tu faire dans cette fichue ville ?

— Je suis en route pour Paris, où l'Empereur m'a convoqué. À propos, depuis quand est-il parti d'ici ?

— Il a passé deux journées entières à Weimar. C'était jeudi et vendredi derniers. Il voulait s'entretenir longuement avec Goethe, pour lui parler de sa fameuse déclaration de paix.

— Que dit-elle exactement, cette déclaration ? Le long de la route, les gens que nous avons questionnés n'avaient pas l'air très renseignés !

— Elle date seulement de trois jours, mais je vais te raconter tout cela en détail. Jacqueline, mon épouse, que tu n'as pas revue depuis notre mariage, serait heureuse de t'accueillir chez nous pour souper. Et j'ai une autre idée : veux-tu que je cherche à t'organiser un entretien avec Goethe dans la journée de demain ?

— Volontiers, j'accepte tes deux propositions ! répondit François Beille. Je ne pense pourtant pas que cela intéresse beaucoup Goethe de me recevoir.

— Je vais l'appâter en lui disant que tu es le héros qui a capturé Koutouzov ! Je t'attends donc à la maison vers 7 heures. Tu peux venir à pied. C'est un des rares avantages de Weimar ! À tout à l'heure.

*
*   *

La maison du ministre de France n'était pas grande, mais elle était tenue avec raffinement. Lorsque Jacqueline de Saint-Julien y accueillit François Beille, celui-ci eut conscience d'avoir oublié la manière d'être des femmes de la société française.

Jacqueline passait certainement pour jolie, avec des yeux noirs et des traits délicats, mais elle était petite, et s'agitait en multipliant des gestes maniérés. Elle souhaitait visiblement que son accueil soit parfait, et digne du héros du jour, aussi vérifiait-elle sans cesse une infinité de détails. Elle harcelait dans une langue approximative ses deux jeunes servantes allemandes, qui se ressemblaient comme deux sœurs jumelles. Elles étaient très soignées dans des robes noires à manches de dentelle, recouvertes sur le devant de tabliers brodés, et elles portaient des coiffes amidonnées. Jacqueline de Saint-Julien leur faisait changer l'emplacement des couverts à côté des assiettes, et ajouter un verre supplémentaire pour un deuxième vin. Son mari la laissait agir, sans réussir à dissimuler son irritation devant ce perfectionnisme encombrant, et aborda, dès qu'ils furent assis, le sujet de l'entretien avec Goethe.

« J'ai déjà la réponse de Goethe, mon cher François, lui dit-il. Il te recevra demain à 10 heures dans sa "Maison du jardin". C'est une bicoque que le duc Charles-Auguste a fait aménager dans un petit parc, et qu'il a donnée à Goethe. Celui-ci aime à y recevoir ses invités, pour mettre en valeur sa simplicité. Mais ne t'inquiète pas : il y a des cheminées et des poêles, et c'est bien chauffé !

— Merci de t'en être occupé. Cela m'intéressera beaucoup d'entendre le récit de son entretien avec

Napoléon. C'est la deuxième fois qu'il le rencontrait, je crois ?

— Oui, il l'avait déjà vu il y a quatre ans, en 1808. Cela ne s'était pas produit ici, mais à Erfurt, à l'occasion du Congrès où siégeait Charles-Auguste de Saxe-Weimar. Il semble que cela ne s'était pas très bien passé.

— Comment en es-tu informé ?

— Par mon prédécesseur. Il accompagnait le grand-duc au Congrès, et il avait réussi à se faufiler dans la salle où se tenait Napoléon. Quand Goethe avait été introduit, l'Empereur était assis à une grande table ronde, où il était en train de déjeuner. Talleyrand se tenait debout sur sa droite, et Daru sur sa gauche. Napoléon n'avait pas invité Goethe à s'asseoir. Il l'avait questionné sur son âge puis directement sur son œuvre. Il lui avait rappelé que *Werther* faisait partie de la bibliothèque de campagne qu'il emportait toujours avec lui, et avait montré une étonnante connaissance du texte, en lui signalant un passage qui ne lui avait pas semblé naturel. On n'a jamais su par la suite de quoi il s'agissait. On croit que c'est celui où Charlotte envoie un pistolet à Werther, sans rien en dire à Albert ! Napoléon avait alors interrompu l'entretien, pour reprendre sa conversation avec Daru.

« Avant que Goethe ne fût sorti, Napoléon était allé le rejoindre dans la file des invités qui attendaient dans l'antichambre, et l'avait pris à part en lui posant des questions personnelles pour savoir s'il était marié, et s'il avait des enfants, puis sur ses rapports avec la duchesse Anne-Amélie et son fils. À aucun moment il n'avait abordé les sujets de grande politique, et Goethe s'en était senti frustré, car il aime à être considéré aussi comme un homme d'État !

— Sais-tu en quelle langue ils se parlaient ? demanda François Beille. Cela me rendrait service pour demain !

— Goethe faisait ses réponses en français, une langue qu'il parle bien depuis l'enfance, mais sans facilité. Et Napoléon reprenait ses phrases pour leur donner une forme parfaite. »

Jacqueline guettait le moment où elle pourrait interrompre son mari, et lui demander de permettre à François Beille de goûter à son souper.

« On va vous servir du gibier, dit-elle. Il ne faut pas le laisser refroidir ! »

François Beille avait d'autres questions à poser :

« Dans ce contexte pourquoi l'Empereur a-t-il tenu à rendre visite à Goethe à propos de sa déclaration de paix.

— Il cherchait sans doute un porte-voix, et Goethe lui a paru le meilleur possible, pour authentifier la portée historique de sa déclaration. À propos, en connais-tu le texte exact ? Je vais te le montrer. »

Saint-Julien se leva de table pour se rendre dans une pièce voisine. Il en revint en tenant à la main une feuille de papier, qu'il tendit à François Beille. Celui-ci, ému, la parcourut des yeux :

« Soldats et citoyens d'Europe, nous avons accompli ensemble de grandes choses. Par la force de nos armes nous avons chassé les tyrans de leurs trônes, et agrandi l'espace de nos libertés. Nous devons maintenant aborder des tâches nouvelles pour lesquelles l'usage de la force ne nous serait d'aucun secours.

« C'est pourquoi j'adresse cette déclaration de paix à l'Europe. À partir de ce jour, nous excluons le recours aux armes pour obtenir la modification de nos frontières. Si de telles modifications paraissaient nécessaires, elles ne pourraient provenir que de la négociation, et du libre consentement des peuples.

« Aucun régime politique ne pourra se fonder sur l'usage exclusif de la force.

« Tous les traités et toutes les lois prendront leur légitimité dans le libre acquiescement des citoyens.

« C'est une ère nouvelle qui s'ouvre pour l'Europe. Puisse-t-elle lui apporter la paix, et toutes les formes du progrès que peut connaître l'humanité ! »

« Quel texte superbe ! s'exclama François Beille, et on y reconnaît bien la plume de l'Empereur. » Il se souvenait de la proclamation que Napoléon avait adressée à la Grande Armée au matin de la bataille de la Moskova. « Mais pourquoi l'avoir fait lire par Goethe ? Qu'est-ce que cela lui ajoute comme portée ?

— Tu pourras lui poser la question demain, répliqua Saint-Julien, mais je te donne mon avis personnel. Napoléon était à la recherche d'une caution philosophique. Tu as remarqué la manière dont il aimait être entouré de savants, depuis l'expédition d'Égypte et la rédaction du Code civil. Il ne veut pas entrer dans l'histoire seulement par les faits d'armes !

— Et comment l'as-tu trouvé lors de son passage ?

— Franchement, il m'a semblé avoir pris un coup de vieux !

— Vous ne devriez pas parler ainsi de l'Empereur, l'interrompit Jacqueline. Ce n'est pas convenable ! Rappelez-vous que vous êtes son représentant ici.

— C'est vrai, c'est vrai, bougonna Saint-Julien, et d'ailleurs ce que j'ai dit n'est pas exact. Il n'est pas vieux puisqu'il a seulement six ans de plus que moi ! Je voulais seulement dire que je l'avais trouvé changé, la figure plus ronde et le corps moins vif, un peu engraissé. Mais il reste étonnant par son incroyable activité ! »

Saint-Julien et François Beille burent du cognac dans des verres de cristal qu'ils levèrent ensemble à la santé de l'Empereur, puis ils évoquèrent joyeusement leurs souvenirs d'adolescence.

*
*   *

Le lendemain matin, Saint-Julien emmena François Beille dans sa calèche jusqu'à la « Maison du jardin » de Goethe. Le trajet était court, mais Beille demanda qu'on fît un détour pour passer devant la maison de ville de l'écrivain, avec sa porte pour les visiteurs et son grand porche pour les voitures, puis, à quelques centaines de mètres de là, la résidence modeste où vécut Schiller jusqu'à sa mort récente. « Avec la grande-duchesse Anne-Amélie, et sa célèbre bibliothèque, la présence simultanée de deux des plus grands écrivains de langue allemande et le voisinage de Jean-Sébastien Bach, cette ville moyenne représente, pensa François Beille, la quintessence de la culture germanique. »

La voiture entra dans le jardin, où elle suivit une petite allée. Son cocher l'arrêta à courte distance de la maison de Goethe. Beille et Saint-Julien firent à pied le reste du chemin, jusqu'à une petite porte d'entrée, située en contrebas. Après avoir gravi les marches, ils lurent sur un tapis une inscription latine : *Salve*. Un serviteur attendait les visiteurs. Il les fit entrer dans une sorte de salon, situé au bout d'une enfilade de trois pièces, le long de la façade du jardin, où les attendait Goethe.

François Beille le regarda avec attention. Il était avec Napoléon, pensa-t-il, le plus « grand homme » de son temps, et ainsi il goûtait la chance de les connaître tous les deux ! Goethe avait une haute stature, presque égale à la sienne, aux environs de six pieds[1]. Ses épaules étaient larges, et son corps majestueux, enveloppé d'un léger embonpoint. Par contre, ses jambes vêtues de bas blancs étaient anormalement courtes. Beille observa son visage, pendant qu'il lui tenait la main. Il était ovale, assez large, avec un gros nez proéminent, des yeux bruns globuleux et des lèvres longues et minces. Sa chevelure grisonnante restait abondante, mais débutait un peu en arrière de la limite du front.

« Je suis heureux de vous accueillir dans ma petite maison, monsieur le général, dit-il en français marqué d'une forte intonation germanique. C'est un honneur de recevoir l'homme qui a fait prisonnier le grand maréchal Koutouzov ! »

« Voilà la rengaine qui continue ! » pensa Beille, et il lui répondit :

_____

1. Environ 1,76 mètre, taille très supérieure à la moyenne de l'époque, et à celle de Napoléon.

« Je suis reconnaissant à Votre Excellence de m'offrir cette occasion de la rencontrer, elle dont l'Europe entière admire l'œuvre et le génie.

— Pas d'Excellence, je vous prie ! répliqua Goethe, je crois que l'usage de ce mot a disparu de votre langue.

— Il n'a pas entièrement disparu, mais il est utilisé avec davantage de discernement ! » dit Beille, pendant que Goethe lui faisait signe de s'asseoir.

Ils se retrouvèrent tous les trois, installés dans des sièges robustes au dos droit, sans dorure. Beille regarda les quelques dessins de paysage qui décoraient les murs. Goethe, qui suivait son regard, lui dit en souriant :

« C'est moi qui les ai peints, mais ils ne constituent pas la meilleure partie de mon œuvre ! Je n'ai jamais réussi à faire mieux, même en Italie ! »

Puis il reprit :

« Le ministre de France m'a fait dire que vous vous intéressiez à la "déclaration de paix à l'Europe" de l'empereur Napoléon. Que puis-je vous apprendre à son sujet ?

— J'aimerais savoir comment vous appréciez vous-même, compte tenu de votre expérience d'homme d'État et de vos réflexions historiques, le contenu de cette déclaration, et également, si vous me le permettez, les raisons qui vous ont conduit à lui apporter votre caution morale.

— Je vais essayer de vous répondre le mieux possible mais ce sont des questions difficiles. Je les prendrai dans l'ordre que vous leur avez donné.

« D'abord le contenu de la déclaration : celle-ci exprime avant tout la frustration de Napoléon devant les résultats que produisent les actions militaires. C'est un chef de guerre incomparable, un véritable génie en la matière. Les autres, Maurice de Saxe, Wallenstein, ou les Russes, ne lui arrivent pas à la cheville ! Il a dû faire face à cinq ou six coalitions ; je n'en connais pas le nombre ! Il les a toutes battues, mais telle l'hydre dont les têtes repoussent, elles se reformaient l'année suivante. Il a parcouru l'Europe en tous sens, de Boulogne à Austerlitz, c'est-à-dire Vienne, et de Vienne à la mer Baltique, après Wagram. Je vous livre un détail curieux : il a tenu à dormir chaque fois dans le lit des souverains qu'il avait battus, au château de Schönbrunn et au Kremlin ! Le nom fameux d'Austerlitz n'est pas celui du lieu de la bataille, mais celui du château où avaient résidé les deux empereurs d'Autriche et de Russie la veille du combat, et où Napoléon a tenu à venir dormir le soir de sa victoire !

« Malgré tous ces triomphes, ces parcours d'un pays à l'autre, Napoléon n'a guère fait bouger les choses. Il se retrouvait devant les mêmes adversaires, d'abord désarçonnés, puis remis en selle par la main omniprésente et bien garnie en espèces trébuchantes de l'Angleterre.

« L'intelligence supérieure de Napoléon lui a permis de réaliser que les plus brillantes cavalcades militaires faisaient peu bouger l'état naturel des sociétés, et qu'il fallait recourir à d'autres instruments. C'est ce qui lui a fait choisir la paix, fondée sur le soutien des peuples. Observez d'ailleurs la vague d'immense popularité en sa faveur qui commence à recouvrir l'Europe.

« J'en viens alors à votre deuxième question : pourquoi m'avoir choisi pour cautionner cette déclaration, puisque vous savez qu'il m'a demandé de l'adresser personnellement à tous les souverains d'Europe ? »

François Beille suivait attentivement les changements d'expression de Goethe pendant que celui-ci lui parlait. Il guettait l'arrivée de la vanité, dont son cousin lui avait indiqué que Goethe n'était pas exempt. Elle ne venait pas. Goethe lui parlait avec une sorte de supériorité détachée, qui mettait en lumière la vigueur de sa pensée.

« J'ai accepté de le faire, poursuivit Goethe, parce que, dans notre conversation, j'ai pu observer que l'intelligence supérieure de Napoléon l'avait conduit à réaliser qu'une proclamation de paix lancée par le plus grand chef militaire de tous les temps ne serait pas crédible. Elle serait interprétée comme une simple manipulation. Il était nécessaire qu'elle provienne d'un autre segment de la pensée, proche de la conscience historique universelle. Il a bien voulu me distinguer pour cela, et si j'ai accepté de le faire c'est que, derrière l'opportunité, j'ai cru apercevoir la nécessité ! »

L'accent germanique de Goethe devenait plus marqué au fur et à mesure qu'il avançait dans ses propos, et qu'il cherchait à ciseler ses phrases. Il rejeta sa tête en arrière, et il sembla à Beille qu'il se rengorgeait quelque peu. Puis il reprit : « Si vous avez encore un instant, je voudrais vous parler de l'Empereur.

— J'en serais très heureux.

— C'est un homme étonnant, merveilleux ! En allemand nous utilisons un mot qui convient mieux : *wunderbar*, dont la racine évoque un phénomène miraculeux. Il est toujours identique à lui-même : avant et après la bataille, après une victoire ou une défaite. Il est toujours décidé, et voit clairement ce qu'il y a à faire ! Il manie le monde comme Beethoven manie son piano ! Sa vie est la marche d'un demi-dieu. Il est un des hommes les plus productifs qui aient jamais vécu. Quand on dit que c'est un homme de granit, cela s'applique également et surtout à son corps ! Peu de sommeil, peu de nourriture, et avec cela toujours la plus grande activité cérébrale. Il change très peu. Savez-vous que nous avons exactement vingt ans de différence d'âge, entre le mois d'août 1749 et le 15 août 1769 ! La dernière fois que je l'ai vu, c'était à Erfurt, il y a maintenant quatre ans, au mois d'octobre. Puis il s'était rendu au bal de la Cour à Weimar, où il m'avait demandé, comme il l'a fait cette semaine, de venir à Paris et d'écrire une tragédie sur César. Il m'a conféré, dix jours plus tard, la Légion d'honneur. Pendant ces quatre ans, il a à peine changé physiquement. Moi, je me suis un peu tassé : j'ai perdu deux centimètres. Il m'a semblé qu'il avait un peu épaissi. Son visage est devenu plus blanc. Je n'ai pas écrit de tragédie sur César, mais il a acquis la majesté d'un empereur romain !

« Encore un mot qui pourra vous intéresser : il a employé à nouveau sa célèbre formule : "Place au talent !" J'ai aperçu qu'il avait un flair particulier dans le choix des hommes, et qu'il savait mettre les compétences à leur place, dans la sphère qui leur convenait le mieux ! C'est précisément à cause de cela que, dans toutes ses grandes entreprises, il est servi comme peut-être aucun autre. Et c'est bon signe pour vous, général, qu'il vous ait distingué. »

Goethe s'était animé. Le timbre de sa voix avait retrouvé toute son énergie. Il ajouta :

« Mais je parle trop longuement ! Avez-vous appris tout ce que vous vouliez savoir ?

— Je vous écoute avec passion, répondit François Beille. Personne ne m'avait encore parlé de l'Empereur avec une telle finesse de jugement. Mais accepterez-vous son invitation de venir à Paris ?

— J'y réfléchis, répondit Goethe, car je n'aime plus beaucoup me déplacer. L'Empereur m'a proposé de présider le Congrès qu'il compte organiser pour examiner les suites à donner à sa "déclaration de paix". Il insiste pour que je prononce le discours d'ouverture sur le thème "Aujourd'hui s'ouvre une ère nouvelle de l'histoire du monde" ! Comme vous le savez peut-être, c'est la phrase que j'ai prononcée après la bataille de Valmy, où j'accompagnais le grand-duc de Saxe-Weimar, et où l'armée républicaine française a repoussé la coalition des souverains d'Europe. Le contexte a changé, mais la nouveauté est encore plus forte aujourd'hui !

— Je viendrai vous entendre avec bonheur si je suis invité, le remercia François Beille. J'espère ne pas vous avoir importuné avec mes questions. C'est un grand honneur pour moi d'avoir entendu s'exprimer l'homme sage de l'Europe. »

Goethe se leva de son fauteuil. Beille remarqua qu'il avait besoin de prendre appui sur les deux bras du siège. Il sentait que les muscles du haut de ses jambes n'avaient plus une force suffisante pour lui permettre de se redresser sans soutien, ce qui lui faisait éprouver une frustration humiliante. Puis il se dirigea vers la porte. Le serviteur se précipita pour l'ouvrir. Beille prit la main que lui tendait Goethe. Elle était petite, avec une peau fanée. L'air glacé s'engouffra par l'ouverture au-dessus de l'inscription *Salve*. Goethe resserra la longue houppelande claire qu'il avait jetée sur ses épaules, et adressa en allemand un au revoir chaleureux au général :

« *Auf Wiedersehen, Herr General, und Gott segne Sie !* »

Avant de refermer la porte, il lui indiqua du doigt un objet étrange posé un peu plus loin sur l'épaisse pelouse. Il consistait en un cube de pierre blanche, sur lequel était disposée une sphère de la même matière.

« Regardez cela, lui dit-il, cette chose pourra vous amuser ! Je l'appelle la "Pierre de bonne chance". C'est un cadeau que j'ai fait, il y a déjà longtemps, à ma grande amie Charlotte von Stein. À l'époque, la pierre carrée représentait l'apaisement et le solide ancrage que constituait Charlotte pour moi ! Et la boule ronde, c'étaient mes sautes d'humeur, les rencontres du hasard, et les poussées de mon imagination. Aujourd'hui, quand je regarde cette "Pierre de bonne chance", je me dis que le bloc carré fournit l'assise de la paix, et que la sphère posée au-dessus nous indique tout ce que nous devons entreprendre, l'empereur Napoléon et chacun de nous, pour organiser l'Europe, encore si fragile et instable.

« Souvenez-vous, ajouta-t-il, de cette "Pierre de bonne chance" ! Elle est plus importante que tout ce que j'ai pu vous raconter. »

Et Goethe rentra dans l'antichambre de la « Maison de jardin ».

*
*   *

Chapitre XX

L'abdication de Napoléon

Le lendemain matin, toujours par temps de neige, l'équipage du général Beille reprit la route de la France. Il traversa Erfurt, Francfort, et arriva sur le bord du Rhin à Mayence.

François Beille s'étonnait du curieux contraste entre ses impressions de l'aller et du retour. À l'aller, en avançant vers l'est, il avait eu le sentiment, dès le franchissement du Rhin, de progresser dans un pays qui devenait de plus en plus différent et hostile, qu'il s'agisse des bâtiments, des routes, ou des habitants. Il avançait en territoire ennemi. Maintenant qu'il marchait vers l'ouest, avant même d'atteindre le Rhin, il lui semblait à l'inverse que tout devenait plus semblable à ce qu'il avait l'habitude de connaître, et lui faisait un accueil amical. Il se sentait peu à peu chez lui, avant même d'y être arrivé.

À l'entrée de Mayence, un poste militaire français contrôlait le trafic. Le lieutenant Villeneuve se renseigna pour savoir si le vieux maréchal Kellermann était encore gouverneur de la province et, dans l'affirmative, où se trouvait sa résidence.

L'adjudant de service lui répondit que le maréchal était encore à Mayence, d'où il commandait les 25ᵉ et 26ᵉ divisions militaires, et qu'il habitait non le palais du gouverneur, mais une maison bourgeoise, où il proposa de les conduire. François Beille fit un rapide calcul mental. Il avait servi sous les ordres de Kellermann dans l'armée des Alpes treize ans plus tôt. À l'époque il était âgé de plus de soixante ans. Il devait avoir environ soixante-quinze ans aujourd'hui. L'Empereur le maintenait sans doute en activité en souvenir de Valmy.

François Beille croisa dans son antichambre deux fringants officiers qui appartenaient visiblement au service du courrier impérial. Lorsqu'il pénétra dans le salon, le vieux maréchal était en train de jouer aux cartes avec une jeune femme.

« Permettez-moi de me présenter à vous, monsieur le Maréchal, lui dit-il. Je suis le général François Beille, de la Garde impériale, et je fais route vers Paris. Je tenais à vous saluer.

— Mais je vous reconnais, répondit le maréchal en clignant des yeux. Vous avez servi sous mes ordres et vous êtes un ami de mon fils François. Cette charmante jeune personne qui me tient compagnie est sa fille aînée, Angélique-Françoise. Asseyez-vous avec nous. On va vous servir à boire. »

Un sous-officier apporta une bouteille de vin du Rhin et des verres. Le maréchal fit alors un signe à sa petite-fille pour l'inviter à se retirer. Dès qu'ils furent seuls, Kellermann reprit :

« C'est une chance que vous soyez ici. Un courrier vient d'arriver de Paris pour m'annoncer une nouvelle extraordinaire : tenez-vous bien ! L'Empereur a abdiqué !

— C'est impossible ! s'exclama Beille, suffoqué.

— J'ai réagi comme vous, reprit Kellermann, mais le courrier m'a apporté le dernier numéro du *Moniteur*, imprimé spécialement le 16 décembre. Le voici. Vous pouvez le lire ! »

En haut de la page un texte encadré figurait en caractères gras. Beille le parcourut lentement, et lut :

« Son Eminence le cardinal Fesch, archevêque de Lyon, grand aumônier, annonce qu'au cours d'un entretien au palais des Tuileries, Sa Majesté l'Empereur Napoléon Ier lui a fait part de son intention de renoncer à sa fonction impériale pour mettre son influence au service de la paix. Il va donc abdiquer, et proposera au Sénat conservateur et au Conseil d'État de proclamer empereur-régent le prince Eugène de Beauharnais, vice-roi d'Italie, jusqu'à la majorité du roi de Rome. »

François Beille n'en croyait pas ses yeux. Toutes ses références intérieures, toutes ses fidélités depuis qu'il était entré dans l'armée, toutes les contraintes qu'il s'était imposées pendant la campagne de Russie volaient en éclats, ou plutôt se dissolvaient dans un brouillard ! Il n'y avait plus personne qu'il puisse servir, plus de cause pour laquelle combattre ! Il n'avait jamais perçu jusque-là ce que peut être l'immensité du vide.

« Vous avez lu ? l'interrogea Kellermann. Vous avez vérifié ce que je vous avais annoncé : Napoléon a abdiqué. Il était ici il y a moins d'une semaine. Il rentrait à Paris en petit équipage, accompagné seulement de Caulaincourt et d'un peloton de chasseurs de la Garde. J'ai organisé sa traversée du Rhin en bateau, et il s'est arrêté au relais de poste, où il n'a même pas été reconnu. Il a offert des napoléons à une serveuse pour sa dot, et il est reparti. Il ne m'a rien dit sur ses intentions !

— Paraissait-il anxieux, préoccupé ?

— Pas le moins du monde ! Même s'il était un peu changé, il avait sa vivacité et sa détermination d'autrefois. Par contre, il faisait de curieuses lectures. J'ai vu dans sa chambre, alors qu'il en était sorti, l'*Esprit des lois* de Montesquieu, et la *République* de Platon !

— Pensez-vous, monsieur le Maréchal, qu'il veuille nous ramener en république ?

— Le Ciel nous en préserve, jeune homme ! Les Français ne sont pas capables de gérer une république. Ils sont à la fois changeants et violents, dès qu'ils croient leur intérêt personnel menacé, ce qui est contraire aux nécessités de la république, qui suppose la solidarité et l'acceptation de l'intérêt commun. J'en sais personnellement quelque chose. Je crois avoir sauvé la République, en septembre 1792, moyennant quoi ces enragés m'ont jeté en prison quinze mois plus tard, et s'apprêtaient à me couper la tête, si Thermidor ne m'avait pas sauvé ! Ils n'ont épargné ni Danton ni Camille Desmoulins, ni d'ailleurs le père du prince Eugène ! L'Empire est préférable à la République : il procure à la fois l'autorité et l'égalité. Mais Eugène de Beauharnais sera-t-il capable de le maintenir ?

— J'ai tendance à le croire, répondit François Beille. Je l'ai approché de près. C'est un homme extrêmement courageux, comme on a pu le vérifier à la Moskova, et c'est un entraîneur d'hommes. Il a acquis une expérience politique comme vice-roi d'Italie, où l'on m'assure qu'il est très populaire. Et surtout l'ombre de Napoléon continuera de planer sur la France, car il tient absolument à ce que son jeune fils, qu'il adore, puisse lui succéder un jour.

— Le Ciel vous entende, mais attendez-vous à vivre une période surprenante, comme j'en ai traversé quelques-unes. Je vous demande de garder tout cela pour vous, général, car le courrier que j'ai reçu était marqué "confidentiel". Je ne doute pas, malgré ces précautions, que la nouvelle se répande comme une traînée de poudre ! Permettez-moi de rappeler ma petite-fille, car je voudrais qu'elle vous salue avant votre départ. »

Angélique-Françoise revint dans la pièce. Son origine alsacienne était très visible. Elle avait de grands yeux bleu clair bordés de cils blonds. Ses épaules étaient fines, et la cambrure de sa taille se dessinait dans les plis de sa jupe de toile bleue. Elle esquissa une petite révérence devant François Beille.

« Regarde-le bien ! lui dit son grand-père. C'est un héros ! Tu n'en verras pas beaucoup d'autres comme lui. Il a capturé le maréchal qui commandait l'armée russe !

— Cela est seulement à peu près vrai, Angélique, rectifia François Beille, mais tu connais déjà un autre héros, et beaucoup plus grand ! C'est ton père, dont la charge extraordinaire nous a fait gagner la bataille de Marengo ! »

La jeune fille rougit de contentement et le général se pencha vers elle, prit son visage dans ses mains, et embrassa la fraîcheur de sa joue.

*
*   *

297

Avant de partir, le général Beille s'était renseigné auprès de Kellermann pour savoir s'il connaissait l'itinéraire que comptait suivre Napoléon pour gagner Paris, car il ne souhaitait pas prendre la même route afin de ne pas paraître le suivre à la trace. Kellermann lui répondit qu'il avait entendu l'Empereur parler de son intention de faire étape à Verdun, puis à Château-Thierry. Beille décida alors de se rendre à Sarrebrück, puis à Nancy, et de là, par la grand-route, gagner Paris.

*
*   *

Chapitre XXI

Le passage par la Lorraine

Ils quittèrent Mayence le lendemain matin.

La calèche avait été nettoyée à fond, et rutilait au soleil. Elle était attelée de quatre chevaux semblables, gris pommelés. Le lieutenant Villeneuve sollicita du général l'autorisation de conduire lui-même la voiture pour la prochaine étape, ce qui paraissait lui procurer un immense plaisir, car il avait participé à des courses. Il serait assisté sur le siège par le palefrenier Bonjean.

Le Lorrain avait regagné l'intérieur de la calèche, où le général Beille était assis en face de Marie-Thérèse. Celle-ci avait revêtu un ensemble gris, dont la veste portait des boutons dorés. Beille la contemplait avec tendresse. Ils avaient partagé une nuit exquise à l'hôtel de Mayence. Marie-Thérèse s'était abandonnée entièrement à ses caresses. Rien ne paraissait la retenir, et son corps, pensait-il en en retrouvant dans sa tête les images, était superbe, totalement souple et vigoureux, comme s'il avait été formé par des exercices physiques. Depuis qu'il avait choisi de passer par la Lorraine, Beille avait développé un curieux fantasme : il assimilait Marie-Thérèse à Jeanne d'Arc ! Elles étaient toutes deux lorraines, avaient approximativement le même âge, et étaient issues d'un même milieu social, authentique et populaire. Leur vigueur physique, leur attrait, leurs appâts, comme auraient écrit les chroniqueurs de l'époque, étaient curieusement semblables. François Beille retournait dans sa tête les images d'un poème épique, passablement licencieux, que Voltaire avait consacré à Jeanne, et qu'il avait soustrait discrètement à la bibliothèque de son père.

Marie-Thérèse dormait. Un cahot la réveilla.

« Où allons-nous ? » demanda-t-elle.

François Beille lui expliqua le choix du chemin.

« Nous passerons par Nancy, dit-il.

— Combien de jours faut-il pour nous y rendre ? interrogea-t-elle.

— Six jours environ, si on nous fournit de bons chevaux aux relais de poste.

— Puis-je vous demander une faveur ? C'est de me déposer à Nancy, pour que je puisse me rendre à Lunéville, où réside ma famille. Cela fait deux ans que je ne l'ai pas vue, et un an que je n'en ai reçu aucune nouvelle ! »

François Beille réfléchit :

« Est-ce très éloigné de Nancy ? »

Le Lorrain, qui suivait discrètement la conversation, intervint :

« Cela ne ferait qu'un petit détour ! La distance n'est guère supérieure à une trentaine de kilomètres. »

Beille conclut, en s'adressant à Marie-Thérèse :

« Nous te conduirons à Lunéville pour que tu rejoignes ta famille. »

Il l'observait, les yeux à demi fermés, en cherchant à retrouver ses gestes amoureux dans le lainage de sa robe, et il fut surpris par l'éclair que mit dans son regard, tourné vers le plafond de la calèche, l'apparition d'une sorte d'angoisse calme.

Le Lorrain, heureux d'être mêlé à la conversation, poursuivit, en s'adressant au général :

« Êtes-vous au courant de la grande nouvelle ?

— Quelle nouvelle ? interrogea Beille, surpris que Le Lorrain pût être au courant d'une information qu'il tenait pour secrète.

— Oui ! Vous pensez que je ne sais rien, s'exclama Le Lorrain. Vous croyez toujours qu'il n'y a que les généraux et les souverains qui soient informés, et que le peuple reste dans l'ignorance !

— Épargne-nous ta chansonnette révolutionnaire, interrompit sèchement François Beille, et dis-nous ce que tu as appris de si extraordinaire.

— Eh bien, l'abdication de l'Empereur, après sa grande victoire en Russie. Tout le monde en est retourné !

— Comment l'as-tu appris ?

— Par l'estafette du courrier impérial. Il avait avec lui un exemplaire du *Moniteur*, qu'il m'a montré. Je n'en croyais pas mes yeux. Que va-t-il se passer maintenant qu'il nous abandonne ? Va-t-on revenir au Consulat ?

— L'Empereur a abdiqué ! l'interrompit Marie-Thérèse avec une sorte de cri. Je n'en crois pas un mot ! Ce sont encore les histoires que tu ramasses dans les tavernes ! »

François Beille s'interrogea sur ce qu'il devait dire. Ils avaient encore trois étapes à franchir avant la frontière, et il était inopportun d'alimenter les bavardages.

« Si c'est un secret, tu devrais le garder pour toi », conseilla-t-il à Le Lorrain.

Dès leur entrée à Nancy, ils comprirent que la nouvelle était maintenant connue de tous. La ville était en état de folie. Une foule grouillante parcourait les rues, manifestement désorientée. On entendait dans les carrefours des cris de « Vive l'Empereur ! », les soldats en uniforme étaient entourés de grappes humaines, comme s'ils détenaient des informations sur cette décision stupéfiante. La calèche se dirigea vers l'hôtel du commandement militaire. La Garde en était renforcée. Le lieutenant Villeneuve fit reconnaître la voiture du général Beille et, quand elle fut dans la cour, il demanda à un aide de camp qui se tenait à la porte si le général Duvivier, commandant la division de Nancy, accepterait de recevoir le général Beille, en route vers Paris. Après quelques minutes, il revint apporter une réponse affirmative.

Lorsque Beille fut introduit dans le bureau du général Duvivier, il se trouva face à un homme de haute stature, taillé à la hache, qui portait l'uniforme des officiers d'infanterie, orné des épaulettes et des galons de général de division.

« Approchez-vous et asseyez-vous, Beille, lui dit-il en lui tendant une large main osseuse qui enveloppa la sienne. Je crois vous avoir déjà rencontré quand nous conduisions des manœuvres avec la Garde, mais je conservais le souvenir que vous étiez colonel.

— C'est l'Empereur qui m'a nommé général, en septembre, à Moscou.

— C'est un bel avancement à votre âge ! Puis-je vous demander quel est l'objet de votre mission par ici ?

— J'ai quitté la Grande Armée sur l'ordre de l'Empereur, qui m'a ordonné de rentrer à Paris pour réorganiser la cavalerie de la Garde. Je suis sur le chemin de la capitale.

— Vous parlez de l'Empereur, cher ami, répondit le général Duvivier, mais nous ne savons plus, ni l'un ni l'autre, s'il l'est encore ! Vous êtes informé de la nouvelle de l'abdication ?

— C'est le maréchal Kellermann qui me l'a apprise, mais il ne connaissait aucun détail. Peut-être en savez-vous davantage ?

— Non, pas grand-chose. Il semble que ce soit une décision strictement personnelle, qu'il assume seul. Il voudrait aller vite, et obtenir une réunion prochaine du Sénat conservateur. On dit aussi qu'il songerait à interroger le peuple. Tout devrait être terminé à la fin du mois prochain, pour le 1er février.

— Et comment réagit la population ?

— Elle est très secouée. Elle avait placé toute sa confiance dans l'Empereur et s'était alarmée durant la campagne de Russie. Elle s'est enthousiasmée à l'annonce de la victoire, et voici que le vainqueur l'abandonne !

— Pas exactement, mon Général. Il organise sa succession, ce qu'il a le droit de faire, pour se consacrer à une autre forme d'action.

— Quelle action ? répliqua le général Duvivier. Il ne l'a pas dit, et le peuple ne le sait pas. Son armée, j'en suis témoin, ne le sait pas davantage !

— Il va certainement s'exprimer, comme il l'a fait dans toutes les grandes circonstances. J'imagine qu'il pense avoir obtenu tous les résultats possibles sur le plan militaire, et qu'il juge bon pour la France de s'engager dans une autre forme d'action.

— Mais laquelle ? répéta encore le général Duvivier.

— La paix ! Mais je ne peux pas parler à sa place ! L'organisation pacifique de l'Europe...

— Vous croyez que c'est possible ? On ne peut organiser l'Europe que par la force ! Vous le savez aussi bien que moi. »

François Beille jugea que l'entretien avait suffisamment duré, et il était irrité par le ton négatif des propos du général Duvivier. Il regretta que celui-ci n'ait pas fait un séjour d'une semaine à Smolensk pour mieux connaître les limites du pouvoir des armes... Aussi se prépara-t-il à prendre congé.

« Je pars en tournée d'inspection dans un moment, dit le général Duvivier. Je rentrerai en fin d'après-midi, et je serais heureux de vous accueillir pour souper.

— Je vous remercie, mais j'ai déjà pris des dispositions que je ne peux plus changer. Je suis sensible à votre invitation, et je vous demande la permission de me retirer. »

François Beille avait retrouvé en l'écoutant le ton sceptique et prétentieux des conversations qu'il allait entendre dès son retour à la vie civile. Il eut la nostalgie des soirées passées dans la grande plaine, avec pour seul bruit le sifflement du vent dans les branches chargées de givre.

*
* *

Il regagna l'hôtellerie où son équipage s'était installé pour la nuit. C'était une grande bâtisse édifiée dans l'angle de la place du Roi-Stanislas. Sa chambre, située sur la façade, donnait sur la place. Marie-Thérèse s'était installée dans la chambre voisine.

Ils dînèrent tous les cinq au restaurant de l'hôtel. Des images d'Épinal relatant les exploits militaires de Napoléon décoraient les murs, ainsi qu'une gravure tirée du tableau de David sur le sacre de l'Empereur à Notre-Dame de Paris. Beille avait invité l'ordonnance et le palefrenier à se joindre à eux. Marie-Thérèse fit son entrée dans une robe rouge qui s'arrêtait au-dessous des genoux, et qui portait un décolleté carré. Beille s'interrogea sur le mystère qui faisait qu'il ne la connaissait pas encore !

Le dîner fut servi dans une vaisselle de Sarreguemines. Les plis de la nappe étaient fraîchement repassés. Lorsqu'une serveuse apporta la soupière et souleva le couvercle, une odeur chaude de légumes en jaillit. Beille avait commandé la rituelle quiche lorraine, et du vin de Moselle. Ils étaient heureux d'avoir retrouvé les rites de la France, mais une ombre de mélancolie pesait sur le petit groupe. L'aventure allait bientôt s'achever. Marie-Thérèse, qui gardait les yeux fixes, ne dit pas un seul mot pendant le dîner.

Après avoir bu un verre de liqueur de mirabelle, François Beille monta dans sa chambre. Il se déshabilla et s'étendit sur son lit. Un défilé passait sur la place portant des lampions, des drapeaux tricolores, et un portrait de Napoléon coiffé de son célèbre chapeau. Beille se leva pour fermer les rideaux. Il ressentait encore la mélancolie du souper, et s'interrogeait pour savoir si Marie-Thérèse viendrait le rejoindre. Il guettait les bruits de sa chambre à travers la cloison. Il l'entendit ouvrir la porte, puis marcher dans la pièce. Son cœur battait. Après une dizaine de minutes, un grincement léger annonça l'ouverture de la porte, et Marie-Thérèse fit son entrée dans la chambre.

Elle choisit du regard un fauteuil qui s'y trouvait, s'en rapprocha, et s'y assit pour dénouer les lacets de ses bottines. Puis elle se releva, enleva sa robe rouge en la faisant passer au-dessus de sa tête, et se défit de ses vêtements de coton et de soie blanche. Elle avança près du grand lit où l'attendait François Beille, et y monta en s'appuyant sur son genou. Puis elle s'allongea contre lui. Pendant tout ce temps, elle garda son regard fixe, et ne dit pas un mot.

Après un moment d'attente, elle chercha la main de François Beille, la saisit, puis la conduisit vers sa poitrine. Et ils s'enlacèrent.

Durant les longs moments où ils échangèrent leurs caresses, il leur sembla que rien n'était venu troubler leur entente. François Beille regardait sa peau, le léger dessin de ses muscles sur ses membres, sa bouche ouverte en attente d'un baiser, et Marie-Thérèse ressentait de son côté avec un bonheur exquis la force de ses bras, et le soin qu'il mettait à la faire changer de posture.

Ils restèrent ensemble pendant plus de trois heures, puis ils se levèrent. François Beille prit par la main Marie-Thérèse encore dévêtue, et l'entraîna vers la fenêtre qu'il ouvrit. Ils s'appuyèrent l'un contre l'autre pour regarder le spectacle sublime de la neige qui tombait en fins flocons blancs sur les grilles dorées de la place du Roi-Stanislas.

Marie-Thérèse se retourna, prit dans le fauteuil ses vêtements qu'elle posa sur son bras sans chercher à les enfiler, et, lorsqu'elle ouvrit la porte, murmura à voix basse : « Dormez bien. Je vous verrai encore demain. »

*
* *

La calèche parcourut à vitesse réduite les trente-cinq kilomètres qui séparent Nancy de Lunéville. La neige qui tombait formait un rideau continu, et les chevaux, quoique ferrés à glace, hésitaient à trotter en sentant leurs pieds glisser sur les flaques gelées.

Marie-Thérèse, qui avait revêtu une longue houppelande et portait sa toque de fourrure, égrenait d'une voix amusée par la familiarité des lieux les noms des villages traversés. Elle signala Saint-Nicolas-de-Port et Dombasle-sur-Meurthe. Le relief changeait peu à peu à l'approche du massif des Vosges, et la route longea une forêt de grands sapins enrobés de blanc. Ils traversèrent le bourg de Vérimont et abordèrent une descente où les chevaux s'accrochaient avec peine aux cailloux de la chaussée, lorsque Marie-Thérèse s'écria : « Nous arrivons ! Voici Lunéville ! »

Le cocher hésita sur la route à suivre. Marie-Thérèse s'offrit à le guider.

« Nous allons nous rendre sur la place du Château, dit-elle. C'est là que se trouve le meilleur hôtel. »

Ils traversèrent la ville au pas, et débouchèrent sur un grand espace dallé. La place formait une courbe en pente, une sorte de conque, dominée par les grilles d'entrée du palais de Stanislas Leszezynski. Sur la droite, on découvrait la masse imposante de l'hôtel des Trois Bosquets.

La calèche s'arrêta devant la porte, et le personnel de l'hôtel, impressionné par l'élégance de l'équipage, commença à décharger les bagages.

Marie-Thérèse prit à part le général Beille :

« Je ne descendrai pas dans cet hôtel, lui dit-elle. Ma famille habite tout près d'ici, et je vais la rejoindre.

— La voiture peut t'y conduire.

— Non, je vous en prie, insista-t-elle. Cela ferait trop de remue-ménage dans le quartier, mais peut-être Bonjean pourra-t-il m'aider à porter mes bagages ? »

François Beille chercha le palefrenier du regard pour lui en donner l'ordre, mais il dut céder devant l'insistance du directeur de l'hôtel, vêtu d'une redingote bleue, et d'une immense cravate lavallière noire, qui tenait à le conduire dans sa chambre. Celle-ci était une grande pièce dont les deux fenêtres garnies de petits carreaux donnaient sur la façade du palais. On avait allumé un feu de bois dans la cheminée, et l'air commençait à se dégeler. François Beille retira sa veste. Trois coups discrets furent frappés à la porte. Pensant qu'il s'agissait de ses bagages, il répondit distraitement d'entrer. C'était Marie-Thérèse. Elle avait retiré sa houppelande, et portait la robe de laine verte dont elle était vêtue au départ de Moscou, et dont ils avaient défait ensemble les boutons à Varsovie.

« Je sais que je n'aurais pas dû monter, lui dit-elle. Cela ne se fait pas, et c'est contraire aux convenances, mais j'avais besoin de vous parler. Au départ de Moscou, j'ai voulu vous remercier, car vous m'avez sauvée de la mort et de la honte, mais vous n'avez pas accepté que je le fasse. J'ai pu vous remercier à Varsovie, et depuis, chaque soir pendant le trajet. J'en étais contente, mais aussi de plus en plus heureuse de me trouver dans vos bras. Je savais que cela ne pourrait pas durer toujours, bien que je sois prête à vous remercier jusqu'à la fin de ma vie, mais je préférais ne pas y penser ! J'ai réalisé depuis le départ de Moscou que nous n'appartenions pas au même groupe de personnes, quoique avec votre grande gentillesse et votre politesse vous avez toujours évité de me le montrer. Mais votre nigaud de cousin, avec sa dinde de femme, me l'ont rappelé à Weimar, en me faisant coucher dans le quartier des domestiques, et en me nourrissant à la cuisine ! Je vais avoir vingt-huit ans. Je voudrais avoir des enfants, et fonder une famille. Je vais me chercher par ici un gentil mari. Il ne sera jamais aussi beau et aussi courageux que vous ! Je lui demanderai d'être brave et honnête, et si possible fidèle. Mais c'est vous que je continuerai à aimer ! D'ailleurs, si un jour vous vous sentez abandonné par votre santé, vos amis, ou par les femmes que vous aurez rencontrées, il vous suffira de m'écrire, et, éloignée ou proche, mariée ou non, je viendrai vous rejoindre. »

François Beille était bouleversé par les propos de Marie-Thérèse. Il n'osait pas l'interrompre.

« J'ai une dernière demande à vous faire, reprit-elle. Vous m'avez tutoyée pendant le voyage, mais moi je vous ai toujours vouvoyé à cause de votre fonction. J'aimerais que vous me permettiez de vous tutoyer !

— Bien sûr, mais tu auras peu d'occasions de le faire, répliqua François Beille, conscient de la pauvreté de sa réponse.

— Je sais que je ne vous parlerai pas souvent, répondit Marie-Thérèse, mais je voudrais pouvoir vous tutoyer dans mon cœur ! »

Elle s'approcha de lui, déposa un baiser imperceptible sur ses lèvres et, se retournant dans la robe verte qui dessinait les lignes de sa silhouette, elle sortit de la pièce.

*
*   *

1813

Chapitre XXII

La rue de Lille et l'École militaire

Il suffit de cinq jours à l'équipage du général Beille, réduit à quatre personnes, pour atteindre Paris. Ils admiraient l'état remarquable de la grande route, entretenue par la nouvelle administration des Ponts et Chaussées. Des corvées de balayage de la neige, faisant sans doute appel aux paysans des villages voisins, étaient organisées sur les passages sensibles. Des charrettes évacuaient les débris.

François Beille était impressionné par la qualité de l'administration du pays telle qu'il pouvait l'observer au passage des petites villes. Les bâtiments des mairies et des sous-préfectures étaient soigneusement entretenus. À Toul, à Saint-Dizier, à Vitry-le-François, des tribunaux de première instance avaient été aménagés. Dans toutes les bourgades on pouvait trouver des bureaux de poste. De petites écoles étaient ouvertes. C'était une autre Europe que celle, misérable et tragique, qu'il avait découverte à l'Est. Il restait sûrement beaucoup à faire. Les vêtements des paysans étaient pauvres et surtout ceux de leurs enfants avec leurs pieds nus dans leurs sabots de bois. On apercevait davantage de couvents que d'hôpitaux. Mais François Beille, se souvenant de la piste qui parcourait la grande plaine russe, et de la sortie de l'église en ruine sur la place de Smolensk, entourée par une foule misérable et haineuse, se répétait : c'est un autre monde.

Après avoir franchi la porte de Paris, la calèche traversa la Seine et suivit les quais de la rive gauche, en passant le long de la cathédrale Notre-Dame, et en croisant le départ de la rue Saint-Jacques. François Beille constata qu'il avait oublié l'existence des grandes villes. Varsovie et Mayence étaient des cités honorables, mais sans rapport avec Paris. Le quai se prolongeait sur une longueur infinie. La perspective de la rue Saint-Jacques s'élevait en direction de la Sorbonne. On pouvait voir des boutiques et des restaurants sur chacune des petites places, et la foule, la foule désœuvrée dont il avait oublié l'existence, flânait dans la rue où elle croisait des artisans portant leurs outils, des vitriers et des marchands de glace. Ils passèrent devant le collège des Quatre-Nations où l'Empereur avait établi l'Institut de France, et après avoir tourné à gauche, ils s'engagèrent dans la rue de Lille que les chevaux empruntèrent pour la parcourir au trot jusqu'au bout. La maison qu'habitait la mère de François Beille était l'avant-dernière sur la droite.

Elle avait été construite par son grand-père maternel, lorsque celui-ci exerçait un commandement dans l'armée royale. Les travaux avaient commencé pendant qu'on aménageait la grande place, en face du Palais-Bourbon. Comme à cet endroit la rue de Lille se rapproche de la Seine, le terrain disponible avait une taille réduite, qui n'autorisait qu'un petit jardin sur l'arrière. Par contre, la cour située à l'avant de la maison était assez vaste pour accueillir la calèche.

Il était 6 heures du soir. François Beille n'avait pu prévenir personne de son arrivée, la poste parcourant la route moins rapidement que sa voiture. À ce moment de la journée, sa mère se tenait habituellement dans son salon, où elle buvait une tasse de tisane, seule ou avec des amies.

Le général monta les marches jusqu'au premier étage, qui était légèrement surélevé, et sonna à la porte.

Un maître d'hôtel d'un certain âge, orné de favoris blancs, vint ouvrir. François Beille reconnut Gabriel, le serviteur de sa mère.

« Ah, monsieur François, s'exclama-t-il, quel bonheur de vous revoir ! Madame vous attendait. Elle avait eu peur de vous perdre dans ces horreurs de la guerre de Russie. Heureusement M. de Montesquiou qui est arrivé avant vous est venu la rassurer. Il lui a dit que vous étiez un héros !

— Assez de fadaises, Gabriel, lui répondit-il gentiment. Où est maman ? »

Une voix sortit de la porte du salon. C'était celle de Mme Beille qui avait entendu la conversation.

« C'est toi, mon grand fils ! Viens embrasser ta mère ! »

François Beille s'avança et vit sa mère assise dans un fauteuil de tapisserie, entre la cheminée et la fenêtre qui donnait sur la Seine.

Il se pencha, et l'embrassa longuement pendant qu'elle tenait ses deux mains appuyées sur ses épaules. Ses cheveux étaient grisonnants, et elle ne portait pas de perruque. Il retrouva le parfum léger de la poudre dont elle ornait depuis toujours son visage.

« Assieds-toi à côté de moi. Je ne vais pas te dire comme autrefois que tu as grandi en taille, mais il me semble que tu as grandi en grade, dit-elle, en lui montrant du doigt ses épaulettes.

— Oui, maman, l'Empereur m'a nommé général.

— Cela aurait causé beaucoup de plaisir à ton grand-père ! J'espère que tu vas rester un peu avec nous. Angélique est sortie de la maison, mais elle doit rentrer pour le souper. Ta chambre t'attend. J'ai veillé à ce qu'elle reste toujours prête. Gabriel va monter tes bagages, s'il en a encore la force ! »

François Beille sortit du salon, si élégamment meublé, jugea-t-il, pour se rendre dans la cour, et saluer son équipage. Les naseaux des chevaux fumaient. C'était un dernier relais qu'ils avaient pris à Coulommiers. Il serra la main de Le Lorrain et de Bonjean en leur donnant rendez-vous pour le lendemain au quartier de cavalerie de l'École militaire, puis il prit le bras du lieutenant Villeneuve pour lui parler à part.

« Tu sais que l'Empereur m'a dit qu'il me recevrait à mon retour. J'aimerais que tu te renseignes auprès de ses aides de camp pour savoir s'il en a toujours l'intention, et lui faire savoir que je me tiens à sa disposition. »

Puis il monta dans sa chambre.

Elle était effectivement restée identique. Un parquet de chêne ciré recouvert de deux tapis d'Orient, le plus grand au milieu de la pièce, l'autre servant de descente de lit ; les murs tapissés d'une étoffe à ramages rouges, qui portaient les quelques gravures que ses parents lui avaient offertes pour ses anniversaires, et un portrait naïf de Louis XV enfant. La commode adossée au mur permettait de ranger ses chemises, et une porte à deux battants s'ouvrait dans la tapisserie du mur contenant le placard où suspendre ses vêtements. Il décida de se changer, et choisit un costume qu'il avait porté avant son départ, composé d'un pantalon gris clair assez tendu, avec des attaches sous les pieds, et une longue veste bleu ardoise.

Il n'arrivait pas à remettre de l'ordre dans ses idées. Il était revenu chez lui, c'était entendu, mais son cerveau restait vague, et ne localisait pas l'endroit. Il aurait dû se sentir libéré, rempli d'une joie décompressée, et, à la place, il éprouvait une mélancolie, sans cause exacte, un regret de ce qui était désormais achevé, et surtout une indifférence totale, un manque de désir et d'appétit pour tout ce qui pouvait arriver.

Il s'assit au bord de son lit, là où il avait rêvé de promotion et d'exploits guerriers. Il n'attendait plus rien. C'est sans doute la fatigue, pensa-t-il, due au fait d'avoir été secoué au trot pendant toute la traversée de l'Europe ; ou le découragement de sentir qu'il allait rentrer dans une vie insignifiante ; ou encore le départ, l'abandon – comment dire ? – de Marie-Thérèse, et la perte de ses délicieuses caresses.

Il se leva, et décida de se secouer. Il était mal à l'aise dans ce costume ridicule, convenant à un élégant du Palais-Royal, mais ce vêtement pouvait convenir pour le dîner à la maison. Les jours suivants il remettrait son uniforme d'officier de chasseurs, et remonterait en selle pour aller visiter l'Empereur.

Sa mère et sa sœur Angélique l'attendaient au salon. Il n'avait pas revu Angélique depuis deux ans. Quand il était parti en campagne, elle terminait ses études à la maison de la Légion d'honneur. Il fut frappé par son exceptionnelle beauté. Elle avait toujours été fine et charmante. Dans son enfance on la remarquait pour son sourire et la beauté de ses cheveux. Maintenant qu'elle était devenue une jeune femme, François Beille se dit qu'elle avait atteint la perfection. Elle empruntait à sa mère l'élégance de son maintien, et à son père la souplesse des gestes et une sorte d'autorité et de précision dans le moindre de ses mouvements. Elle arbora un sourire malicieux à la vue de son frère :

« Alors, Friquet, tu es devenu général ! Qu'est-ce que tu as pu inventer d'extraordinaire ? »

Elle se leva, lui prit la main, et se hissant sur la pointe des pieds pour être à sa hauteur, elle déposa sur la joue de François Beille un baiser appuyé qui le fit chavirer dans le bien-être de son adolescence.

« Venez, les enfants, c'est l'heure de dîner ! » annonça leur mère.

Ils entrèrent derrière elle dans la salle à manger, où ils s'assirent autour d'une table ovale. Mme Beille en occupait le centre, et elle plaça François à sa droite et Angélique à sa gauche. Depuis la mort de son mari elle n'avait jamais mis personne en face d'elle.

Elle aborda aussitôt le sujet à la mode, en s'adressant à son fils.

« Tu n'es pas trop surpris par l'abdication de l'Empereur, que tu adores ?

— Je ne l'adore pas, maman, mais je l'admire sans réserve. J'ai bien senti, pendant la campagne de Russie, qu'il était travaillé par une préoccupation intérieure, mais je n'ai pas su deviner laquelle.

— C'est une drôle d'idée de sa part de vouloir faire d'Eugène de Beauharnais un régent. À part le fait qu'il habite à deux maisons d'ici, et qu'il salue très poliment Angélique, je ne vois pas bien ce qui le destine à un pouvoir royal !

— Mais, maman, l'interrompit Angélique, la France a eu déjà des régents comme Catherine et Marie de Médicis qui n'avaient pas grand-chose à voir avec le pouvoir royal !

— Cela aurait été plus simple, reprit Mme Beille, dont les convictions monarchiques avaient survécu sous l'Empire, de faire appel au comte de Provence ! Ceux qui le connaissent bien disent que c'est un homme prudent et modéré.

— C'est vrai, maman, qu'il a cette réputation, répondit François Beille, mais je ne crois pas que les Français soient prêts à accepter le retour d'un roi. Ils se sont habitués progressivement à Napoléon à cause de ses victoires, mais aussi parce qu'il représentait une certaine continuité par rapport à la République. Ils ne sont pas disposés à faire le saut vers la royauté !

— Enfin, on verra ! reprit Mme Beille. Le problème se reposera si le prince Eugène déçoit l'opinion. Il sera trop tard pour une solution raisonnable. On reviendra à la République et à ses excès. Et dans l'intervalle, à quoi s'emploiera ton héros impérial ? »

Pendant que cet échange se poursuivait, le rythme du dîner se déroulait, tel que François Beille l'avait toujours connu : un potage fumant, servi dans des assiettes creuses, un plat mélangeant des légumes et une viande légère ou de la volaille, des fromages expédiés d'Auvergne, et un dessert fait de crèmes et de pâtisseries.

Gabriel assurait le service de table assisté d'une jeune servante qui chauffait et changeait les assiettes.

« Je pourrai mieux vous répondre en fin de semaine car je pense aller voir l'Empereur un jour prochain, répondit François Beille. Pour le moment je ne sais que ce que m'a dit Goethe, lorsqu'il m'a reçu à Weimar : Napoléon imagine avoir épuisé tout ce qu'on peut attendre des succès militaires. Il veut se consacrer aux tâches de la paix en Europe, et pour cela il a besoin de se bâtir une nouvelle personnalité.

— C'est un peu vague, lui dit sa mère. Et dans tout cela que fait-il de nous, les Français ? »

Angélique était très excitée :

« Tu as rencontré Goethe ? Il t'a parlé ? Je suis juste en train de relire son *Werther*. »

On présentait le dessert. Mme Beille avait eu le temps de commander le plat favori de son fils : une bavaroise aux fraises.

Celui-ci était pris par le sommeil, et se sentait fatigué. La dernière cuillère avalée, il embrassa sa mère sur le front, et monta dans sa chambre.

En passant devant la porte d'Angélique, il décida d'entrer pour lui dire bonsoir, comme il le faisait chaque soir quand il habitait la maison.

Angélique poussa un cri de plaisir :

« Entre, François, je suis contente de te voir, j'avais peur que tu oublies de venir. » Elle reprit son souffle. « J'ai tellement craint que tu sois tué. Tu as dû apprendre que nos deux cousins Laffars qui servaient dans l'artillerie ont péri à la Moskova ! Il paraît que l'Empereur a voulu épargner la Garde. »

François Beille sourit :

« À l'aller oui, mais au retour non ! Il me semble que maman n'apprécie toujours pas Napoléon.

— Elle le déteste. Elle lui reproche de créer une fausse noblesse, et d'être un mauvais chrétien. Elle attend toujours le retour du roi, comme si c'était possible. Or, je suis comme toi, François, je ne crois pas que ce soit réaliste. La Révolution n'est pas finie. Napoléon a réussi à mettre un couvercle dessus, mais le feu brûle toujours, au moins à Paris. Je m'en aperçois chaque semaine, en allant dans le quartier de Charonne aider les sœurs augustines qui tiennent un orphelinat. Je fais souvent la bêtise de m'habiller comme une jeune femme à la mode, et les hommes du peuple que je croise me jettent un regard haineux. Je vois dans leurs yeux qu'ils aimeraient promener ma tête au bout d'une pique !

— Pas tous, Angélique ! La violence existe, et nous ne l'éliminerons pas, mais elle ne représente pas, et de loin, l'ensemble du peuple français. Je l'ai bien vu dans l'armée, qui reste pourtant républicaine dans ses rangs. Il faut simplement isoler la violence, en évitant de la provoquer, ce que ferait inévitablement une restauration monarchique. Plus tard, peut-être, cela deviendra possible. Pour le moment, gardons l'Empire !

— Tu vas aider le prince Eugène ?

— Oui, s'il me le demande.

— Tu sais qu'il est très aimable avec moi. Chaque fois qu'il me croise dans la rue avec sa calèche, il me fait un grand salut.

— Il a raison, Angélique, tu es très jolie ! »

C'est vrai qu'elle est exceptionnellement jolie, pensa François Beille en la regardant attentivement.

Il existe sans doute une beauté universelle, telle qu'elle est incarnée par la sculpture antique, mais il existe aussi une forme de beauté plus fine, qui exprime la perfection d'un groupe qui se reconnaît en elle. Angélique représentait l'expression achevée de la beauté française de son temps. Il regardait le départ de son bras à partir de son épaule, son léger amincissement jusqu'à ce qu'il retrouve son volume près du coude, l'extraordinaire fragilité du poignet, et les doigts effilés qui se tiennent séparés. Comme s'il recevait un coup de fouet, et sans l'avoir recherché, il revit la main ferme et bien dessinée de Marie-Thérèse. « Où peut-elle être ? » se demanda-t-il, le cœur soudain alourdi.

Il souhaita un tendre bonsoir à sa sœur, et regagna, la tête habitée de pensées confuses, sa chambre d'adolescent.

*
*   *

Le mardi 12 janvier 1813, au matin, le général Beille décida d'aller visiter le lieu où il devait exercer la fonction que lui avait assignée le maréchal Berthier, au nom de l'Empereur : celle de commandant de la cavalerie de la Garde. Il se rendit au quartier de cavalerie de l'École militaire. Il longea le mur du manège où il s'était entraîné à monter les chevaux de l'armée, et entra dans la cour où il rechercha le lieu du commandement de la cavalerie. Il finit par trouver une pancarte sur laquelle était peinte en caractères d'imprimerie noirs l'inscription : cavalerie de la Garde, commandement. Elle désignait un bâtiment de trois étages, dans lequel pénétra François Beille.

À l'intérieur, il découvrit un va-et-vient incessant d'officiers au travail. Ils avaient tous adopté leur tenue favorite : des bottes noires, et une culotte de cheval retenue par des bretelles très apparentes sur une chemise blanche. Ils s'interpellaient pour échanger des informations. Beille comprit qu'ils préparaient l'arrivée dans Paris de deux escadrons de la Garde de la Grande Armée, annoncée pour le surlendemain.

Personne ne paraissait le reconnaître. Il avait revêtu la veste verte des chasseurs de la Garde, qui ne portait pas les galons de son grade. Les officiers restés à Paris avaient peu de familiarité avec les cadres de la Grande Armée. Certains, cependant, lorsqu'ils le croisaient, esquissaient un salut de la tête, mais aucun n'identifiait sa fonction. François Beille demanda à un jeune lieutenant de lui indiquer le bureau du commandant de la cavalerie.

« Il faut monter au premier étage, et prendre le corridor. Vous trouverez au bout l'antichambre du bureau du maréchal Bessières. Mais il n'est pas là. Cela fait plusieurs jours qu'on ne l'a pas vu. »

Il réfléchit et regarda plus attentivement Beille.

« Je crois vous reconnaître, dit-il. N'êtes-vous pas le colonel Beille, des chasseurs de la Garde ?

— C'est possible », répondit celui-ci, sur un ton indifférent. Il comprit que l'ordre le concernant n'avait pas été transmis, et qu'il était inutile de s'attarder plus longtemps à l'École militaire.

En revenant chez lui il trouva dans la cour le lieutenant Villeneuve qui l'attendait.

« Savez-vous qui j'ai trouvé à l'état-major de l'Empereur ? lui demanda celui-ci. Le colonel Arrighi ! Il m'a raconté qu'après avoir déposé les maréchaux russes à Königsberg, il était revenu à Varsovie, où l'Empereur l'a nommé premier aide de camp, en remplacement d'Anatole de Montesquiou, parti pour Paris. C'est lui qui coordonne maintenant l'équipe des officiers qui entourent l'Empereur au palais de l'Élysée.

— Pourquoi dis-tu le palais de l'Élysée ?

— Parce que c'est là que réside actuellement l'Empereur. Il l'avait affecté à sa sœur Caroline et au roi de Naples, mais il leur a demandé de le restituer. Il n'a pas voulu retourner aux Tuileries. Il considère que les Tuileries sont le lieu d'exercice du pouvoir impérial. Il lui faut désormais une maison plus modeste. »

« C'est la contagion de Goethe », pensa Beille.

« Arrighi s'est occupé tout de suite de votre audience, reprit Villeneuve. L'Empereur, qui se souvenait de sa promesse de Moscou, l'a fixée à après-demain jeudi, à 10 heures du matin. Il vous recevra seul. »

François Beille sentait sa tension monter. Il était en proie à l'excitation de revoir son grand homme, d'entendre ses explications concernant sa surprenante décision, et, peut-être, d'être mieux informé sur ce que l'Empereur attendait de lui.

Il monta le perron d'un pas allègre, et pensa à aller saluer sa mère. Celle-ci était précisément seule dans son salon.

« Bonjour, mon grand fils, lui dit-elle. Figure-toi que j'ai une bonne nouvelle à t'annoncer, ce que j'ai complètement oublié de faire dans l'émotion de ton arrivée. Tu vas hériter du beau domaine de La Tour, près d'Aix-en-Provence. »

« Qu'est-ce que c'est que cette histoire ? » pensa Beille, qui se souvenait vaguement du nom de cette propriété, appartenant au beau-frère de sa mère, le marquis de Laffars.

« Un jour, évidemment, tu deviendras propriétaire d'Anglars, lui dit-elle, mais le plus tard possible, car je compte continuer à l'habiter, et tu trouverais ma présence gênante. Je deviens encore plus autoritaire avec l'âge, me dit-on, et le climat n'est guère fameux ! Après la Russie je pense que tu recherches le soleil ! Mon beau-frère est décédé il y a deux ans, comme tu le sais, et ses deux fils ont été tués en Russie. Ma sœur qui est parisienne dans l'âme, à cause des salons des hôtels du faubourg Saint-Germain où elle adore bavarder, refuse de se rendre en Provence, qu'elle juge trop éloignée, et où elle prétend que le vent souffle trop fort. Elle a décidé de te donner ce domaine pour s'en débarrasser, c'est pourquoi elle craignait tellement que tu sois tué, toi aussi, en Russie ! C'est une belle propriété, pas immense, mais bien située entre Aix-en-Provence et la montagne Sainte-Victoire. On y produit du vin qu'à mon avis il vaut mieux vendre que boire, et surtout ce domaine contient une ravissante maison ensoleillée bâtie au siècle dernier, qu'on appelle une bastide, entourée de grands arbres. Le mobilier de style provençal est une vraie merveille ! Ton oncle était collectionneur dans l'âme. C'était d'ailleurs sa seule occupation, en dehors du jeu de cartes, au cercle, où il perdait l'argent de sa famille ! Ton père le considérait comme un bon à rien !

— Je ne suis pas convaincu, maman, que ce soit le meilleur moment pour le dire », remarqua François Beille.

Il était surpris et désorienté par cette annonce. Comme seul fils, il avait installé dans son subconscient le fait qu'il hériterait un jour d'Anglars.

C'était la maison de son enfance, habitée par ses parents, aussi n'imaginait-il pas en devenir propriétaire avant longtemps. Cet héritage provençal inattendu constituait une diversion bénie. Ce que sa mère ignorait, c'est qu'il adorait la Provence, ses saisons, ses odeurs, sa langue, depuis qu'il avait été en garnison à Avignon, dix ans auparavant. Il avait toujours rêvé d'y revenir. Peut-être pourrait-il désormais, entre deux commandements, retrouver dans ce domaine le délicat bonheur de vivre de la Provence.

Il sortit du salon, et revint vers le lieutenant Villeneuve.

« Confirme à Arrighi que je serai présent au rendez-vous de l'Empereur, et viens me chercher à 9 heures, car nous irons à pied. Ce n'est pas loin, si nous traversons les jardins des Champs-Élysées. »

*
* *

Le lieutenant Villeneuve attendait ponctuellement à 9 heures, le mercredi matin, le général Beille dans la cour de la maison de la rue de Lille. Ils franchirent le pont sur la Seine, puis entrèrent dans les jardins des Champs-Élysées.

François Beille avait revêtu son uniforme de parade, vert, rouge et blanc, sur lequel scintillaient ses galons. Ils ralentirent le pas car ils se trouvaient en avance, et contournèrent l'Élysée, pour y entrer par la porte du faubourg Saint-Honoré. La surveillance y était assurée par les grenadiers à cheval du colonel Lepic, qui reconnurent François Beille.

Celui-ci traversa la cour. Le gravier assez épais compliquait sa démarche. Il regardait la façade. C'est une belle maison, pensa-t-il, mais il y a mieux de l'autre côté de la Seine, avec l'hôtel de Biron ou celui de Samuel Bernard. Elle n'a pas la dimension d'une résidence impériale ! C'est sans doute une demeure de transition pour Napoléon.

Sur le perron il fut accueilli par le colonel Arrighi. Celui-ci, tiré à quatre épingles, avait repris l'uniforme des voltigeurs de la Garde.

« Quel bonheur de te revoir ici ! s'exclama François Beille.

— Et quel honneur de vous y recevoir, mon Général ! répondit le colonel Arrighi.

— Pas trop de formalités, je t'en prie, répliqua Beille. Nous avons suffisamment de souvenirs en commun !

— Vous êtes un peu en avance. L'Empereur s'entretient avec le duc de Vicence. Je vais vous demander d'attendre dans le salon des Aides de Camp.

— L'Empereur habite-t-il ici ? interrogea Beille.

— Tu sais qu'il peut s'accommoder de presque rien, comme tu l'as vu en Russie. Il a fait aménager le premier étage pour lui. C'est là que se situe son bureau. L'Impératrice et le roi de Rome sont au deuxième étage. C'est insuffisant, mais ils n'y resteront pas longtemps. On commence à aménager pour eux le château de Fontainebleau. Attendez-moi ici. Je viendrai vous chercher pour vous introduire chez l'Empereur. »

Après une dizaine de minutes, le colonel Arrighi vint retrouver le général Beille. Ils montèrent l'escalier dont Beille admira la belle rampe à palmes dorées, installée sans doute par Caroline

Murat. Arrivés sur le palier ils traversèrent un premier salon, puis s'arrêtèrent devant une double porte, gardée par un grenadier.

« C'est le bureau de l'Empereur », chuchota Arrighi.

Et ils attendirent.

Un peu plus tard la porte s'ouvrit vers l'extérieur et le ministre des Affaires étrangères, Caulaincourt, en sortit, portant une serviette de cuir rouge sous le bras. Il passa devant le général Beille qu'il dévisagea, sans le reconnaître. Arrighi s'avança, s'installa dans l'embrasure de la porte et annonça d'une voix forte :

« Pour Votre Majesté, le général de division François Beille ! »

Beille entra dans le bureau et se mit au garde-à-vous. Napoléon se tenait au milieu de la pièce, les mains dans le dos. Il portait toujours son uniforme vert, avec une médaille de la Légion d'honneur accrochée au revers, une culotte de cheval de peau blanche, et de hautes bottes noires à genouillères. Il avait la tête un peu inclinée, une mèche noire collée sur le front. Beille ne voyait pas de grande différence depuis leur rencontre à Moscou : un peu grossi, un peu plus pâle, le bas-ventre saillant davantage dans la culotte trop serrée. Il fut frappé par sa petite taille, qu'il avait oubliée, rapetissée encore par le décor de boiseries dorées, aux lignes étirées.

« Bonjour, général Beille ! Viens me donner la main, lui dit l'Empereur, je pensais bien ne jamais te revoir ! Quand tu es venu assister au départ de la Grande Armée de Moscou, je me suis dit que toi et tes hommes seriez encerclés et massacrés par les Russes. C'est la raison pour laquelle je n'ai pas accepté de te donner davantage d'effectifs, car je les considérais comme perdus !

« Koutouzov voulait à tout prix me rattraper. Il avait menti au tsar sur le résultat de la bataille de la Moskova, et il tenait à m'écraser avant ma sortie de Russie. Il avait rassemblé les restes de son armée, sans doute 130 000 hommes, auxquels s'ajoutaient les conscrits qu'on était allé chercher dans les villages, qui en faisaient un nombre égal, et se tenait dans le sud-ouest de la région de Moscou. Il attendait l'arrivée de réserves qui étaient en marche depuis le sud. Chaque jour comptait pour lui. C'est pourquoi ton harcèlement, qu'il n'arrivait pas à bien situer, a joué un rôle décisif. Pendant que tu restais à Smolensk pour tenir compagnie à une comtesse russe... »

Beille ne put contenir un mouvement de surprise.

« Ne fais pas l'étonné, reprit l'Empereur en souriant, tout se sait dans l'armée ! »

C'est ce diable d'Arrighi, pensa Beille, qui a dû communiquer l'information.

« Pendant que tu restais à Smolensk, poursuivit l'Empereur, nous avons pu nous retirer en bon ordre, et préparer la bataille finale devant Vilna, où j'ai fait tomber Koutouzov dans un piège. Tu l'as cueilli à la sortie ! Viens t'asseoir près de moi », dit l'Empereur qui s'installa dans un long canapé adossé à une tapisserie, et lui indiqua de la main un fauteuil.

« J'ai décidé de te récompenser, d'abord en t'attribuant un titre : je vais te faire duc de Smolensk.

— Mais, Sire, je ne souhaite pas porter de titre !

— Ce ne sont pas tes souhaits qui m'intéressent, répondit Napoléon, irrité, ce sont mes intentions ! Smolensk sera une des dernières victoires de la Grande Armée, et je veux que son nom subsiste dans notre histoire militaire ! As-tu un fils ?

— Non, Sire !

— Dépêche-toi d'en avoir un ! Il ne faudrait pas que la lignée s'interrompe. L'autre récompense, mais celle-ci est tout à fait normale, concerne ta fonction. J'ai donné à Berthier l'instruction de te charger de réorganiser la cavalerie de la Garde.

— Permettez-moi de vous interrompre, Sire. Connaissant vos intentions, je me suis rendu avant-hier à l'École militaire. Il me semble que vos ordres n'y sont pas parvenus.

— Ces lenteurs sont insupportables ! » s'exclama Napoléon, qui agita une sonnette de bronze doré posée sur une petite table. Un aide de camp fit son entrée.

« Amenez-moi un secrétaire, lui dit-il, j'ai une lettre à dicter. J'ai légèrement modifié mes intentions, reprit Napoléon. C'est le maréchal Bussières qui commande aujourd'hui la cavalerie de la Garde. Sais-tu que c'est un soldat remarquable : le 10 août 1792, il a cherché à protéger le roi aux Tuileries ! Il a participé à mes plus belles victoires ! Son poste actuel n'est plus à la hauteur de son mérite : je souhaiterais le voir nommé maréchal de toute la cavalerie de l'armée, à la lumière de l'expérience de la liaison entre Murat et Poniatowski, qui ne m'a pas satisfait. Il est vrai que ce ne sera plus de ma responsabilité ! Dans ce cas tu prendrais la fonction actuelle de Bessières et son titre à la cavalerie de la Garde ! Ne me remercie pas ! J'applique ma maxime : "Place au talent !" »

Le secrétaire étant entré, Napoléon lui dicta sa lettre, en marchant de long en large, la tête penchée en avant. « Donne-moi ta feuille, lui dit-il, je vais la signer, cela gagnera du temps ! » Et il s'empara de la plume.

Puis il revint s'installer sur le canapé, et, faisant un geste familier que François Beille avait observé à Moscou, il ramena une de ses jambes repliées sur le siège, sur laquelle il s'assit.

« Depuis que je suis revenu à Paris, dit-il, je sens que l'opinion est troublée. Elle ne saisit pas les motifs de mon abdication. Pour un peu elle m'accuserait de déserter mes responsabilités ! J'espère que tu as compris cela après la campagne que nous venons de faire : nous n'avons plus rien à attendre des succès militaires ! Nos frontières sont suffisamment élargies. Ce qui nous manque, c'est une Europe pacifiée. Si j'apparaissais à nouveau, une sixième coalition se formerait dans l'année qui suivrait, animée par la Prusse, la Russie malgré sa faiblesse, et, hélas, par la Suède ! Et tout recommencerait. Nous gagnerions sans doute les batailles, mais quels avantages y aurions-nous trouvés ? Les Français craignent que je ne m'occupe plus assez de leurs petites affaires, mais je leur ai apporté beaucoup de choses : la tranquillité, un Code civil, une monnaie solide, des bâtiments construits ou restaurés dans tout le pays, de nouveaux lycées. C'est à eux maintenant de faire le reste !

« J'ai eu un problème difficile à résoudre pour le choix de l'empereur-régent. Caroline y voyait son mari, Louis et Jérôme s'y voyaient eux-mêmes !

Le seul qui eût pu convenir dans la famille était mon frère aîné, Joseph, mais il n'est pas assez énergique. Je vais essayer de le faire élire président du Sénat conservateur.

« Le choix d'Eugène est le plus naturel. C'est mon fils adoptif ! Il sera loyal vis-à-vis du roi de Rome. On me dit qu'il est trop jeune. Je crois qu'il a ton âge...

— Un an de moins, Sire, interrompit Beille.

— À son âge, ou à ton âge, reprit Napoléon, j'avais déjà mené les guerres victorieuses d'Italie, et gagné la bataille de Marengo ! »

Napoléon se parlait maintenant à lui-même, et s'était relevé pour reprendre sa marche de long en large :

« On me dit aussi que j'aurais pu rétablir la république, ou la monarchie. Pour la république, on a pu vérifier que les citoyens français étaient incapables de la gérer : trop agités, trop impulsifs, n'acceptant que les lois qui leur sont favorables, et préférant élire des médiocres pour ne pas se sentir dominés ! Quant à la monarchie, elle a commencé son agonie il y a longtemps, dans les années 1760, avec la révolte des parlementaires, qui n'étaient en réalité que des nantis, et ne représentaient personne et surtout pas les intérêts du peuple ! Ni Louis XV ni Louis XVI, qui étaient pourtant de bons rois, n'ont été capables de les remettre à leur place. Et ces deux derniers rois se sont accrochés au dogme du droit divin qui avait perdu tout son sens au siècle des Lumières. »

François Beille était stupéfait d'entendre cette tirade. De petites gouttes de sueur perlaient sur le front de l'Empereur.

« Ce qu'il faudrait à la France, c'est un empire libéral, plus libéral que celui que je lui ai donné. Un empire où le peuple n'exerce pas le pouvoir, ce qu'il est incapable de faire, mais où il aurait le droit de se faire entendre, sans qu'on puisse lui retirer la parole. C'est ce que je trouve dans mes lectures grecques. »

Il se tourna vers François Beille, et le regarda droit dans les yeux :

« C'est cet empire libéral que je demande à mon beau-fils d'instaurer, et j'espère que tu seras disposé à l'aider ! »

Beille qui se sentait écrasé par le torrent de pensées de l'Empereur se risqua à poser une dernière question.

« Que pensez-vous pouvoir faire, Sire, pour amener la paix en Europe ?

— Il faut d'abord, répondit l'Empereur, habituer les souverains à se disputer, au lieu de se battre ! Il est évident qu'ils n'ont pas tous les mêmes intérêts : il faut leur offrir une enceinte où ils puissent en discuter, avant de recourir aux armes.

— Mais quelle enceinte, Sire ? demanda Beille, dont la curiosité était éveillée.

— Une réunion, un Congrès où ils se retrouvent tous de manière régulière, et où le nombre de ceux qui souhaitent des solutions pacifiques incitera à la prudence les amateurs d'aventure !

— Ne pensez-vous pas, Sire, qu'un tel Congrès aura besoin d'un arbitre, et que vous êtes prédestiné pour jouer ce rôle ?

— Je m'interdis de l'envisager pour le moment, bien que Talleyrand ne cesse de m'y pousser. Mais peut-être agit-il ainsi uniquement pour faire avorter le projet ! Aujourd'hui ce serait une imprudence, mais peut-être qu'avec le temps elle deviendra possible...

— Et qu'imaginez-vous d'entreprendre, Sire, vis-à-vis de la Russie et de l'Angleterre, qui sont vos grands adversaires ?

— Tu mets le doigt sur ce qu'il y a de plus difficile, Beille, et je te répondrai en quelques mots. Ce ne sont ni l'une ni l'autre des puissances européennes. Pour la Russie il existe un petit espace européen autour de Saint-Pétersbourg, mais c'est tout ! Et pour l'Angleterre, son domaine, c'est la mer. C'est donc là qu'il faudra la frapper en forgeant une alliance maritime avec l'Espagne, et les colonies indépendantes d'Amérique. Je recommanderai à Eugène de se doter d'un grand ministre de la Marine, et de lui donner un délai de cinq à dix ans pour construire avec les Espagnols une flotte deux fois plus importante que la marine anglaise. Nos rades de Brest et de Toulon seront là pour l'accueillir et pour le protéger. Dans l'immédiat, mais ceci est confidentiel, je vais annoncer la levée du Blocus continental ! Il ne nous rapporte rien, et antagonise nos alliés ! Je vais également rétablir sur son trône le roi d'Espagne, en le détachant de l'Angleterre. Ai-je répondu à tes questions ? »

Napoléon vint se rasseoir sur le canapé. Il resta silencieux, livré à ses réflexions, puis après un long moment, il ajouta :

« Tant que je serai vivant, je resterai disponible dans l'ombre. Si la France devait retomber dans ses violences ou ses faiblesses, je ne la laisserai pas chavirer, et je saurai comment m'y prendre, mais je ne le souhaite pas. »

François Beille comprit que l'entretien était terminé. L'Empereur ne regardait plus dans sa direction, et semblait rêver. Ils se levèrent tous les deux en même temps. Napoléon avança sa petite main blanche et grasse, et ajouta :

« J'ai été heureux de vous revoir, monsieur le duc de Smolensk, et je compte sur votre concours pour aider au succès de l'empereur-régent ! »

Le colonel Arrighi qui entendait à travers la cloison le murmure des voix sans saisir le sens des mots comprit, au bout d'un instant, que l'entretien était achevé. Il ouvrit la porte de communication, et se mit au garde-à-vous.

Le général Beille redescendit l'escalier, embarrassé de sentir ses jambes raides, tant la rencontre avait tendu ses nerfs. Dans l'antichambre du rez-de-chaussée, il fit signe au lieutenant Villeneuve de le suivre, et il traversa la cour qui, cette fois, lui parut immense. Arrivé au poste de garde, il porta la main à la hauteur de son chapeau pour saluer le colonel.

« Merci, Arrighi, lui dit-il. Cela a été un grand moment ! »

Et il traversa les jardins des Champs-Élysées, indifférent aux passants et aux cavaliers, écrasé sous le poids des pensées qu'avaient égrenées Napoléon, et imprégné jusqu'à la moelle de ses os du rayonnement dominateur de sa présence.

*
* *

Chapitre XXIII

L'hôtel de Beauharnais

Il sembla au général Beille qu'il serait convenable, après son entretien avec Napoléon, de rendre visite au prince Eugène de Beauharnais. Il en retirerait davantage de précisions sur la manière dont les choses fonctionneraient désormais et sur la portée pratique des orientations que l'Empereur lui avaient annoncées. La conversation serait facile, car ils se connaissaient depuis l'enfance. Ils avaient un an de différence d'âge, Eugène étant le plus jeune. Leurs mères étaient amies, et Hélène Beille s'arrêtait chez les Beauharnais dans l'Orléanais lorsqu'elle se rendait en Auvergne avec ses enfants pour les vacances d'été. Eugène et François avaient pris ensemble leurs premières leçons d'équitation.

Après la séparation de Joséphine et de son mari, Alexandre de Beauharnais, puis l'exécution de celui-ci sous la Grande Terreur, leurs relations s'étaient distendues. Hélène Beille, fermement traditionaliste, avait désapprouvé la participation dévergondée de son amie aux réjouissances de Barras et de Mme Tallien. Son mariage avec Bonaparte les avait rapprochées à nouveau, et Hélène Beille était devenue une visiteuse attitrée de la Malmaison, où elle emmenait souvent son fils.

Celui-ci l'accompagnait volontiers car il était alors un admirateur éperdu de la beauté créole de Joséphine, largement dévêtue, comme le voulait la mode. Son plus grand bonheur était de la regarder, et il se sentait gagné par une vibration trouble lorsque son regard langoureux s'arrêtait sur le sien, ou que sa main, par chance, se posait sur son bras pour lui demander d'aller chercher quelque objet dont elle avait besoin.

Eugène s'était attaché à Napoléon, devenu son beau-père puis son père adoptif, et il l'avait suivi partout, en Italie comme en Égypte. Il avait épousé la fille de Maximilien de Bavière, et François Beille avait été un des nombreux témoins à son mariage.

L'hôtel de Beauharnais, qu'il habitait, était situé rue de Lille, sur le même trottoir, et à moins de cent mètres de la maison des Beille. C'est là qu'il donna rendez-vous à son ami, le surlendemain de son entretien avec Napoléon.

François Beille entra seul dans la cour où il s'était si souvent rendu. Elle était petite bien que la maison soit large, à cause de l'étroitesse du terrain, mais remplie de mouvements de soldats et de chevaux, qui constituaient une indication incontestable de l'approche du pouvoir. Il gravit l'escalier un peu raide, orné sur ses côtés de bas-reliefs égyptiens, et fut accueilli par un aide de camp napolitain, coiffé d'un calot orné d'un gland gigantesque. Il lui fit traverser une première pièce décorée de hautes bibliothèques d'acajou, avant de l'introduire dans le salon où l'attendait le prince Eugène.

Ils s'étreignirent longuement, en se souvenant l'un et l'autre de leurs rencontres d'autrefois, gamins puis adolescents.

« François, quel bonheur de te revoir ! Tu n'as pas changé, sauf que tu as connu un bel avancement, cria le prince Eugène, en agitant du doigt les aiguillettes dorées des épaulettes de Beille.

— Ne te moque pas de moi, Eugène ! Tu n'as pas changé non plus, dit Beille, qui contemplait les boucles compactes de la chevelure du prince Eugène, et les poils blonds de sa moustache conquérante. Non tu n'as pas changé, même si tu es devenu empereur !

— Pas exactement, et pas si vite ! répliqua Eugène. Empereur-régent, seulement, et ce n'est pas encore fait ! »

L'aide de camp napolitain revint lui chuchoter quelques mots à l'oreille. Eugène lui fit un signe négatif de la main.

« Demande-leur d'attendre, lui dit-il. J'en ai pour un long moment, et je ne veux plus être dérangé ! » Puis s'adressant à Beille :

« C'est précisément une délégation de sénateurs, conduite par le comte de Lacépède, qui veut me parler de la procédure de nomination. Cela me fournit une bonne introduction. Veux-tu t'asseoir, François, nous serons plus confortables. »

Ils s'installèrent autour d'une table ronde, dans deux fauteuils à dos droit, dont les accoudoirs se terminaient par des têtes de sphinx, dessinées selon la dernière mode, et le prince Eugène commença :

« J'ai été autant surpris que toi par la décision de l'Empereur. J'avais bien senti qu'il mijotait quelque chose, mais je n'aurais jamais pensé à son abdication. Il me l'a annoncée dès que je suis arrivé à Paris, après que nous avons mis en déroute, avec Ney, les généraux saxons félons.

« Il m'a donné comme seule explication qu'il voulait se consacrer désormais à la paix en Europe. Puis il m'a parlé de la régence. Il écartait évidemment Marie-Louise, comme étant fille de l'empereur d'Autriche. Elle devrait se consacrer à l'éducation du roi de Rome. Restait la possibilité de faire appel à un de ses frères. Il ne souhaitait visiblement pas que le régent soit un Bonaparte. Pourquoi ? Peut-être craignait-il que cela le rejette trop dans l'ombre, ou que le Bonaparte en question prépare la voie à ses propres enfants. Le seul auquel il aurait pu penser, m'a-t-il dit, était son frère Louis, le mari de ma sœur Hortense, mais il compte le nommer à ma place, comme vice-roi d'Italie. C'est donc moi qu'il a choisi. Je lui ai objecté que je manquais d'expérience, et sans doute aussi d'autorité. Il m'a répondu qu'à mon âge il était déjà Premier consul, et cela a clos la discussion. Il m'a dit aussi qu'il savait pouvoir compter sur ma loyauté absolue vis-à-vis de son fils. Il paraît en être obsédé.

« Nous avons eu un long débat sur les modalités pratiques de cette succession. Concernant les titres d'abord : pour moi il préfère empereur-régent à régent tout court pour bien marquer la continuité du régime impérial, et il m'a fait une plaisanterie sur le fâcheux précédent du régent Philippe d'Orléans ! Pour lui-même, nous en avons longuement discuté. N'étant plus empereur, il insiste pour reprendre son nom de Bonaparte. J'ai souligné l'importance du rang qu'il devait conserver vis-à-vis des cours européennes. Nous nous sommes accordés sur l'appellation : Sa Majesté Impériale le prince Napoléon Bonaparte.

— C'est un peu long, remarqua Beille.

— C'est vrai, mais tout y est. Il reste à faire accepter ce dispositif par le Sénat, et le Conseil d'État. Je ne crois pas qu'ils y mettent des difficultés. Après avoir hésité, l'Empereur a écarté le recours au peuple, dont la Constitution évoque la possibilité.

— Pourquoi donc ?

— Il m'a dit que si le résultat de la consultation était trop favorable, il exprimerait un regret de son départ, et s'il était trop défavorable, il affaiblirait mon autorité. Dans les deux cas, l'impact serait négatif.

— L'Empereur, reprit Beille, m'a fait une allusion à un "Empire libéral". Sais-tu ce qu'il entendait par là ?

— Il m'en a parlé aussi. Il excluait de rouvrir la porte à la foule des bavards et des porteurs de mauvaises nouvelles qui affolent l'opinion du peuple, mais il estime que les temps changent, et qu'il faut donner désormais davantage de place à l'expression des citoyens.

— Tu envisages des mesures pratiques pour cela ?

— Oui. D'abord accorder le droit de vote à tous les Français, sans considération de fortune. Ensuite conférer au Sénat le pouvoir d'approuver les déclarations de guerre. Pour le moment, ce serait tout. Le peuple ne demande pas davantage. Mais il me faudra aussi un bon gouvernement.

— Tu as des idées là-dessus ?

— Quelques-unes, mais cela reste confidentiel ! Je conserverai plusieurs des ministres de l'Empereur : Caulaincourt aux Affaires étrangères.

— Tu n'envisages pas Talleyrand, qui doit se pousser pour retrouver la place.

— Il a fait suffisamment fortune pour acheter le château de Valençay, où l'Empereur a logé le malheureux roi d'Espagne. Il peut l'habiter à son tour ! Et il n'est fiable pour personne, sauf pour son portefeuille. Caulaincourt est compétent et sage. Pour la Guerre, je pense à l'excellent Daru, et pour l'Intérieur à Montalivet, qui a tenu bon pendant que nous nous promenions en Russie. Concernant la Police, Fouché est en train de faire ses valises ; il va se réfugier à Trieste. Et pour le remplacer je choisirai quelqu'un du Conseil d'État. L'Empereur m'a parlé du projet de construire une puissante flotte franco-espagnole, capable de mettre fin à la domination britannique sur les mers ! Je cherche quelqu'un pour le réaliser. As-tu une idée à me donner ? »

François Beille réfléchit un moment, et répondit :

« Il me semble que tu pourrais faire appel à Lacuée de Cessac, le ministre chargé de l'Administration de la Guerre. Il a fait merveille pour assurer nos approvisionnements pendant les dernières campagnes, et c'est, je crois, un homme de sciences capable de s'intéresser à la construction de navires modernes.

— Merci pour ton idée, répondit le prince Eugène, je vais y réfléchir, mais le temps passe, les sénateurs vont s'irriter, et je voudrais encore te parler de toi. Je sais que l'Empereur t'a chargé de réorganiser la Garde à cheval, et qu'il envisageait de te nommer commandant de la cavalerie, en remplacement de l'excellent duc d'Istrie, qu'il compte s'attacher auprès de lui, au palais de

Fontainebleau. Ce sont des missions utiles, mais je pense à une responsabilité plus importante. La paix en Europe dont rêve l'Empereur exige une organisation militaire différente. Je crois nécessaire la mise en place de cinq ou six armées permanentes qui assureront la sécurité et la stabilité en Europe. L'une serait l'armée du Rhin, essentiellement franco-allemande. Une autre serait l'armée d'Italie ; une troisième l'armée polono-lituanienne. Une quatrième armée devrait être installée autour de Hambourg, d'où elle surveillerait la Prusse et la Suède. Et la cinquième, la plus délicate à mettre sur pied à cause de la susceptibilité de l'Autriche, c'est l'armée autrichienne, ou plutôt austro-saxonne, qui devrait contenir la poussée de la Prusse vers le sud et refouler les Ottomans hors des Balkans. Pour commander ces armées, nous disposons de maréchaux hors pair, tels que Ney, Davout, et Oudinot. Concernant l'armée autrichienne on pourrait envisager Schwarzenberg qui a été prudent, mais loyal vis-à-vis de la Grande Armée pendant la campagne de Russie. Mais il faut prévoir aussi la relève, et j'en viens à toi. Quand tu auras terminé ta mission dans la cavalerie, c'est-à-dire dans dix-huit mois environ, je te verrais bien prendre la tête de l'armée du Rhin. Ce sera la plus importante des cinq, avec une forte participation française, et c'est elle qui devra, au total, veiller à l'équilibre de l'Europe !

— Merci de penser à moi, Eugène, mais tu dois avoir beaucoup d'autres soucis en tête.

— C'est vrai, et en particulier ma mère, dont la santé m'inquiète. Tu lui ferais plaisir en allant lui rendre visite à la Malmaison. Réfléchis bien à ce que je te propose. Ce sera le commandement militaire le plus important en Europe, et digne d'un duc !

— Ne te moque pas de moi ! Tu as entendu parler de cette affaire ?

— L'Empereur m'a consulté à ce sujet, répondit le prince Eugène. Ce serait la dernière distinction qu'il conférerait, m'a-t-il précisé, et je lui ai donné un avis favorable. Mais pardonne-moi, je dois interrompre notre conversation, car si je continue les sénateurs vont finir par s'impatienter et me préférer le roi Louis ! Nous aurons l'occasion de reparler de toutes ces questions. Je te demande de revenir me voir autant que tu le voudras. J'aimerais pouvoir compter sur tes conseils !

— Te revoir comme autrefois ? interrogea François Beille.

— Comme maintenant ! » répondit Eugène.

L'aide de camp napolitain, qui attendait à la porte, accompagna le général Beille jusqu'à l'antichambre où se trouvait la délégation des sénateurs, qui se tenaient debout, formant un bloc qui paraissait soudé par l'irritation. Beille s'arrêta pour saluer le président de Lacépède. Il sortit dans la cour, et emprunta le chemin qu'il avait pris si souvent pour rentrer chez lui.

*
* *

Le Sénat conservateur se réunit le lundi 1er février 1813. Il approuva la résolution prenant acte de l'abdication de l'empereur Napoléon, et confirma la désignation du prince Eugène de Beauharnais comme empereur-régent. Celui-ci prêta serment de respecter et de faire respecter la

Constitution de l'an VIII, amendée par le sénatus-consulte de l'an X, faisant de la France une République consulaire dirigée à vie par un empereur héréditaire. Napoléon n'assistait pas à la séance. De son côté, Joséphine était assise dans une tribune d'où elle put observer l'intronisation de son fils.

François Beille prit effectivement dans les jours suivants le commandement de la cavalerie de la Garde. Il devait l'adapter à la situation nouvelle : durant le règne de Napoléon, où la guerre paraissait constamment imminente, la Garde avait pour mission de rester toujours prête à combattre. Depuis l'option de la paix en Europe, la nécessité de disposer d'une Garde préparée pour la bataille perdait de son utilité, aussi le général Beille décida de réduire les effectifs de quatre régiments à deux. Un escadron fut détaché à Fontainebleau pour assurer la sécurité de l'Empereur. Beille améliora l'équipement et l'entraînement des unités, et veilla à ce que les haras assurent la qualité de la monte.

À l'automne 1813, sa tâche était accomplie. Il succéda au maréchal Bessières au commandement de la cavalerie de l'Armée et reçu le rang de maréchal. C'était un travail plus classique, plus proche de l'administration que de l'exercice d'une autorité militaire.

Pendant cette période, il résida à l'École militaire, dans le logement affecté à sa fonction. Chaque fois qu'il le pouvait sans nuire à son travail, il s'en échappait pour rejoindre sa chambre de la rue de Lille.

Sa vie sociale était calme. Il fuyait autant que possible les réunions mondaines organisées dans le salon de sa mère. De temps en temps, il accompagnait Angélique dans les soirées ou les bals auxquels elle était invitée. Son uniforme y faisait sensation, et il savourait le plaisir d'entendre le murmure admiratif qui saluait l'entrée de sa sœur dans la salle de bal, appuyée sur son bras.

Il rencontrait régulièrement l'empereur-régent, dont le bureau se situait désormais dans l'aile du palais des Tuileries la plus proche de la Seine. Leurs conversations portaient, pour l'essentiel, sur l'organisation future des armées en Europe.

Le 15 mars, l'empereur-régent lui indiqua que son programme était désormais arrêté et les consultations achevées. Il allait pourvoir à la nomination des chefs des cinq armées en Europe, et il lui confirma son intention de lui confier le commandement de l'armée du Rhin. Le quartier général de cette armée forte de cent vingt mille hommes, dont quatre-vingt mille hommes stationnés en France, serait installé sur le Rhin, à Mayence. Le général Beille devrait s'y installer lui-même le 1er octobre 1814. Dans l'intervalle l'empereur-régent lui recommandait chaudement de prendre une longue permission de repos, pour se remettre des fatigues de la campagne de Russie, et de ses deux commandements successifs avant d'aborder sa charge nouvelle.

François Beille décida qu'il irait passer le printemps et l'été dans son domaine de La Tour, en Provence.

*
*   *

1814

Chapitre XXIV

Le domaine de La Tour

Après que sa mère lui eut annoncé la donation du domaine de La Tour, François Beille eut envie d'aller voir sur place de quoi il s'agissait exactement.

Au début du mois de juin 1813, il avait pris la diligence qui desservait Montpellier, accompagné de Le Lorrain, qui était resté à son service, et après seize jours de voyage, ils arrivèrent à Avignon. Là, ils achetèrent des chevaux et partirent, pratiquement sans bagages, pour Aix-en-Provence. Munis des excellentes cartes d'état-major, désormais disponibles, ils empruntèrent la route de Meyrargues, puis, après quelques kilomètres, tournèrent sur leur droite. La campagne était vallonnée, et les forêts de chênes et de pins alternaient avec les vignes et les oliviers. Ils trouvèrent une pancarte, à l'entrée d'une allée de platanes, indiquant le domaine de La Tour. Le panneau était défraîchi, et il portait en haut les traces d'un écusson qui avait dû être martelé au temps de la Révolution.

Beille et Le Lorrain suivirent l'allée. Au loin, des chiens aboyaient. Après un tournant, ils découvrirent la bastide, ou plutôt le domaine. Il s'agissait en effet d'un ensemble de bâtiments, de granges et d'écuries, recouverts de toits de tuiles romaines, qui entouraient, à quelque distance, une élégante maison protégée par une grille.

Alerté par les chiens, un homme d'âge moyen, vêtu de noir, apparut dans la cour. Il ouvrit la grille et s'avança à leur rencontre.

« Je suis M. Pierre Etienne, intendant du domaine de La Tour, dit-il d'une voix chantante, dégageant les syllabes sonores. À qui ai-je l'honneur de parler ? »

François Beille, qui avait revêtu des vêtements civils, répondit :

« Au général Beille, qui vient prendre possession du domaine.

— Mon Dieu ! Mon Dieu ! s'exclama l'intendant qui enleva son chapeau avec lequel il balaya le sol. J'aurais dû m'en douter ! Vous êtes le neveu de feu monsieur le Marquis !

— Et son héritier pour ce qui est de La Tour. Je suis venu reconnaître le domaine. Pouvez-vous me le faire visiter ? »

François Beille mit pied à terre, et abandonna les rênes de son cheval à Le Lorrain. Il fit claquer ses bottes l'une contre l'autre, pour les dépoussiérer.

« Que voulez-vous voir, mon Général, le vignoble ou la maison ?

— Les deux ! Mais commençons par nous rendre sur la terrasse. »

L'allée d'arrivée ne débouchait pas sur l'axe de la maison, mais sur son côté. La terrasse se situait devant, et la vue y était magnifique ; on y découvrait à gauche les contreforts de la montagne

Sainte-Victoire, et en face, le moutonnement du pays d'Aix.

Un escalier, bordé de murs, descendait en direction du vignoble, qui étendait ses treilles jusqu'à un alignement de vieux oliviers.

François Beille, transporté de plaisir, se retourna pour contempler la maison. Elle ne prétendait pas à la grandeur mais avait d'harmonieuses proportions : la porte d'entrée était haute, et coiffée d'un fronton triangulaire portant un écusson qui avait été épargné ; elle était entourée de deux fenêtres de chaque côté, garnies de volets de bois. La même disposition se retrouvait au premier étage, où s'arrêtait la maison. Un étroit niveau de combles s'étalait sous la toiture de tuiles. Tous les volets étaient peints d'une couleur verte, pâlie par le soleil.

Le général entra dans les pièces du rez-de-chaussée. Elles étaient maintenues dans l'obscurité, mais la lumière qui filtrait était suffisante pour confirmer l'évaluation de sa mère : le mobilier était abondant et d'une grande qualité. On y voyait le choix d'un homme de goût.

À la question qu'il lui posa, l'intendant lui répondit qu'il y avait deux appartements au premier étage, et quatre chambres d'amis. L'entretien était assuré par un couple provençal, dont la femme faisait la cuisine. Beille décida qu'il passerait la nuit dans la maison, et demanda qu'on ouvrît les volets.

Puis il parcourut le domaine, en descendant l'escalier du jardin. L'intendant lui expliqua qu'il y avait environ quarante hectares de vignobles, trente de céréales pour nourrir les animaux, et le reste en maquis et en forêt. Le vin produit était rouge, ou rosé. Il était mis en bouteilles pour la consommation locale, et commercialisé en fûts à Avignon et à Marseille.

Tout cela ressemblait au paradis dont avait rêvé François Beille. Il regagna la bastide et goûta au dîner, largement arrosé d'huile d'olive, qu'avait préparé la cuisinière, Madeleine. Elle et son mari parlaient en provençal. Le repas terminé, il sortit sur la terrasse, où il s'appuya à la balustrade de pierre granuleuse. Le ciel était phosphorescent d'étoiles, et la montagne Sainte-Victoire formait une immense tache sombre. On entendait des crissements d'insectes, et des cris hululés d'oiseaux de nuit qui se répondaient. La température était douce, aérée par la brise.

François Beille resta un long moment à respirer le bonheur qu'il recherchait, puis monta se coucher entre des draps de lin, dont les broderies portaient des couronnes.

Il repartit le lendemain pour Aix, puis d'Avignon il prit la diligence de Paris, bien décidé à revenir au printemps prochain pour un long séjour.

*
* *

Le général Beille, promu général de corps d'armée, quitta le commandement de la cavalerie de l'armée comme prévu en avril 1814. C'est le 1er octobre suivant qu'il devait, en principe, s'installer à Mayence à la tête de l'armée du Rhin, avec le rang de maréchal.

Son départ en Provence fut retardé par l'annonce du décès de l'impératrice Joséphine, à laquelle il avait rendu une dernière visite un mois plus tôt. Prévenu par sa mère, il accourut aussitôt à la Malmaison. Joséphine, enveloppée dans une robe de soie blanche, était étendue sur le lit de sa chambre. François Beille n'osa pas s'approcher pour regarder son visage, éclairé par deux bougies, mais il le vit suffisamment pour constater que le calme de la mort s'y était substitué sans transition à la langueur créole. Il était bouleversé par la proximité de cette forme sans vie, où il retrouvait toutes les évocations de la présence de celle qui avait été, et qui restait pour lui, la belle et émouvante impératrice des Français.

L'empereur-régent fit son entrée dans la pièce. Il bénit le corps avec une branche de buis, en retenant ses larmes. Il aperçut François Beille, et ils s'étreignirent longuement. Il l'entraîna hors de sa chambre, et lui dit :

« Je te remercie d'être venu si vite, François. Ma mère t'aimait beaucoup. Elle a cruellement souffert de l'éloignement de l'Empereur, et elle était reconnaissante à tous ceux qui, comme toi, lui témoignaient leur fidélité et leur affection. Elle m'a parlé de tes visites, qui touchaient son cœur, et elle m'a chargé de te remettre un souvenir d'elle. C'est un petit portrait du peintre Lefèvre qui la montre rayonnante de bonheur après son couronnement. Je te le ferai parvenir, et je te confirme – mais ce n'est pas vraiment le lieu – que je vais annoncer la semaine prochaine la nomination de nos cinq commandants d'armée en Europe, dont la tienne ! »

Ils s'embrassèrent à nouveau.

Le lendemain, François Beille partit, cette fois dans sa voiture, pour la Provence.

Arrivé à La Tour, François Beille constata qu'en son absence le personnel avait été pris de zèle : les pelouses étaient tondues, et les allées finement ratissées. Tous les volets de la maison étaient ouverts, et on voyait par les fenêtres le maître d'hôtel, Florent, agiter un énorme plumeau.

Beille avait amené avec lui son ordonnance, Le Lorrain, et son palefrenier, Bonjean, pour s'occuper des chevaux. Ils déchargèrent ses bagages.

« Je vais rester ici trois mois, dit-il à l'intendant, il faut que chaque chose trouve sa place. »

Il examina avec lui les placards de la chambre qu'il allait occuper, et ceux de la penderie voisine, et demanda à Florent de bien séparer ses vêtements civils et militaires, et de mettre à part ses tenues de cavalier.

Il fit déposer dans le salon la caisse qui contenait ses livres, ce qui lui donna l'occasion de découvrir le plan du rez-de-chaussée. L'entrée était une pièce rectangulaire qui traversait toute la maison. Son sol était fait de larges dalles de terre cuite, orange pâle, et les murs étaient revêtus d'un décor en stuc qui devait être l'œuvre d'artisans italiens du siècle précédent. Un filet d'eau coulait continuellement dans la vasque en forme de coquille Saint-Jacques d'une fontaine adossée au mur, sans doute pour rafraîchir l'air pendant l'été. Sur la gauche de cette entrée, s'ouvraient la salle à manger et l'office, et sur la droite le salon et la bibliothèque. Chacune de ces pièces occupait un angle de la maison.

Beille s'attarda dans la bibliothèque. Une de ses deux fenêtres donnait sur l'allée qui menait à l'entrée, l'autre sur la colline boisée située à l'arrière de la maison. Les murs étaient entièrement recouverts de rayonnages, remplis de livres reliés en cuir fauve.

Il parcourut les titres et trouva les inévitables œuvres de Buffon, de La Fontaine et de Racine, ainsi que les traductions de Virgile, mais aussi, à sa surprise, des ouvrages de Diderot et de Voltaire, et une superbe édition complète de l'*Encyclopédie*, reliée en rouge. Peut-être son père avait-il sous-estimé, pensa-t-il, la curiosité intellectuelle de son beau-frère Laffars ?

Au milieu de la pièce se trouvaient une large table-bureau, à revêtement de cuir sombre, et un fauteuil. « C'est ici, décida Beille, que je vais déposer mes dossiers, et mes instruments d'écriture », car il formait le projet d'occuper les trois mois à venir par la rédaction d'un mémoire relatant les événements de la campagne de Russie. Il n'envisageait pas un ouvrage destiné à la publication, mais un témoignage, aussi précis que possible, qui pourrait alimenter les recherches des historiens futurs.

Puis il pénétra dans le salon, qui communiquait par une double porte. C'était la pièce où le marquis de Laffars avait accumulé ses trésors : une quantité invraisemblable de sièges, qui devaient être estampillés par de grands ébénistes, trois commodes en acajou d'époque Louis XVI, une imposante pendule sur la cheminée au décor de marbre provençal, et une collection d'assiettes et d'objets en porcelaine provenant des manufactures d'Apt, de Moustiers et de Marseille, présentée dans des vitrines. C'est ici, pensa-t-il, que l'ancien propriétaire devait recevoir les membres de l'aristocratie aixoise.

Cette évocation déclencha chez lui une interrogation. Quelle attitude devait-il adopter vis-à-vis de ses voisins ? Il n'aspirait lui-même qu'à la tranquillité, mais il voulait éviter tout ce qui pourrait apparaître comme du mépris. Certains propriétaires de bastides voisines déposèrent chez lui des cartes de visite. Il fit de même, et ils se rencontrèrent. Il découvrit avec plaisir que c'était une société plutôt conventionnelle, mais ouverte et affable, et respectueuse de l'intelligence. Elle n'était certes pas favorable à Napoléon, mais la prudence l'incitait à mettre une sourdine à son aspiration à la restauration monarchique.

Ainsi la vie de François Beille s'organisa-t-elle : le matin la rédaction de son mémoire, qui le passionnait, et l'après-midi, après une courte sieste, une promenade à pied pour paraître s'intéresser aux travaux de son domaine, ou un parcours à cheval dans les collines environnantes, interrompu parfois par une visite de voisinage.

Il se rendait rarement en ville, sauf le dimanche à Aix-en-Provence, pour assister à la messe célébrée dans la cathédrale.

Il était heureux, croyait-il, et avait l'âme en paix.

*
* *

Un matin, vers 11 heures, au moment où il évoquait dans son mémoire l'étrange positionnement de la Garde impériale pendant la bataille de la

Moskova, il aperçut à l'extrémité de l'allée le poudroiement d'un équipage de chevaux.

Ce n'était pas l'heure habituelle des visites. Il suivit du regard, à partir de son bureau, la progression de la voiture. Il s'agissait d'une grande calèche, bien attelée de quatre chevaux blancs. Les deux cochers portaient des chapeaux haut de forme, à poils hérissés. Les vitres des portières étant fermées, il ne pouvait pas distinguer clairement l'intérieur. Il lui sembla qu'il y avait plusieurs voyageurs. Le piétinement des souliers de Florent se fit entendre dans l'antichambre, où il allait ouvrir la porte. Un brouhaha de conversations suivit.

Florent arriva dans la bibliothèque.

« Il est arrivé des visiteurs, dit-il. Ce sont des dames étrangères qui demandent à être reçues par vous. Elles parlent le français avec un drôle d'accent ! » Il prononçait lui-même le mot « accent » avec une tonalité nasillarde sur la dernière syllabe.

« Tu peux les faire entrer au salon, où je vais venir les saluer. »

François Beille attendit un moment, jusqu'à ce qu'il entende le bruit de sièges déplacés dans le salon, puis il ouvrit la porte de communication, et entra.

Il aperçut trois jeunes femmes, dont un enfant, en tenue de voyage. La plus grande d'entre elles tournait le dos et regardait le jardin par la fenêtre. Elle se retourna. François Beille reconnut Krystyna Kalinitzy.

Au fond de lui-même sommeillait depuis longtemps l'espoir de sa visite, mais il s'interdisait de l'attendre, et voici qu'elle était maintenant devant lui, et qu'elle s'avançait la main tendue.

« Bonjour, François, lui dit-elle. J'espère que nous ne vous dérangeons pas, mais je n'ai pas réussi à vous prévenir. J'ai amené avec moi ma fille Olga, que vous reconnaissez, même si elle a beaucoup grandi depuis un an et demi, et sa gouvernante française, Mlle Beauchamp. »

Olga esquissa une petite révérence. Elle avait en effet beaucoup grandi, et elle ressemblait davantage à sa mère, peut-être en plus russe, pensa François Beille, avec de petites taches de rousseur près du nez, et ses yeux enfoncés dans les joues. Il remarqua qu'elle avait aussi, sur la gauche de son visage, la même fossette que sa mère.

François Beille embrassa Olga, et serra la main de la jeune et souriante gouvernante française, puis il rappela Florent.

« Nous ferez-vous le plaisir de rester pour déjeuner ? demanda-t-il à Krystyna.

— C'est malheureusement impossible ! La personne chez qui nous logeons à Aix a organisé un repas pour nous. Mais nous pouvons demeurer encore un moment.

— Dans ce cas Florent va emmener ces demoiselles visiter le domaine, et surtout leur montrer nos chevaux de Camargue. Pendant ce temps, si vous le voulez bien, vous me raconterez votre voyage. »

François Beille conduisit Krystyna dans la bibliothèque où ils s'assirent tous les deux dans la large radassière[1], qu'il avait l'habitude d'utiliser

---

1. Sorte de canapé garni de coussins sur lequel les Provençaux faisaient la sieste.

pour sa sieste. Il hésita à lui prendre la main, puis il renonça, et l'interrogea :

« Comment êtes-vous arrivée dans ce bout du monde, qui est si loin pour vous ?

— C'est toute une histoire », répondit Krystyna, qui avait ramené ses jambes sur le canapé, dissimulées sous sa longue jupe noire.

« Il m'a fallu passer plusieurs mois à Varsovie avant de retrouver un début d'équilibre, puis, au début du printemps dernier, je me suis rendue à Saint-Pétersbourg par la mer Baltique, car le trajet terrestre restait impossible en raison de la présence de pillards et de déserteurs. Je voulais reprendre possession de la maison de mon père, située juste à côté du château Michel, et je souhaitais savoir si l'Institut Smolny pour jeunes filles nobles conviendrait pour l'éducation d'Olga. Malheureusement, Olga n'aime pas la Russie. Elle en a peur depuis les violences dont elle a été témoin à Smolensk. Pour lui changer les idées, j'ai décidé de lui faire faire le tour de l'Europe. Nous sommes passées par Hambourg, où nous avons débarqué, puis nous sommes venues en voiture jusqu'à Paris, qu'Olga a adoré, et où elle rêverait d'être pensionnaire ! Elle y est poussée par sa gouvernante française.

— Vous allez continuer votre tour d'Europe ? demanda François Beille. Et pourquoi êtes-vous passée par ici ? » Après une seconde d'hésitation, il posa directement la question : « Cherchiez-vous à me revoir ? »

Krystyna sourit, et appuya son dos sur les coussins.

« Oui, nous allons continuer notre tour d'Europe, répondit-elle ; notre prochaine étape sera Nice, où la marraine d'Olga possède une maison sur la mer, puis nous irons à Venise, et de là à Vienne que je voudrais faire découvrir à ma fille, et où j'ai beaucoup d'amies. Puis nous retournerons à Varsovie. Je vais essayer aussi de répondre à votre autre question, si je cherchais à vous revoir, mais ce sera plus difficile pour moi. » Elle avança le bras, et saisit la main de François Beille, et joua avec ses doigts.

« Lorsque je vous ai vu à Varsovie, il y a maintenant un an et demi, je vous ai dit que je ne me sentais pas bien, et que j'avais été très fatiguée par le voyage. Ma mère vous a redit la même chose. Ce n'était pas la vérité ! »

Elle attendit un moment avant de reprendre. Elle observait attentivement François Beille pour vérifier s'il pressentait quelque chose. Apparemment non, quoiqu'il fût très attentif.

« Ce n'était pas la vérité, répéta-t-elle. La vérité c'était que j'étais enceinte, que j'attendais un enfant, et que j'étais la seule à le savoir. J'avais consulté un médecin à mon arrivée à Varsovie. C'est lui qui m'a révélé la nouvelle. Je me suis demandé si j'allais vous prévenir, mais votre passage était si rapide que j'ai renoncé à le faire. Je m'étais rendu compte que j'avais un problème pendant le trajet de Vilna à Varsovie. C'était tout à fait le début. J'avais mal au cœur, mais je ne pouvais pas vomir... »

François Beille était stupéfait et honteux de son incapacité à imaginer ce qui avait pu arriver à Krystyna.

« Je n'ai rien dit à ma mère, poursuivit Krystyna, elle m'aurait maudite. J'ai eu très peur de ce qui allait se produire, car la naissance d'Olga s'était mal passée. J'ai consulté un médecin qui m'a confirmé que j'étais enceinte. J'ai attendu dans l'angoisse, et au bout de trois mois un malheur est arrivé, et j'ai perdu mon enfant... »

La voix de Krystyna s'était crispée, et sa main se nouait autour de celle de François Beille.

« Cela m'a fait énormément de peine, reprit-elle. Je ne savais pas si je devais vous l'annoncer, et je me suis dit que je vous le raconterais si j'avais l'occasion de vous revoir. C'est un peu plus tard que j'ai eu l'idée de ce voyage. Je croyais que vous étiez à Paris, et je ne connaissais pas votre adresse. C'est le capitaine Zalisky qui m'a aidée à la trouver. Il a servi sous vos ordres, et il est maintenant colonel à l'état-major du roi Poniatowski. Il a su que vous auriez un nouveau commandement à Mayence à l'automne, et que jusque-là vous résidiez en Provence, dans une propriété dont il m'a donné le nom, et le lieu. Et me voici ! Je crois vous avoir tout dit. »

Ce récit lui avait imposé un effort dont Beille observait les traces : son visage avait pâli, et ses traits s'étaient creusés. Elle restait étendue sur la radassière, abandonnée par ses forces.

Beille ne savait pas comment réagir. Rien de ce qu'il pourrait dire ne serait à la hauteur de l'annonce.

C'est Krystyna qui mit fin à son angoisse.

« Ne cherchez pas à me répondre, dit-elle. Je peux imaginer ce que cette nouvelle représente pour vous, mais il n'y a plus rien à ajouter. Ma tristesse commence à se dissiper. Vous n'auriez rien pu faire pour moi, et je me sens libérée de vous avoir parlé ! »

La fenêtre était ouverte sur le jardin. On entendait des voix à l'extérieur. L'air était si pur qu'il leur ajoutait un tintement cristallin qui résonnait dans l'espace.

« C'est Olga qui revient de sa promenade, reprit Krystyna. Naturellement elle ne sait rien de ce que je vous ai dit. »

Les deux jeunes filles rentrèrent dans le salon, talonnées par Florent, que la promenade faisait transpirer.

« C'et un endroit magnifique, cria Olga à sa mère. Les chevaux sont superbes et très bien dressés. Vous devriez vous promener avec le général !

— Nous devons repartir, malheureusement, sinon nous serons en retard à Aix », répondit Krystyna.

François Beille cherchait une inspiration pour prolonger la rencontre. Il crut la trouver.

« Puisque vous êtes pressées de partir, dit-il, vous pourriez revenir demain. Je vous propose de faire une promenade à cheval dans l'après-midi, comme le recommande Olga. Nous souperions sur la terrasse, et vous passeriez la nuit dans l'appartement pour amis du premier étage. Cela vous permettrait de partir directement pour Nice, sans avoir à traverser la ville d'Aix. Mon ordonnance, que vous connaissez, s'occuperait du logement de vos cochers, et des soins de vos chevaux. »

La comtesse Kalinitzy paraissait réfléchir.

« Florent va vous montrer, si vous voulez bien, l'appartement qui conviendrait pour vous et pour Olga. Cela vous permettra de vous décider. »

François Beille aida Krystyna à se relever de la radassière, et celle-ci sortit de la pièce accompagnée de Florent et de la gouvernante française. On les entendit monter l'escalier.

Le général resta seul dans le bureau avec Olga.

« Il faut que vous m'aidiez, demanda Olga. Maman hésite à me mettre en pension à Saint-Pétersbourg ou à Paris. Je préférerais tellement Paris ! Je dois passer trois ans d'études en pension, et je n'imagine pas de pouvoir le faire en Russie ! Ma mère m'explique qu'il y a une difficulté pour mon admission à la maison de la Légion d'honneur parce que mon père était un officier russe qui a été tué dans une bataille contre les Français. Peut-être pourriez-vous régler ce problème ?

« L'autre chose que je voulais vous demander, poursuivit Olga, c'est de vous occuper davantage de ma mère. Je sais qu'elle vous admire beaucoup. »

On entendait les lames du parquet de l'étage supérieur craquer sous les pas des visiteurs.

« Elle espérait recevoir de vos nouvelles. J'ai bien vu qu'elle se renseignait sur le courrier de France. Vous lui feriez sûrement plaisir en lui écrivant. »

François Beille arracha une feuille d'un bloc de papier posé sur son bureau.

« Figure-toi, Olga, que je n'ai même pas l'adresse où lui écrire à Varsovie ! Peux-tu, s'il te plaît, l'inscrire sur cette feuille. Assieds-toi dans mon fauteuil. »

Olga saisit une plume d'oie qu'elle trempa dans l'encrier, et s'appliqua à écrire.

Krystyna redescendait l'escalier, et rentra dans la pièce. Son visage avait retrouvé ses couleurs.

« Cet appartement est très bien arrangé, dit-elle, mieux que celui dans lequel je vous ai accueilli à Smolensk ! J'accepte votre invitation. Nous arriverons demain en début d'après-midi, et je ferai volontiers une promenade avec vous, si vous disposez d'une selle d'amazone ! Maintenant, excusez-nous, poursuivit-elle en prenant sa fille par le bras, si nous vous imposons un départ précipité mais je ne voudrais pas être trop en retard au déjeuner d'Aix ! »

Elles montèrent toutes les trois dans la calèche. Le cocher donna un coup de son long fouet sur la croupe des chevaux de tête, et les roues de la voiture commencèrent à rouler.

François Beille revint dans son bureau, d'où il regarda à travers la fenêtre le dos de la calèche qui s'éloignait dans l'allée bordée de platanes taillés, en laissant derrière elle un double sillon de poussière grise.

*
* *

Il passa la matinée du lendemain à préparer la visite prévue pour l'après-midi.

Le Lorrain, qui avait été stupéfait de reconnaître la comtesse Kalinitzy, se rendit dans une propriété voisine pour y emprunter une selle d'amazone, puis avec Bonjean, ils étrillèrent énergiquement les chevaux, l'alezan foncé du général, et la jument pommelée grise que monterait la comtesse.

Pendant ce temps François Beille alla examiner l'état de l'appartement des amis. C'était une enfilade de deux pièces, qui occupait un côté de la galerie du premier étage, au-dessus du salon et du bureau. Il fit placer deux lits dans une chambre pour Olga et sa gouvernante, et demanda à Madeleine d'utiliser pour l'autre pièce le linge le plus fin de la maison. Il s'interrogea sur les mobiles du marquis de Laffars qui avait décoré de manière aussi raffinée une pièce qui n'avait jamais été habitée. C'était dû, sans doute, à son goût de collectionneur. Puis il attendit.

La voiture des invitées arriva vers 4 heures. La comtesse Kalinitzy s'était habillée à la mode française en vue de la promenade à cheval, avec une longue jupe de drap bleu bordée d'un ourlet noir, un chemisier blanc, et une veste cintrée noire portant un col de velours. Elle était équipée de bottes de cheval, et avait posé sur ses cheveux blonds un tricorne à bords relevés. La bride des chevaux était tenue par Le Lorrain et Bonjean. Krystyna s'assit en amazone et flatta de la main le cou de sa jument, et ils partirent en direction de la montagne Sainte-Victoire.

Ils passèrent devant l'imposant château de Vauvenargues, puis empruntèrent un chemin escarpé. Les chevaux le montèrent allègrement en tirant sur les rênes, la tête penchée en avant. Ils atteignirent enfin les maisons de Puyloubier. Le paysage était grandiose, et on apercevait à l'horizon le scintillement de la mer. Krystyna aurait souhaité poursuivre l'ascension, mais François Beille estima qu'ils devaient faire demi-tour. Ils revinrent plus lentement, leurs chevaux se retenant sur leurs jambes de devant, et faisant rouler des cailloux sous leurs sabots.

À partir de Vauvenargues, ils mirent leurs montures au trot. Les rares paysans qu'ils croisaient les saluaient en enlevant leurs bonnets, et suivaient longuement du regard l'élégante silhouette et la taille fine de Krystyna.

Ils parlèrent peu pendant leur trajet, Krystyna étant envoûtée par la vue des collines et des forêts.

De retour au domaine de La Tour, Krystyna monta se rafraîchir dans sa chambre, où sa valise avait été défaite.

Florent avait aménagé la terrasse pour le dîner. Il avait allumé des lanternes, et placé des bougies sur la table dans des ballons de verre soufflé. La brise ressemblait à une caresse. Krystyna s'installa le dos au mur, face au jardin et au vignoble, et François Beille s'assit à côté d'elle. Olga et sa gouvernante, qui avaient fait une promenade à pied dans les bois, prirent place en face d'eux. Madeleine s'était appliquée pour la cuisine, en respectant les produits provençaux : des tomates, des olives, et de la viande d'agneau. Le Lorrain était venu superviser le service de Florent, et servait les boissons. Entre le vin rosé et le vin rouge des coteaux d'Aix, Krystyna préféra le vin rouge. La nuit commença à tomber, et on entendait distinctement le tintement de l'eau qui coulait dans la fontaine de la cour.

Le départ pour Nice était fixé à 8 heures du matin, et la promenade à cheval ayant été fatigante en raison du terrain, Krystyna exprima le souhait d'aller dormir. La petite troupe monta l'escalier et se scinda en deux dans l'antichambre du premier étage. François Beille embrassa Olga, et accompagna Krystyna jusqu'à la porte de sa chambre. Quand il voulut lui dire bonsoir, il lui sembla qu'une partie de son angoisse l'avait quittée. Elle souriait.

Il prit sa main pour la baiser, et ses lèvres retrouvèrent la saveur soyeuse de sa peau. Elles s'attardèrent un moment, et montèrent jusqu'au poignet.

Krystyna le regardait faire. Elle ouvrit la porte et entra dans sa chambre.

« Laissez la fenêtre ouverte, lui recommanda François Beille. Au matin, vous entendrez chanter les cigales. »

*

* *

À 7 h 30, les préparatifs du départ étaient déjà très avancés. La calèche attelée de ses quatre chevaux attendait devant la porte. Un des cochers, armé d'un maillet de bois, tapotait sur les essieux pour vérifier leur état. Madeleine était montée dans la chambre de la comtesse afin d'emballer ses vêtements.

François Beille s'installa dans son bureau pour attendre le départ. Il avait bien dormi, et s'était émerveillé lui aussi de la splendeur des paysages qu'ils avaient traversés. Le récit de Krystyna continuait d'occuper ses pensées. Il était habité par un poids, quelque part dans la poitrine et autour du cœur, qui n'allait pas disparaître de sitôt, mais finirait, peut-être, par trouver sa place.

Un petit bruit le fit sursauter. C'était Krystyna qui frappait pour entrer. Il se leva pour lui ouvrir la porte.

Elle était en tenue de voyage, prévue non pour un parcours dans la neige mais pour un trajet en pays chaud. Elle portait un ensemble gris clair, taillé dans un tissu léger, et avait relevé ses cheveux en chignon.

« Puis-je entrer ? demanda-t-elle. J'ai quelque chose à vous dire avant de partir.

— Volontiers, répondit François Beille. Je souhaitais vous apercevoir avant votre départ.

— J'espère que mon récit ne vous a pas trop peiné. Ce n'était pas mon but. Je voulais seulement vous informer de quelque chose qui vous concernait. Et peut-être s'agissait-il aussi de me fournir un prétexte pour chercher à vous revoir…

— Non, vous ne m'avez pas peiné, mais vous m'avez donné une image de moi que j'ai trouvée détestable. D'abord par mon incapacité à comprendre, à imaginer ce que vous vous efforciez de me dire à Varsovie. Ensuite par mon absence trop facile dans les mois qui ont suivi. J'aimerais que vous puissiez me le pardonner.

— Ne parlez pas ainsi, François, ce n'est pas du tout ce que j'ai cherché à vous dire ! J'ai voulu plutôt exprimer – Krystyna se tut un instant pour trouver ses mots –, oui, exprimer, reprit-elle, le lien qui a existé entre nous. Il n'appelle pas le pardon, mais le souvenir. »

Son visage était éclairé, presque ensoleillé. François Beille se dit que cette étape en Provence avait pu, dans une certaine mesure, dissiper le lourd brouillard qui pesait encore sur les événements de Smolensk.

Krystyna, qui était assise en face de lui, prit ses deux mains dans les siennes, pour lui dire, avec un regard amusé :

« Je vais encore vous embarrasser, François. Vous allez croire que c'est chez moi une manie ! Vous vous souvenez de la manière dont je vous ai demandé, devant ma maison de Smolensk, si je pouvais me joindre à votre convoi ? Vous m'avez donné un accord résigné ! »

François Beille exprima son approbation par un hochement de tête.

« Aujourd'hui l'idée est la même, poursuivit-elle, mais la matière est différente. J'ai appris que vous alliez vous installer à Mayence à partir du 1er octobre. Je vous demande si je peux venir passer chez vous les fêtes de Noël et de fin d'année ? »

François Beille sentit se ruer dans ses veines le flux des sentiments, des impatiences, des désirs qu'il avait contenu avec application tout au long de cette visite.

« Bien sûr, Krystyna, répondit-il. Bien sûr ! Je vous attendrai pour Noël et la fin de l'année ! Mais cette fois, ajouta-t-il, vous ne me parlerez pas de résignation !

— Je vous le promets », dit-elle doucement.

*
*   *

Les voyageurs s'étaient rassemblés dans le vestibule, où Florent et Madeleine avaient revêtu leurs tenues de service. L'intendant Etienne surveillait la scène. Olga et sa gouvernante faisaient leurs adieux ; au-dehors, les cochers avaient grimpé leur petite échelle pour se jucher sur leurs sièges, et coiffé leurs chapeaux.

Krystyna sortit de la bastide et s'approcha de la voiture. La gouvernante française monta la première, suivie d'Olga. Pendant qu'elles s'installaient, Krystyna se tint en retrait, permettant à François Beille de se rapprocher d'elle.

« J'ai une dernière question à vous poser, murmura-t-elle à son oreille. Vous souvenez-vous encore de la phrase que j'ai prononcée lors de notre séparation à Barysau ?

— Je pourrais vous la répéter mot pour mot !

— Ne le faites pas, insista Krystyna, vous me feriez rougir ! Mais ne l'oubliez pas, car elle reste toujours vraie. »

Elle souleva légèrement sa longue jupe pour monter dans la calèche qui se balança sur ses ressorts avant de prendre la route qui mène à Nice, Venise, Vienne et Varsovie.

*
* *

1815

Chapitre XXV

Strasbourg.
Le Congrès de la paix en Europe

La date de la première réunion du Congrès de la paix en Europe – comme on s'était accordé à le baptiser après d'interminables discussions, avant de trouver mieux, à l'image des jeunes États-Unis d'Amérique – avait été fixée au 15 août 1815. C'était une habileté de Caulaincourt, car ce jour coïncidait avec le quarante-sixième anniversaire de la naissance de Napoléon. Et le lieu choisi était Strasbourg, sur ce grand fleuve européen qu'est le Rhin.

La préparation de ce Congrès avait été difficile, et avait absorbé pendant un an l'énergie du ministre des Affaires étrangères de l'empereur-régent. Il avait heureusement reçu le concours actif du brillant ministre des Affaires étrangères d'Autriche, le prince de Metternich.

La première difficulté était la composition du Congrès. Les négociateurs avaient fini par tomber d'accord sur une formule qui donnait trois sièges aux grands empires – Autriche, France et Espagne –, deux sièges aux royaumes d'Europe – Saxe, Prusse, Pologne, Suède, Hollande, Naples, Bavière et Wurtemberg – et un siège aux principautés qui étaient encouragées à se regrouper.

Tous les souverains avaient annoncé leur présence. Le plus réticent avait été le roi de Prusse, Frédéric-Guillaume III, encore ulcéré par la sévère leçon militaire que lui avaient infligée les corps d'armée de Murat, de Davout et d'Oudinot, mais il avait fini par céder.

Des invitations comme « grands observateurs » avaient été adressées à l'empereur de Russie et au roi d'Angleterre. Caulaincourt et Metternich en avaient soigneusement pesé les termes : leurs représentants assisteraient aux débats et pourraient intervenir dans la discussion, mais ils ne participeraient ni à la préparation, ni à l'adoption des décisions. Alexandre avait envoyé une réponse aimable, indiquant qu'il serait représenté par son frère, le grand-duc Constantin. La réponse britannique n'était pas encore parvenue, mais de l'avis général elle serait négative.

La question centrale posée au Congrès portait sur « la manière de réduire les risques de guerre en Europe ». La réponse était recherchée sous la forme de la réduction et du plafonnement des effectifs des armées en Europe. Une limite serait fixée pour le nombre des soldats de chacune des cinq grandes armées européennes, et une durée légale maximale imposée pour la conscription et le service militaire. On envisageait un an et demi.

L'accord semblait pouvoir être trouvé, et seule la Prusse lui opposait un refus obstiné. Celui-ci ne semblait pas pouvoir être maintenu par elle en raison de la présence, sur ses frontières, de trois armées européennes : polonaise, austro-saxonne et nord-germanique. Caulaincourt, Metternich et le

Premier ministre espagnol s'étaient entendus sur le texte d'une mise en garde on ne peut plus claire indiquant que « le respect des limites et des plafonds fixés par le Congrès pour la paix concernait tous les États d'Europe, et pourrait être imposé au besoin par la force, par décision du Congrès ».

La question la plus difficile restait précisément celle de l'avenir du Congrès. On s'accordait à penser qu'il devrait tenir des réunions régulières, et évoluer vers un « Congrès des États souverains d'Europe ». Il aurait besoin d'un coordinateur. Caulaincourt, solidement épaulé par Metternich, les Italiens et Poniatowski, avait fini par faire accepter l'idée que cette fonction devait être exercée, pour la première fois, par l'ancien Empereur des Français, le prince Napoléon Bonaparte. Encore fallait-il lui donner un titre. « Président » ou « consul » avait un parfum trop républicain pour le goût de Metternich et des princes allemands. On s'orientait vers chancelier, ou archi-chancelier d'Europe.

*
* *

Il avait été décidé que la sécurité du Congrès serait assurée par l'armée du Rhin, que commandait le maréchal François Beille. C'était une mission plutôt théorique, car aucune menace militaire ne visait directement le Congrès.

François Beille s'était installé à Mayence avec Krystyna Kalinitzy, qu'il avait épousée au début de l'année, au cours d'une cérémonie intime qui s'était déroulée dans la chapelle baroque du château de Brühl. Beille avait pris pour témoins le lieutenant Villeneuve et l'adjudant Le Lorrain, et

Krystyna le capitaine Zalisky, devenu colonel, et son cousin Souvarovski. Ainsi c'était la campagne de Russie qui leur avait servi de témoin !

Krystyna avait reçu, du fait de son mariage, le titre de duchesse de Smolensk, qui la faisait sourire. Elle refusait de le porter, à l'exception des cérémonies officielles.

Ils avaient choisi de résider à la campagne, dans un pavillon de chasse construit dans les années 1750 pour le prince-électeur. Il était situé dans un parc, en bordure d'une forêt où Krystyna pouvait se promener à pied ou à cheval. François Beille se rendait chaque jour à Mayence pour y exercer son commandement au palais du gouverneur. Il refusait toutes les invitations à souper, de manière à rentrer le soir pour poursuivre avec Krystyna leur amour discret et passionné. Vers le milieu du mois de mai, elle lui avait annoncé, rayonnante, qu'elle attendait un enfant. Si c'était un garçon, avaient-ils décidé, ils l'appelleraient François-Napoléon et si c'était une fille, Marie-Krystyna, en souvenir de la Vierge de Smolensk.

Olga était restée à Paris, où elle avait été admise à la maison de la Légion d'honneur, sur une intervention de l'empereur-régent. Bien qu'elle fût la fille d'un officier russe, le souverain avait voulu donner par sa décision un signal symbolique du nouvel état de paix en Europe. Accompagnée de sa gouvernante, elle venait en diligence passer ses vacances à Mayence.

Chacun d'eux attendait avec impatience le moment délicieux du retour en Provence.

*
* *

Le programme de la journée d'ouverture du Congrès était très chargé.

Les cérémonies commenceraient à 10 heures par une messe célébrée dans la cathédrale de Strasbourg pour les souverains catholiques, dont l'empereur-régent de France, l'empereur d'Autriche, le roi d'Espagne et le roi de Pologne-Lituanie, et par un office protestant, organisé dans l'église Saint-Thomas, où repose le corps du maréchal de Saxc, qui réunirait notamment le roi de Saxe, le grognon roi de Prusse et le roi de Suède.

Puis tous les souverains et les délégués se rendraient au palais de Rohan pour l'ouverture du Congrès. La séance débuterait à midi par un discours de Goethe où il comptait, disait-on, traiter de la « culture et la paix en Europe », un déjeuner serait ensuite servi, et les débats débuteraient aussitôt après.

Napoléon avait décidé de passer la matinée à la préfecture du Bas-Rhin où il résidait, en recevant la visite de personnalités alsaciennes, puis il se rendrait au palais de Rohan pour écouter Goethe. Il serait accompagné pendant le trajet par le maréchal commandant l'armée du Rhin.

François Beille s'était réveillé à 5 heures au palais du gouverneur militaire de Strasbourg pour aller inspecter la mise en place du dispositif. Accompagné d'une petite escorte, il avait galopé jusqu'au pont sur le Rhin. Un régiment wurtembergeois en assurait la surveillance et y rendait les honneurs. Le maréchal Beille s'entretint avec son colonel, en lui demandant de bien veiller à respecter le protocole pour les souverains, en évitant de froisser leurs susceptibilités, puis il revint vers la ville.

Il avait choisi d'y déployer le long des rues des unités qui provenaient des diverses composantes de l'armée du Rhin, en respectant approximativement la proportion de deux tiers de Français et un tiers de Germaniques. Les uniformes avaient été remis à neuf, et les baïonnettes scintillaient au soleil, car le ciel était entièrement dégagé, d'un bleu intense. La foule commençait à envahir les places. Beille avait donné l'ordre d'y installer les fanfares de tous les régiments de l'armée du Rhin, qui avaient reçu la consigne de jouer des marches jusqu'à 10 heures du matin, de s'interrompre pendant la durée des offices religieux, et de reprendre leur musique à partir de 11 h 15.

Il était prévu que les cloches et les carillons de toutes les églises, des temples et des édifices religieux d'Europe sonneraient en même temps, de Vilna jusqu'à Lisbonne, à l'heure de midi.

Beille se rendit lentement jusqu'à la préfecture car il était en avance. La calèche de Napoléon attendait devant le perron. C'était une grande voiture découverte, tirée par six chevaux, avec deux cochers à l'avant et deux postillons à l'arrière. La porte du vestibule s'ouvrit, et Napoléon en sortit, accompagné du maréchal Bessières, le nouveau chef de sa maison militaire, et suivi par le préfet en grand uniforme, coiffé d'un chapeau bordé de plumes blanches.

Napoléon avait abandonné son uniforme de chasseur à cheval, et portait une redingote grise et une culotte blanche. Pas de bottes, mais des bas, et des escarpins noirs. Il monta dans la calèche où il s'assit sur la droite, et fit signe au maréchal Beille, qu'il avait aperçu, de venir s'asseoir à sa gauche. Un peloton de dragons français vint se positionner devant la voiture, et un détachement de lanciers bavarois se plaça derrière. Deux cavaliers s'installèrent de chaque côté des portières, le maréchal Bessières près de Napoléon, et le colonel Arrighi du côté de Beille. Ceux-ci échangèrent un signe d'amitié, et François Beille pensa que la vie était remplie d'étranges coïncidences.

Dès que le cortège déboucha sur la place, il souleva une immense acclamation. De l'océan des visages montait une clameur : « Vive l'Empereur ! Vive la Paix ! » Et encore « *Es lebe der Kaiser !* », poussée par les Badois qui avaient traversé le Rhin en files interminables. La voiture contourna le bâtiment de la préfecture et emprunta le quai en direction du pont Saint-Guillaume où elle traversa l'Ill, avant de s'engager sur le quai des Bateliers.

Les trottoirs étaient remplis d'une foule compacte, comprimée contre les murs et les parapets du quai, et corsetée dans l'immobilité par le manque d'espace. Seuls les bras s'agitaient au-dessus des têtes. Les femmes portaient le vêtement traditionnel des Alsaciennes, avec leurs larges jupes rouges et leur grand nœud noir dans les cheveux. Les hommes étaient habillés d'un pantalon noir, d'un gilet brodé, et coiffés d'un chapeau rond. Les enfants, placés dans les premiers rangs, portaient le costume traditionnel en miniature.

Le bruit était assourdissant. On percevait par moments les éclats cuivrés de la fanfare qui jouait place Saint-Étienne.

Le service d'ordre était assuré par deux régiments de l'armée du Rhin, dont les hommes étaient alignés face à face le long des trottoirs, d'un côté des voltigeurs français, en tenue bleu marine, avec des bandoulières blanches qui se croisaient sur l'estomac, des guêtres blanches, et des shakos de cuir noir ornés d'un plumet rouge, et de l'autre, des fantassins westphaliens vêtus d'un uniforme gris, à parements verts, et portant sur leur tête un étrange chapeau en forme de mitre. Ils exerçaient leur mission de manière débonnaire, se contentant de refouler d'un léger coup de crosse les curieux qui cherchaient à s'aventurer sur la chaussée. Lorsque sa voiture passait devant eux, les officiers français saluaient de leur épée leur ancien Empereur.

François Beille retrouvait les sons très particuliers qu'il avait entendus dans les manifestations parisiennes. Ces sons se situaient à deux niveaux, et l'oreille passait de l'un à l'autre. Près du sol un bruissement continu, un crépitement de voix et de cris aigus qui formait une sorte de tapis sonore, étendu le long du parcours. Et, en haut, dans le ciel, une immense clameur qui s'élevait et planait comme un oiseau, remplissant l'espace au-dessus des toits. Il était difficile de s'entendre.

Napoléon se pencha vers l'oreille de François Beille.

« Je suis heureux que tu m'accompagnes, maréchal Beille, lui dit-il. Chaque fois que je te vois, tu franchis un nouveau grade !

— C'est vous qui me les conférez, Sire !

— Ta remarque est juste, concéda Napoléon. À propos comment se porte la duchesse de Smolensk ? On me dit qu'elle est très belle. Je te prie de lui exprimer mes hommages, et de lui dire que l'Impératrice aurait plaisir à la rencontrer !

— Elle est restée à Mayence, répondit Beille, en se penchant à son tour vers l'oreille de Napoléon.

Elle n'avait pas sa place dans cette manifestation. Je lui transmettrai votre message, et elle y sera très sensible. »

Napoléon attendit un instant, en souhaitant que le tapage sonore faiblisse.

« Caulaincourt a manœuvré, dit-il, pour que ce Congrès me désigne comme chancelier de l'Europe. Mon beau-père et Metternich l'ont bien aidé. Je vais accepter, mais ceux qui imaginent que je vais déployer une grande activité se trompent ! La paix a beaucoup moins besoin d'interventions que la guerre ! »

Napoléon poursuivit son monologue, que Beille avait de la peine à saisir, tant le bruit enflait encore.

« Je n'ai pas de grandes craintes pour la paix. Du côté de la Russie, tu sais que j'éprouve de l'amitié pour Alexandre, quoiqu'il m'ait déçu. Je lui conseillerai de se tourner vers l'est, et d'agrandir l'espace de la Russie en Asie centrale, pratiquement jusqu'aux Indes. Et le germe de liberté que j'ai introduit délibérément dans son pays lui causera des soucis intérieurs, qui suffiront à l'occuper ! Pour l'Angleterre, il faudra attendre que nous disposions enfin d'une grande flotte franco-espagnole ! Le choix de Lacuée de Cessac par Eugène, pour la construire, me paraît excellent... »

François Beille sourit intérieurement.

« Mais je le répète, cela prendra du temps, poursuivit Napoléon. Colbert avait raison quand il voulait développer la vocation maritime de la France. J'ai tenté de le faire, mais pas suffisamment. Le seul danger réel risque de venir de la Prusse, si elle réussit à éveiller le nationalisme allemand. Elle cherchera à s'agrandir. C'est pourquoi il faudra maintenir une entente étroite entre la France, l'Autriche et la Pologne, et ne pas hésiter à la frapper si elle sort des limites de la paix ! »

Le cortège amorçait un virage difficile sur le pont étroit qui menait au palais de Rohan, et qui avait été dégagé de tout public. En face, sur la place qui borde la cathédrale, s'était entassée une foule plus compacte encore devant la haute muraille de pierres roses. Elle semblait joyeuse, et agitait de petits drapeaux tricolores. Des guirlandes de fleurs en papier reliaient entre eux les balcons.

Napoléon contempla avec satisfaction le public, et se tourna vers Beille :

« Je suis sans doute moins doué pour faire l'une que pour conduire l'autre, mais je commence à croire que la paix vaut mieux que la guerre ! »

La calèche entra dans la cour du palais, gardée par des grenadiers à cheval. Les voitures des délégués étaient parquées au-dehors, à l'exception de celles des empereurs et des rois, alignées sur le côté droit de la cour. Il s'y ajoutait un étrange véhicule, une petite calèche à la capote fermée, protégée sur ses flancs par des bourrelets de tissu jaune, et placée devant les autres.

« Ce doit être la voiture de Goethe, s'exclama Napoléon. Je vais aller le saluer. »

Goethe était effectivement en train de traverser la cour dallée, et marchait en direction du perron d'entrée. Il était habillé d'un long manteau couleur coquille d'œuf largement échancré sur le cou, lui-même enveloppé dans une cravate blanche. En raison de la petitesse de ses jambes, ce vêtement donnait à sa silhouette un aspect presque cylindrique. Goethe portait sous le bras un dossier, sans doute le manuscrit de son important discours sur la « culture et la paix en Europe ».

Napoléon descendit de sa voiture et s'avança pour le rejoindre. Goethe l'attendit sur le perron où ils échangèrent quelques mots. Goethe veillait à se tenir sur une marche plus basse que celle qu'occupait Napoléon pour ne pas faire apparaître leur différence de taille, puis il entra dans le palais.

Napoléon fit signe à François Beille, qui s'était tenu à distance, de venir à lui.

« Approche, approche, maréchal Beille, lui ordonna Napoléon, j'ai à te parler ! »

François Beille fut saisi de stupéfaction : le décor était étonnamment semblable à celui où il avait aperçu l'Empereur sur la place des Cathédrales à Moscou, trois ans auparavant. Comme alors, Napoléon se tenait dans l'angle de deux murs, au haut de plusieurs marches. Comme alors, il s'adressait à lui, à lui seul, et employait les mêmes mots :

« Tu as vu que j'avais raison, affirma-t-il à mi-voix, il fallait partir. Il fallait partir tout de suite ! »

Sa voix fut couverte par le déclenchement du carillon de toutes les cloches d'Europe, l'extraordinaire carillon qui fut entendu partout, dans les villes et les villages, sur les places et dans les cours, dans les masures et dans les palais, dans les clairières des forêts et le long des rivières, cette sonnerie qui interrompit le travail des artisans dans leurs ateliers et des paysans dans leurs champs, et qui ne fut jamais oubliée par ceux qui l'avaient écoutée, car ils pressentaient qu'elle annonçait la naissance d'une ère nouvelle.

*
* *

10558

Composition
NORD COMPO

Achevé d'imprimer en Espagne (Barcelone)
par BLACK PRINT CPI
le 8 décembre 2013.

Dépôt légal décembre 2013.
EAN 9782290079782
OTP L21EPLN001510N001

ÉDITIONS J'AI LU
87, quai Panhard-et-Levassor, 75013 Paris

Diffusion France et étranger : Flammarion